« Après que le monde se fut écroulé le 11 septembre, notre pays avait désespérément besoin de parler de ce qui s'était passé et de ce qu'il ressentait à propos de ces événements. *Bouillon de poulet pour l'âme de l'Amérique* nous permet de le faire. Il nous aide à partager notre souffrance et à sortir de la forêt noire pour aller de nouveau vers la lumière. »

JIM WARDA
Conférencier, chroniqueur et auteur, *Where Are We Going So Fast?*

« *Bouillon de poulet pour l'âme de l'Amérique : des histoires pour guérir le cœur d'une nation* est une collection d'histoires inspirantes qui symbolisent la force de la diversité en Amérique et notre volonté collective de guérir. »

RON NIELSEN
Commandant de bord, conférencier et formateur

« *Bouillon de poulet pour l'âme de l'Amérique* est une collection de photos très saisissantes. Elles nous rappellent ce que signifie "être un héros", que la démocratie en Amérique est forte, que notre moral ne peut être détruit et que notre détermination ne peut être vaincue. Ce livre fascinant parle de la bonté des étrangers, du courage des gens ordinaires et de la véritable signification d'être membre de la grande famille humaine. »

LOIS CAPPS
Membre de la Chambre des représentants (D-CA)

« *Bouillon de poulet pour l'âme de l'Amérique* m'a permis de réfléchir sur l'engagement héroïque et extraordinaire des gens dont la vie est un exemple d'amour pour leur prochain. Les vérités contenues dans ce livre vous inspireront et vous réconforteront. Elles mettront aussi en lumière la vie des gens que nous avons perdus, dont le sacrifice ultime vivra pour toujours dans nos cœurs. »

CAM SANCHEZ
Chef de police, Santa Barbara, Californie

« Les événements du 11 septembre ont laissé une blessure profonde dans le cœur de notre pays. *Bouillon de poulet pour l'âme de l'Amérique* est un superbe baume d'amour et d'espoir qui aidera à soulager la douleur et aidera nos cœurs à guérir. »

BARBARA DE ANGELIS, PH.D.
Personnalité de la télévision et auteure, *Real Moments*

Jack Canfield
Mark Victor Hansen
Matthew E. Adams

Bouillon de Poulet pour l'âme de l'AMÉRIQUE

Des histoires pour guérir
le cœur d'une nation

Traduit par
Fernand A. Leclerc et Lise B. Payette

SCIENCES ET *CULTURE*
Montréal, Canada

L'édition originale de cet ouvrage a été publiée sous le titre
CHICKEN SOUP FOR THE SOUL OF AMERICA
© 2002 Jack Canfield et Mark Victor Hansen
Health Communications, Inc., Deerfield Beach, Floride (É.-U.)
ISBN 0-7573-0007-3

Réalisation de la couverture : Alexandre Béliveau

Tous droits réservés pour l'édition française
en Amérique du Nord
© 2002, *Éditions Sciences et Culture Inc.*

Dépôt légal : 3ᵉ trimestre 2002
Bibliothèque nationale du Québec
Bibliothèque nationale du Canada

ISBN 2-89092-304-5

 Éditions Sciences et Culture
5090, rue de Bellechasse
Montréal (Québec) Canada H1T 2A2
(514) 253-0403   Fax : (514) 256-5078
Internet : www.sciences-culture.qc.ca
Courriel : admin@sciences-culture.qc.ca

Nous reconnaissons l'aide financière du gouvernement du Canada
par l'entremise du Programme d'Aide au Développement de l'Industrie de l'Édition pour nos activités d'édition.

IMPRIMÉ AU CANADA

*Ce livre est dédié
à tous ceux qui forment
ce grand pays qu'on appelle l'Amérique.
Nous espérons que tous trouveront la paix
pendant cette période de guérison.*

Table des matières

Les citations

Pour chacune des citations contenues dans cet ouvrage, nous avons fait une traduction libre de l'anglais au français. Nous pensons avoir réussi à rendre le plus précisément possible l'idée d'origine de chacun des auteurs cités.

Remerciements

Bouillon de poulet pour l'âme de l'Amérique a été un livre difficile à produire, mais c'est un livre que nous avions le sentiment de devoir faire. Parce que nous l'avons réalisé dans le quart du temps normalement requis pour produire un livre, cela aurait été impossible sans les efforts de nombreuses personnes.

Nous désirons en premier lieu remercier tous ceux d'entre vous qui continuent à nous aimer et à nous appuyer, et qui nous ont donné le temps et l'espace additionnels requis pour créer ce livre — nos familles qui continuent d'être le bouillon de poulet pour notre âme!

Inga, Christopher, Oran et Kyle Canfield, et Travis et Riley Mahoney, pour leur amour et leur soutien.

Patty, Elisabeth et Melanie Hansen, qui nous ont une fois de plus donné leur soutien pendant la création d'un autre livre.

Donna, Austin et CJ Adams, merci de votre patience.

Patty Aubery, merci d'avoir assuré le roulement quotidien des entreprises Chicken Soup for the Soul et de faire partie intégrante du processus final de révision et d'ordonnancement des histoires.

Heather McNamara et D'ette Corona, qui ont été plus que les rédactrices en chef de ce projet. Vos noms devraient apparaître sur la couverture du livre. Vous avez été aussi importantes dans la création de cette compilation que nous, les coauteurs, l'avons été. Votre engagement envers ce livre a été énorme! Merci beaucoup!

Notre éditeur, Peter Vegso, merci pour tout ton amour, ton soutien et ton engagement envers l'idée de ce livre. Tu continues à nous impressionner à tous les niveaux.

À toute l'équipe de Health Communications, particulièrement Terry Burke, Christine Belleris, Allison Janse, Susan Tobias, Lisa Drucker et Kathy Grant, pour leur appui total à ce projet (ce qui signifiait lire et réviser pendant les week-ends). Un gros merci à Larissa Hise, Lawna Oldfield, Dawn Grove et Anthony Clausi. Vous en avez fait beaucoup plus qu'on aurait pu en attendre de vous!

Leslie Riskin, merci pour ton attention et ta détermination dans l'obtention des autorisations et pour avoir tout mis au point sous la pire des pressions!

Merci à Nancy Autio et à toute l'équipe de *Bouillon de poulet,* pour nous avoir aidés à dénicher des histoires vraiment superbes et à terminer ce livre.

Kathy Brennan-Thompson et Veronica Romero, merci de votre soutien indéfectible à ce livre. Merci d'avoir pris soin avec tant de grâce et d'excellence de tous les petits détails dont il fallait s'occuper.

Dana Drobny, qui a su tenir les loups à distance pour permettre à Jack de se concentrer sur ce livre, et pour son superbe travail de coauteure d'une de nos histoires favorites de ce livre. Merci de t'être donnée tant de mal!

Merci à Maria Nickless, pour ses idées si créatives et son soutien enthousiaste en marketing et en relations publiques.

À Patty Hansen, pour s'être acquittée de façon si complète et si compétente des aspects juridiques et des autorisations pour ce livre ainsi que pour tous les autres *Bouillons de poulet.* Tu as relevé le défi avec éclat!

Merci à Laurie Hartman, pour son rôle de gardienne de la marque *Bouillon de poulet.*

Robin Yerian, Teresa Esparza, Vince Wong, Cindy Holland, Stephanie Thatcher, Michelle Adams, Dave Coleman, Irene Dunlap, Jody Emme, Dee Dee Romanello, Gina Romanello, Brittany Shaw, Shanna Vieyra et Lisa

Williams, merci de votre engagement, de votre dévouement et de votre professionnalisme, qui ont permis aux bureaux de Jack et de Mark de fonctionner en douceur pendant ce projet.

Marsha Arons, merci de t'être rendue à New York et d'avoir interviewé plusieurs personnes afin de s'assurer de l'intégrité des histoires. Merci d'avoir été là quand nous avions besoin de toi.

Barbara Chesser, Carol Kline et Janet Matthews, merci de vos innombrables suggestions de révision, de citations, de changements de titres et d'introductions à nos histoires.

Tom Lagana, merci de nous avoir déniché plusieurs histoires géniales.

Merci à Joyce Schowalter et Randy Cassingham de *HeroicStories.com,* pour nous avoir fourni tant de riches histoires provenant de votre bulletin en ligne gratuit.

Merci à Andrew Risner, notre ami de Grande-Bretagne, qui nous a permis de localiser une histoire difficile à trouver.

Merci à tous les coauteurs de *Bouillon de poulet pour l'âme* qui forment la famille heureuse de Bouillon de poulet — plusieurs d'entre eux nous ont aidés à dénicher des histoires et à évaluer le manuscrit final : Raymond Aaron, Patty et Jeff Aubery, Nancy Mitchell Autio, Marty Becker, John Boal, Cynthia Brian, Cindy Buck, Ron Camacho, Barbara Russell Chesser, Dan Clark, Tim Clauss, Barbara De Angelis, Mark et Chrissy Donnelly, Irene Dunlap, Bud Gardner, Patty Hansen, Jennifer Read Hawthorne, Kimberly Kirberger, Carol Kline, Tom et Laura Lagana, Hanoch et Meladee McCarty, Heather McNamara, Paul J. Meyer, Arline Oberst, Marion Owen, Maida Rogerson, Martin Rutte, Amy Seeger, Barry Spilchuk, Pat Stone, Carol Sturgulewski, Jim Tunney, Diana von Welanetz Wentworth et Steve Zikman.

Merci à notre brillant comité de lecteurs qui nous a aidés à faire le choix final et proposé des suggestions inestimables pour améliorer le livre : Saskia Andriulli, Fred Angelis, Christine Belleris, Jacob Blass, Kathy Brennan-Thompson, Cindy Buck, Connie Carmeron, Barbara Chesser, Nancy Clark, D'ette Corona, Jennifer Dale, Patricia Drobny, Robin Dorf, Allison Janse, Melanie Johnson, Renee King, Tom Krause, Bob Land, Terry LePine, Barbara LoMonaco, Meladee McCarty, Linda Mitchell, Frank Mitchell, Heather McNamara, Maria Nickless, Ron Nielson, Steve Parker, Veronica Romero, Martin Rutte, Erin Saxton, Amber Setrakian, Lois Sloane, Bob Solomon, Jim Warda et Jeannie Williams. Vos commentaires et suggestions furent inestimables !

Enfin et surtout, merci à toutes les personnes qui ont soumis leurs précieuses histoires, poèmes, citations et caricatures en vue d'une publication dans ce livre. Si nous n'avons pu tout accepter ce que vous nous avez envoyé, nous savons que chaque mot venait du fond de votre cœur — parfois, issu d'expériences ou d'émotions difficiles à partager.

L'immensité de ce projet et sa rapidité de réalisation a peut-être fait que nous avons oublié les noms de certaines personnes qui y ont contribué. Si c'était le cas, sachez que nous en sommes désolés et que nous vous estimons beaucoup.

Nous vous sommes sincèrement reconnaissants et nous vous aimons !

Introduction

Les événements du 11 septembre 2001, malgré la consternation, le choc et l'horreur, ont fait ressortir ce qu'il y a de meilleur en nous en tant que nation et en tant que personne. Au fil des jours, les histoires ont commencé à faire surface — d'innombrables histoires d'héroïsme, de service désintéressé, de patriotisme renouvelé et de foi approfondie.

Une nation, qui était à peine quelques mois auparavant divisée sur les résultats contestés d'une élection, s'est ralliée autour d'un unique but et d'une seule cause. Partout, des Américains de tout âge, toute race, toute religion, se sont manifestés d'une façon ou d'une autre pour offrir leurs efforts physiques, leurs biens et services à Ground Zero, dans la ville de New York, et à Washington, D.C., tout autant que leur argent, qu'ils ont donné à d'innombrables œuvres de charité qui se sont immédiatement mises à l'œuvre. La Croix-Rouge a reçu un nombre record de dons de sang. Des célébrités et de parfaits inconnus ont donné gratuitement leur temps et leurs talents lors de nombreux concerts-bénéfice partout au pays. Des municipalités de tout le pays ont envoyé des cartes, des affiches, des fleurs et des oursons en peluche aux policiers, aux pompiers, aux soldats et aux civils survivants, et donné leur amour et leur soutien émotif à tous ceux qui en avaient besoin.

Des sauveteurs ont travaillé jusqu'à épuisement dans un effort désespéré de sauver ceux qui étaient prisonniers des décombres. Des gens ont traversé les routes du pays pour livrer les équipements téléphoniques dont on avait bien besoin et sont restés pendant des semaines — travaillant gratuitement — pour rendre le système opérationnel. Des bénévoles ont fait la cuisine, distribué de l'eau, assuré une permanence dans les dépôts de fournitures, transmis les messages et offert de l'aide psychosociale. Des enfants ont vendu de tout — de la limonade à leurs propres jouets — afin de recueillir des fonds pour les familles des victimes. Des stations de radio ont réuni des milliers de personnes pour former d'immenses drapeaux humains qu'on a photographiés et envoyés aux pompiers épuisés de New York. Des gens ont sorti de vieux drapeaux et les ont fièrement arborés dans un élan de patriotisme passionné pour montrer leur soutien aux membres de nos forces armées. Certains sont même allés jusqu'à peindre leur maison en bleu, blanc et rouge. Des milliers de cartes et d'affiches ont été produites par les écoliers d'Amérique et envoyées aux familles des victimes. Des centaines de nouvelles chansons ont été écrites et interprétées à l'émission *Larry King Live* et à la radio publique. Des centaines de milliers de courriels ont été envoyés et retransmis partout au pays et dans le monde entier par des gens qui tentaient de partager leur expérience et de réconforter leurs amis et les membres de leur famille. On a aussi tenu des vigiles aux chandelles dans chaque quartier et parc de notre grand pays.

En voyant, en écoutant et en lisant les récits de ces gestes inspirants, sur le site des attaques autant que dans nos propres communautés, écoles et foyers, l'héroïsme a pris une dimension plus profonde. Le patriotisme est devenu plus tangible pour chacun de nous. Il est devenu plus important de tendre la main aux membres des différentes confessions religieuses et d'origines ethniques, de prendre soin de nos voisins et de passer du temps avec notre famille. Jamais encore le fait d'être un Américain vivant dans un pays libre n'avait été aussi précieux pour nous.

À mesure que ces histoires d'actes d'héroïsme, de compassion et de service étaient connues, des centaines de courriels nous parvenaient chez *Bouillon de poulet pour l'âme* qui nous incitaient à les réunir dans un livre.

À mesure que nous apprenons les nombreuses histoires de victimes qui ont fait un dernier appel téléphonique pour dire leur amour aux membres de leur

famille ou à l'être aimé, celles des nombreuses person-
nes qui ont risqué leur propre vie en restant pour
aider les autres, ainsi que les efforts héroïques des
sauveteurs, il me semble que ce serait rendre un hom-
mage émouvant à ces personnes que de réunir leurs
histoires dans un livre en leur honneur.

Lori M., Orlando, FL

Je vous écris du Canada, sachant la grande tristesse
dans le cœur de tous les Américains. Nous, vos voi-
sins du nord, rendons aussi hommage à la mémoire
de ceux et celles qui ont perdu la vie au cours des hor-
ribles événements du 11 septembre. Nos cœurs et nos
prières accompagnent ceux et celles qui pleurent la
perte d'un être cher. Je crois qu'une compilation
d'histoires de ceux qui ont été tellement affectés pour-
rait aider à la guérison de la nation et du monde
entier.

Denise S., Canada

Nous leur avons donc répondu en produisant ce livre. Sa préparation et son édition ont été difficiles et ont présenté un grand défi. Nous voulions que ce soit le meilleur livre que nous ayons jamais produit et nous voulions le publier le plus rapidement possible. Cette pression énorme sur nos épaules s'est rapidement transformée en geste d'amour plus grand que tout autre livre déjà publié par nous. Nous espérons avoir réussi à créer un livre qui honorera la mémoire de ceux qui ont péri, qui réconfortera ceux qui leur ont survécu, et qui rendra hommage à ceux qui se sont por-tés au secours de leurs compatriotes et ont contribué à la guérison de l'énorme blessure qui a été infligée à notre âme collective.

En préparant ce livre, nous avons recueilli et lu des mil-liers d'histoires inspirantes et émouvantes qui méritaient d'être publiées. Il n'y a tout simplement pas assez d'espace pour les publier toutes. Nous savons trop bien qu'il y a plusieurs milliers d'autres histoires que notre recherche ne nous a pas révélées et qui méritent aussi d'être racontées. Nous pouvons seulement espérer que nous avons atteint notre but en présentant le plus large éventail d'expériences qui méritaient d'être publiées.

Nous voulions créer un recueil d'histoires qui aideraient notre nation à guérir — individuellement et collectivement. Nous savons que ce livre ne vous empêchera pas de pleurer; en fait, plusieurs histoires vous mettront la larme à l'œil. Sachez, cependant, que si vous pleurez, vous ne serez pas les seuls. Nous souhaitons que, lorsque vous terminerez ce livre, vous vous sentirez regaillardis, encouragés, inspirés et un peu plus conscients de ce que nous sommes collectivement — un pays, indivisible, passionné de liberté et de justice pour tous dans la poursuite de nos rêves individuels et collectifs.

Reproduit avec la permission de Marshall Ramsey. © 2001 Copley News Service.

1

11 SEPTEMBRE 2001

Aujourd'hui, notre pays a connu le mal...
et nous avons réagi avec le meilleur de l'Amérique.

George W. Bush

Ils ont voté

Le courage est un don. Ceux qui l'ont reçu ne savent jamais vraiment qu'ils le possèdent jusqu'au moment où ils doivent en faire usage.

Carl Sandburg

La force d'un pays lui vient de ses habitants. Cela a toujours été vrai et l'est encore. Peu importe le faste et les bravades d'un gouvernement, la solidité d'une nation dépend directement de la force de chacun de ses citoyens.

L'Amérique a été ébranlée jusqu'au plus profond d'elle-même par des actes de terrorisme. Plusieurs personnes, dont notre président, ont dit que nous étions forts, que nous étions déterminés et que nous allions persévérer dans notre voie. Ces paroles ne signifient rien pour des terroristes. Les terroristes attendent de voir les gestes des gens, des individus, de voir s'ils vont plier et trembler de peur.

Les lâches qui ont tué nos sœurs et nos frères, nos mères et nos pères, nos fils et nos filles doivent savoir ce qui s'est passé au cours du vol qu'ils ont tenté sans succès de transformer en bombe au-dessus de la Pennsylvanie. Il en va de même pour tous nos compatriotes. Dans l'histoire de ce pays de liberté, jamais avons-nous été témoins d'un événement aussi emblématique des valeurs et de l'héroïsme des États-Unis d'Amérique.

Le vol avait été détourné et était devenu une arme dirigée contre des civils innocents vers une cible inconnue à Washington, D.C. Suite à quelques appels rapides à ceux qui leur étaient chers, les passagers ont appris ce qui s'était passé au World Trade Center. Ils ont évalué les conséquences et ont pris un vote ensemble.

À cet instant, ils ont consacré la grande expérience des États-Unis d'Amérique. Ils ont voté. Ils ont affirmé la Déclaration d'indépendance, la Constitution, toute l'histoire de notre liberté, et ont donné un sens à tous les soldats qui ont donné leur vie au service de ce pays. Confrontés à toutes les menaces que ce pays réprouve, à la veille de leur propre dernière heure, ces Américains ont choisi leur voie par un simple acte de démocratie, de liberté. Ils ont voté.

Ils ont voté de donner leur vie pour sauver des innocents vers lesquels cet avion se dirigeait.

Pensez-y un instant. C'est la définition même de l'héroïsme. Il y a cependant autre chose dans cette histoire, quelque chose d'incroyable dont devraient être fiers tous les Américains. Aucun de ces passagers américains n'a pris le commandement. Personne ne leur a commandé de s'attaquer aux terroristes. Personne ne les a forcés à poser cette insurrection héroïque.

Confrontés à la mort, à la tyrannie et à la terreur, ces Américains ont voté de sacrifier leur vie pour les autres.

Comme on l'a dit de Pearl Harbor, le 11 septembre 2001 passera à l'histoire comme un jour d'infâmie. Des milliers de personnes sont mortes aux mains de lâches. Pourtant, nous ne devrions jamais oublier que c'est aussi le jour où quelques patriotes héroïques ont envoyé un message au monde entier, à quelques milliers de mètres au-dessus de la campagne de la Pennsylvanie — aux États-Unis d'Amérique, notre engagement envers la liberté et la démocratie n'a pas faibli, n'a pas été ébranlé et ne peut nous être enlevé par un geste, quel qu'il soit.

L'Amérique est la liberté.

Bill Holicky

Soyons unis

Le 10 septembre 2001, nous avons célébré notre huitième anniversaire de mariage. Mon mari, Alan, devait partir le lendemain pour une semaine en Californie où il
plaiderait sa dernière cause en matière de salubrité de
l'eau. Il avait décidé de prendre une année sabbatique de sa
prospère pratique du droit environnemental pour passer du
temps avec sa famille et faire du bénévolat en Inde. Nous
avons passé la journée à célébrer notre amour, à faire des
plans pour l'avenir et à être reconnaissants pour ce que la
vie nous avait donné. Nous étions tellement reconnaissants
d'être ensemble. Alan disait toujours : « Quand nous nous
éveillons le matin, nous devrions être reconnaissants d'être
vivants. » Et nous l'étions.

Alan s'est levé à 4 h 30 mardi pour son vol vers San
Francisco. Alors qu'il nous embrassait, notre fille de cinq
ans, Sonali, et moi, je l'ai attiré vers moi, le faisant tomber.
Il a ri aux éclats et a dit : « Je vais revenir avec le trésor. »

« Tu es mon trésor, Alan, ai-je dit. Reviens sain et sauf. »

Il m'a assuré qu'il le ferait. À 7 h, il m'a appelée pour
dire qu'il était bien enregistré, qu'il nous aimait et qu'il rentrerait pour le week-end.

C'est alors que tout a commencé... L'annonceur de CNN
a confirmé que le vol 93 à destination de San Francisco
s'était écrasé dans un champ en Pennsylvanie. À cet instant, j'ai ressenti un violent choc. Accablée, le souffle coupé,
je pouvais à peine émettre un son tant j'étais sous le choc et
incrédule. Mon cœur a littéralement cessé de battre et j'ai
dû me forcer à vivre. Comment se pouvait-il que mon mari,
mon meilleur ami, celui qui m'avait embrassée quelques
heures auparavant, soit mort?

Quand Sonali est rentrée de l'école, je l'ai laissée jouer pendant une heure avant de lui annoncer la nouvelle. Je voulais jouir de son innocence avant de lui apprendre que son papa était mort. Quand elle a entendu aux nouvelles que l'avion d'Alan s'était écrasé et qu'il ne rentrerait plus à la maison, elle a poussé un cri si profond, si déchirant, que je souhaite ne plus jamais entendre un être vivant en émettre un semblable. Elle a pleuré pendant une heure sans arrêt, puis elle m'a regardée dans les yeux et a dit : « Je suis tellement triste. Mais je ne suis pas la petite fille la plus triste au monde. Il y a des enfants qui ont perdu leur maman et leur papa. Toi, tu es encore avec moi. »

Quelques jours après l'écrasement, le frère de Sonali, Chris, inquiet que sa sœur ne comprenne pas ce qui s'était vraiment passé, lui a demandé : « Sais-tu où est papa ? »

« Oui, il est au travail ! »

Chris se demandait comment répondre à cela quand elle a ajouté : « Idiot, il est au tribunal. Il défend les anges. »

Le courage de Sonali au cours des semaines qui ont suivi n'a eu de cesse de m'étonner et de me rappeler son papa. Une des dernières méditations d'Alan était une phrase qu'il avait entendue lors d'un séminaire : *La peur ? — Connais pas !* Je sais que ces mots l'ont guidé le 11 septembre.

Sonali et moi avons assisté à un service commémoratif sur le site de l'écrasement en Pennsylvanie en compagnie de ses frères aînés, Chris et John. Devant la clôture, fixant le champ et les arbres calcinés, je n'ai pu m'empêcher de penser qu'Alan était mort dans un bel endroit. Un endroit si vaste à la campagne avec des arbres aux couleurs de l'automne — c'était là que tout s'était terminé pour Alan.

Sonali a pris de la terre dans ses mains, les a jointes en prière et a chanté un superbe cantique qu'elle avait appris en Inde, l'hiver précédent. Tous se sont arrêtés pour l'écouter. Elle a alors porté la terre à sa poitrine et l'a lancée vers l'avion.

Au moment où le soleil perçait les nuages, Sonali a regardé vers le ciel et a dit : « Voilà, Papa ! » Elle a tracé un cœur dans les gravillons et a demandé des fleurs qu'elle a disposées tout autour du cœur avant d'en poser une au centre pour son papa.

La nouvelle de la voix douce et courageuse de Sonali a été entendue en Californie et nous avons reçu un appel du bureau du gouverneur. Sonali accepterait-elle de chanter lors de la journée du Souvenir organisée par la Californie ?

« Je ne crois pas. Elle vient à peine d'avoir cinq ans et il y aura beaucoup trop de gens. »

Sonali m'a entendue et a demandé : « Qu'est-ce que je suis trop jeune pour faire ? »

Elle a écouté mon raisonnement et a simplement dit : « Je veux le faire. » J'ai donné mon accord. Au cours des jours qui ont suivi, le répertoire de Sonali, formé principalement de chansons de Disney, s'est élargi pour inclure une belle prière extraite du *Rig Veda* que nous avions entendue à l'Ashram Siddha Yoga Meditation à New York lors de notre passage. Il était clair que « Soyons unis » était la chanson parfaite pour Sonali :

Soyons unis;
Parlons en harmonie;
Que nos esprits comprennent les mêmes choses;
Qu'universelle soit notre prière;
Que notre détermination soit la même;
Qu'identique soit notre sentiment;
Qu'unis soient nos cœurs;
Que parfaite soit notre unité.

Pendant le vol vers la Californie, l'hôtesse de l'air, ayant appris ce que nous allions y faire, a demandé si Sonali voulait chanter sa chanson pour les passagers de l'avion.

Un peu inquiète, ma mère a demandé à Sonali : « Sais-tu combien de personnes il y a à bord de cet avion? »

Sonali n'en avait aucune idée. Elle a donc pris la main de l'hôtesse et a parcouru l'allée d'un bout à l'autre avant de revenir nous donner son évaluation : « Environ mille, dit-elle. Je peux le faire. Ça va aller. »

De sa voix claire et forte, Sonali a chanté son cantique pour les autres passagers. Puis, elle a parcouru l'allée avec un des membres de l'équipage pour recevoir les sourires, les remerciements et l'amour de tous les passagers de la United. À la fin du vol, qui remerciait les passagers en leur souhaitant une bonne journée, juchée sur une boîte aux côtés de l'hôtesse? Notre Sonali!

Quand Sonali a chanté sur les marches du Capitole de la Californie, sa voix était étonnamment puissante. Comme si elle voulait remplir l'univers de cette prière passionnée pour qu'elle atteigne son papa. Pendant qu'elle chantait, j'ai senti que son chant était devenu une pure prière pour tous ceux qui étaient là — une prière qui décrivait une vision. J'ai été ravie qu'elle me demande si elle pouvait chanter une nouvelle fois, pour le service commémoratif d'Alan à la cathédrale Grace de San Francisco.

Sonali a chanté sa prière plusieurs autres fois. Quand les Warriors du Golden State ont présenté un chèque à la famille Beaven lors d'un dîner-bénéfice en leur honneur, devinez qui a chanté pour des milliers de personnes dans leur stade? Quand on lui a demandé comment elle avait fait pour chanter devant tant de monde, Sonali a répondu : « Je n'avais pas peur parce que Papa chantait avec moi. »

Le 15 octobre, Alan aurait eu 49 ans et Sonali voulait lui organiser une fête d'anniversaire. « Papa adorait la mer.

Allons donc à la plage et faisons un grand feu. Chacun d'entre nous pourra alors écrire une prière sur un morceau de bois. Quand ces morceaux de bois brûleront, les prières monteront au ciel vers Papa. »

C'est ce que nous avons fait. Tout comme la douce voix de Sonali avait touché le ciel et de nombreux cœurs, notre amour s'est élevé vers le ciel sous le clair de lune. Le courage et la spiritualité d'Alan sont fortement présents dans la capacité de Sonali de dépasser son propre chagrin et sa perte, et de remonter le moral des gens. Tout comme Alan qui, au lieu de se terrer de peur dans son siège, s'est levé courageusement pour aider à sauver des milliers de vies, Sonali ne s'est pas enfermée dans son deuil, mais elle a chanté la vision d'amour et de courage de son papa. Je leur suis reconnaissante à tous deux!

Kimi Beaven

[*NOTE DE L'ÉDITEUR : Quand la chanteuse-compositrice de Manhattan Anne Hampton Callaway a entendu la prière du Veda « Soyons unis », elle a voulu la mettre en musique. Plus tard, Anne a enregistré le chant avec Sonali et les membres du Siddha Yoga International Choir. « Let Us Be United » est disponible par l'entremise du SYDA Foundation au (888) 422-3334 ou au www.letusbeunited.org où vous pouvez en entendre un extrait. Tous les revenus seront consacrés à appuyer le travail des organismes à but non lucratif, dont Save the Children, SYDA Foundation et The PRASAD Project. Pour plus d'informations sur ces organismes, prière de consulter le site Internet précédemment mentionné.*]

Les contributions au Alan Beaven Family Fund peuvent être envoyées au 2000 Powell St., Suite 1605, Emeryville, CA 94608.

Sonali chantant lors de la journée du Souvenir
organisée par la Californie

Donner aux autres

Le courage n'est pas l'absence de peur, mais plutôt la certitude que quelque chose d'autre est plus important que la peur.

Ambrose Redmoon

De toute la tristesse qui a suivi le 11 septembre, une histoire ressort comme un joyau dans la poussière. C'est une histoire qui parle de donner et de recevoir — une histoire de sauvetage et d'avoir été sauvé et de ne pas en connaître la différence — l'histoire des pompiers de la Caserne 6 et de Joséphine.

Plus de trois cents pompiers ont péri dans la tragédie du World Trade Center. Le 29 septembre, alors que le pays avait désespérément soif de bonnes nouvelles, l'émission *Dateline* de NBC a raconté « Le miracle de la Caserne 6 ». Au moment où, assis avec eux dans l'arrière-salle de la caserne, deux semaines plus tard, je les ai écoutés la raconter, les pompiers de la Caserne 6 avaient souvent répété ces mots, mais chacun d'eux portait encore l'écho de leur gratitude.

Ils s'étaient rendus au World Trade Center ce jour-là pour donner. Pour sauver. C'est ce que font les pompiers. Contre leur instinct et leur nature, ils entrent dans des édifices en flammes, pendant que nous en sortons en courant, pour tenter de sauver nos vies. Ils avaient pénétré dans l'édifice Numéro Un, comme plusieurs de leurs confrères, après que le premier avion l'eut percuté. Les gens sortaient en foule en les remerciant et en les encourageant, leur offrant à boire et leur disant qu'ils devraient recevoir une augmentation de salaire.

Eux, à leur tour, les encourageaient. « C'est terminé pour vous », disaient les pompiers à ceux et celles qui avaient la chance de sortir. « Sortez de l'édifice par le hall et rentrez chez vous. Vous êtes sauvés. »

Les escaliers étaient étroits, juste assez larges pour laisser passer deux personnes. Chacun des pompiers transportait au moins cinquante kilos d'équipement. Rendus au vingt-septième étage, certains d'entre eux ont appris que l'autre édifice s'était écroulé. Leurs efforts pour sauver l'édifice furent mis de côté. Ils se sont alors portés vers le plus pressant : sauver les gens. Quelque part dans la confusion, entre le douzième et le quinzième étage, les hommes de la Caserne 6 ont entrepris de sauver une comptable de soixante ans, Joséphine Harris. Joséphine travaillait au soixante-treizième étage et elle avait péniblement descendu ces soixante étages dans la fumée et la chaleur, jusqu'à ce qu'elle ne puisse plus avancer tellement elle était épuisée.

Leur tâche était maintenant de la mener vers la sécurité. Alors, malgré sa réticence à continuer à descendre les escaliers, les pompiers l'ont encouragée. Ils lui ont parlé de ses petits-enfants qui l'attendaient à la sortie de l'édifice. Ils lui ont dit qu'elle était capable. Ils l'ont cajolée. Ils l'ont encouragée. Ils lui ont promis de la sortir de là si elle acceptait de bouger.

Au quatrième étage, elle s'est immobilisée, incapable d'aller plus loin. Elle ne voulait plus avancer d'un autre pas. Elle semblait prête à les laisser continuer sans elle, elle ne voulait plus marcher. Sans même penser à l'abandonner, les pompiers ont cherché une chaise qui leur aurait permis de la porter jusqu'au rez-de-chaussée.

Ils étaient épuisés, eux aussi, accablés par la chaleur et le poids de leur équipement, et ils avaient hâte de quitter l'immeuble. Mais comme certains d'entre eux ignoraient encore l'écroulement de l'autre édifice, et parce que les tours leur semblaient en quelque sorte éternelles, ils n'ont pas eu l'impression à ce moment qu'il y avait urgence.

Aucun d'eux ne s'attendait au bruit terrible, un tonnerre venu d'un autre monde qui, en un instant, leur annonçait la catastrophe. Le temps s'arrête en de tels moments. Il s'arrête assez longtemps pour donner aux gens le temps de faire une pause pour penser à la signification de la mort. Bill Butler a pensé : *Je n'aurai pas l'occasion de dire adieu à ma femme et à mes enfants.* C'était la fin, sans aucun doute. Les pompiers avaient fait de leur mieux et c'était maintenant terminé. Ils ont prié pour que cela se termine rapidement; ils se sont repentis et ont demandé pardon; ils ont pensé aux êtres chers.

Puis, tout s'est transformé en poussière autour d'eux. Les cent cinq étages au-dessus d'eux se sont écroulés, chacun écrasant l'étage inférieur avec une plus grande force. En quelques secondes, le grand et fier édifice s'est transformé en une pile de débris sablonneux, emportant avec lui des milliers de vies.

Il était impensable qu'on puisse survivre à ce désastre et il n'y avait aucune raison évidente pour laquelle la cage d'escalier où s'était arrêtée Joséphine aurait été épargnée. Mais les miracles ont leur propre logique. Quand la poussière est tombée, le capitaine John (Jay) Jonas, Sal D'Agostino, Bill Butler, Tommy Falco, Mike Meldrum, Matt Komorowski et Joséphine, ballottés dans les débris, avaient été épargnés, apparemment enterrés vivants.

Pendant quatre heures, ils ont été prisonniers des décombres, se demandant ce qui se passait autour d'eux et pendant combien de temps ils resteraient ainsi. D'Agostino a trouvé une canette de soda à l'orange Sunkist qui a semblé un nectar des dieux pour l'équipe assoiffée. Joséphine s'est comportée comme un « soldat de la cavalerie », a dit d'elle D'Agostino. Il lui a offert à boire et elle a refusé, brave et stoïque. Plus tard, quand elle a dit avoir froid, Falco lui a donné son manteau et lui a même tenu la main quand elle a dit qu'elle avait peur. Ils n'avaient aucune idée de ce qui se passait autour d'eux; ils ne pouvaient qu'espérer qu'on faisait des efforts pour retrouver des survivants. Ils ignoraient à quel point les pompiers seraient fous de joie en découvrant qu'il y avait des survivants. Ils ignoraient qu'on les recherchait avec frénésie et qu'un sentiment d'urgence animait tous les intéressés — autant ceux qui étaient en détresse que ceux qui les cherchaient désespérément.

Pendant qu'ils attendaient, certains d'entre eux ont méthodiquement enroulé leur corde au cas où ils en auraient besoin plus tard, une tâche routinière qui les a occupés pendant quelque temps. Comme cela avait été le cas pour le vol 93, un téléphone cellulaire a joué un rôle dans le dénouement de l'affaire. Cette fois, c'est Butler qui, incapable de rejoindre la caserne à cause du dérangement du système téléphonique, a appelé sa femme. Elle a rejoint la caserne pour leur annoncer la situation critique des hommes manquants.

Enfin, ils ont été retrouvés. Sauvés.

À cause des moments intenses qu'ils avaient partagés avec Joséphine, les six hommes n'étaient pas prêts à la confier à une autre compagnie. D'Agostino raconte que, lorsqu'un autre pompier les a enfin trouvés, il était tellement nerveux qu'il s'est précipité pour sauver Joséphine en l'appelant « Poupée ». Il a dit : « On s'occupe de toi, Poupée. Tu es avec nous. »

Après tant d'heures passées ensemble entre la vie et la mort, il leur a semblé inconvenant de lui manquer ainsi de respect. D'Agostino raconte avoir pris le bras du sauveteur et lui avoir dit : « Son nom n'est pas Poupée, son nom est Joséphine. » Quand il y repense aujourd'hui, il secoue la tête. Malgré l'excitation de les avoir trouvés et malgré la peur terrible qui avait envahi l'âme de chacun d'eux, l'autre pompier a reconnu qu'il s'agissait d'un moment privilégié et s'est excusé en disant : « Désolé, Joséphine. Nous allons bien nous occuper de vous. »

Finalement, comme il fallait un équipement particulier pour la retirer des décombres de Ground Zero, on a dû emmener Joséphine loin des hommes de la Caserne 6.

Autour de la table avec Sal et Mike et Bill et Tom, je les ai écoutés raconter l'histoire une nouvelle fois. Je me rendais bien compte que le fait d'en parler faisait partie du processus — que nous comprenons tellement mieux quand il y a une histoire. Ils ont retrouvé Joséphine plus tard, lui ont donné une veste spéciale et l'ont appelée leur « ange gardien ». Bien qu'elle dise que ce sont eux qui ont sauvé *sa* vie, ils soutiennent le contraire. Ils croient que, en insistant pour s'arrêter à cet endroit précis, le seul qui n'ait pas été détruit à Ground Zero, un endroit qu'ils considèrent sacré, Joséphine a sauvé *leur* vie.

Judith Simon Prager

Aucun geste de bonté, si petit soit-il, n'est perdu.

Aesop

Un héros de notre temps

Ce fut la pire semaine de l'histoire de New York.
Ce fut aussi la meilleure semaine de New York.
Jamais, nous n'avons été si braves.
Jamais, nous n'avons été si forts.

Le maire Rudolph Giuliani

Avant le 11 septembre 2001, l'Amérique manquait de modèles. Nous avions bien nos joueurs de basket, nos vedettes rock et nos millionnaires, mais nous manquions de vrais héros, en chair et en os. En ces temps d'insouciance, il n'y avait personne pour nous montrer comment *être* : comment être brave, comment être bon, comment être généreux et comment être valeureux.

Les soldats étaient rentrés du Vietnam, pas en héros de guerre, mais usés et enragés. Parmi eux, il y en avait un, décoré de médailles, qui a trouvé dans le métier de pompier l'exutoire à son besoin intérieur d'évacuer sa rage. Je me souviens de la première fois où j'ai rencontré le lieutenant Patrick Brown. Nous étions en 1991. À cette époque, il était un des pompiers les plus décorés de la ville de New York. C'était à l'occasion d'un souper avec une amie commune dans un restaurant où il était connu et respecté du personnel. J'ai été séduite par son charme, le contraste entre son comportement de gars ordinaire et sa philosophie profonde. Quelques jours plus tard, je regardais CNN et j'ai vu Patrick et un autre pompier couchés sur un toit, pas attachés, et tenant de leurs mains nues un câble de 2,25 cm de diamètre au bout duquel pendait un autre pompier qui a secouru un homme effrayé, puis un autre, de la fenêtre d'un édifice en flammes. « L'homme allait sauter si nous n'étions pas intervenus immédiatement et nous n'avions rien pour ancrer la corde », a expliqué Patrick au moment de recevoir une autre médaille, les mains écorchées.

En 1999, le magazine *Time* a consacré sa couverture à un article intitulé « Pourquoi nous prenons des risques » dans lequel on parlait du capitaine Patrick Brown ainsi que des skieurs extrêmes et des pilotes de course. Dès le départ, cela semblait étrange. Patrick avait l'air un peu crispé sur la photo, mais la citation qu'on lui attribuait lui ressemblait bien. Il disait que le service des incendies de New York leur enseignait à ne pas prendre de « risques stupides ». Il ne le faisait jamais pour l'argent ni pour l'excitation, disait-il, seulement « pour le plus grand bien ». Quand l'article a été publié, il m'en a envoyé un exemplaire accompagné d'une note où il m'a semblé un peu perplexe à propos de cet honneur… et des gens auxquels on l'avait associé.

À mesure que sa légende grandissait, son esprit s'ouvrait encore plus. Il était infatigable quand il s'agissait de sauver les autres. On disait que, si des enfants ou des animaux étaient prisonniers d'un édifice en flammes, il fallait envoyer Patrick. Il savait dépister ceux d'entre nous qui étaient les plus faibles, comme si son cœur était un aimant. Les autres pompiers l'admiraient, l'aimaient même et l'appelaient « Paddy ». Les femmes l'adoraient, il était si beau. Il me faisait penser à un jeune Clark Gable. Nous l'appelions Patrick.

Plus il désirait aider les autres, plus il grandissait intérieurement. Il s'est mis à l'étude du yoga en disant que cela l'aidait à « retrouver la beauté dans la vie ». Il a même tenté, sans succès, d'amener d'autres pompiers à s'y intéresser. Dans un article paru dans *USA Today,* son professeure de yoga, Faith Fennessey, a dit de lui qu'il était un « être éclairé ».

Il s'est entraîné et a été reçu ceinture noire de karaté; ensuite, il s'est mis à enseigner l'autodéfense aux aveugles. Il était rayonnant et, pourtant, il aurait secoué la tête et changé de sujet si vous aviez osé le lui dire.

En 2001, j'écrivais un livre avec ma partenaire, Judith Acosta, sur les mots à dire quand chaque instant compte — les mots qui peuvent faire la différence entre la panique et le calme, la douleur et le confort, la vie et la mort. Quand j'en suis venue à la vie et la mort, j'ai pensé à Patrick. Je l'ai donc appelé. « Que fais-tu, que dis-tu?, ai-je demandé, quand tu es en présence d'un grand brûlé, à l'article de la mort? »

Il est devenu songeur, presque gêné, et il a dit que, lorsque les choses atteignent ce degré terrifiant et lorsque des vies sont en danger, il cherche à « passer un moment à méditer en silence avec la victime. Parfois, pendant quelques secondes, d'autres fois, plus longtemps. Cela dépend de la situation, dit-il. Dans certains cas, j'impose mes mains sur la victime et je médite un peu. J'essaie de lui insuffler la vie, je cherche à me mettre en contact avec l'univers et avec Dieu. J'essaie de rejoindre leur être spirituel, même si ces gens sont à l'article de la mort. Cela m'aide à rester calme et j'espère que cela les aide aussi. »

Le 11 septembre, Patrick Brown est arrivé au World Trade Center, animé d'une vision si claire qu'elle perçait la fumée et les flammes. On dit que quelqu'un lui aurait crié « N'entre pas là, Paddy! » et qu'il aurait répondu « Es-tu fou, nous avons du travail à faire! » Je le connais assez bien pour savoir que ce ne sont pas là ses paroles. J'ai donc été soulagée lorsque, en parlant avec les hommes de l'Échelle 6, ils m'ont dit une autre histoire. Un des pompiers m'a dit : « Quand ils lui ont crié de ne pas entrer, il a répondu : "Il y a des *gens* là-dedans". » Bien sûr.

Un autre pompier, qui m'a répété à quel point ils admiraient tous Patrick, a dit : « Je l'ai vu entrer dans le lobby et ses yeux étaient *immenses*. Vous savez comment il devient. » En effet. Prêt au combat. Prêt au service. Sa vision rayons X à l'affût.

J'ai visité l'Échelle 3, sa compagnie qui avait été dévastée par la perte de douze de ses vingt-cinq membres, et j'ai parlé de Patrick. Le lieutenant Steve Browne m'a dit que, avant de rencontrer Patrick, il était un peu inquiet face à son nouveau capitaine car celui-ci était une légende. Il s'attendait à ce que Patrick soit suffisant et capricieux. Puis, Patrick est arrivé. « Il était tellement... modeste, dit Browne. Trop beau pour être vrai. Il défendait toujours ses hommes, peu importe contre qui. Son savoir ne s'enseigne pas. » Un autre pompier a dit de lui : « Il a touché beaucoup de vies. »

En tant qu'amie, je savais qu'il ne s'était jamais remis de la mort de certains de ses hommes au Vietnam. Les décorations ne l'ont jamais aidé à mieux dormir. Au moment où nous avons fait connaissance, il avait également perdu des hommes au travail, et chaque décès le déchirait comme l'aigle qui déchirait le foie de Prométhée (qui, coïncidence étrange, avait été puni pour avoir volé le feu aux dieux pour le donner aux hommes). Quand Patrick est entré dans le World Trade Center ce jour fatidique, ceux qui le connaissaient sont d'accord pour dire qu'il n'aurait pas survécu au chagrin d'une autre perte chez ses hommes. Il ne se serait jamais remis de voir ses hommes mourir sans que lui n'en fasse autant.

C'est ainsi que, en attendant de connaître les noms de ceux qui ont péri dans cette tragédie, nous ne savions quoi penser. Une semaine plus tard, l'amie qui nous avait présentés est allée aux nouvelles à la caserne, malgré nos réserves et nos craintes, pour apprendre ce qui lui était arrivé. Elle a vu la voiture de Patrick, là où il l'avait laissée avant le désastre. Elle était toujours au même endroit. Il n'y avait personne pour la déplacer. Elle est rentrée à la maison. En hésitant, elle a composé le numéro de Patrick. Le téléphone a sonné et le message — de sa voix merveilleuse et rocailleuse du Queens — a répondu et, m'a-t-elle dit :

« j'ai su que j'entendais la voix d'un mort ». Nous avons pleuré toutes les deux.

Depuis le 11 septembre, les gens savent que les héros ne sont pas les gens les plus riches ou les plus populaires du voisinage — ils sont simplement les plus vaillants, les plus généreux parmi nous. La couverture du numéro de l'Halloween du magazine *New Yorker* montrait des enfants déguisés en pompiers et en policiers.

L'Amérique a un nouveau modèle aujourd'hui, un modèle qui nous montre comment *être*. Après l'ordre d'évacuer, pendant que tous quittaient l'édifice, quelqu'un a entendu Patrick dire à la radio : « Il y a un ascenseur qui fonctionne au 44e! », ce qui signifiait qu'il s'était rendu là et qu'il fouillait, encore et toujours.

Puis, on entendit le son de l'apocalypse.

Je crois que ce doit être vrai que, si vous mourez avec Patrick à vos côtés, vous mourez en paix. C'était sa mission. Il était là où il devait être, où on avait besoin de lui, les yeux immenses, le cœur comme une torche, montrant le chemin vers le Paradis.

Judith Simon Prager

Le World Trade Center raconté par un pompier

Nous sommes ébranlés, mais nous ne sommes pas vaincus. Nous regardons l'adversité en face et nous continuons.

Le commissaire aux incendies Thomas Von Essen

La Tour Sud du World Trade Center vient de s'écrouler. J'aide mes amis de la Caserne 16, et les pompiers viennent de réquisitionner un autobus bondé sur la 67e Rue. Nous franchissons sans arrêter la distance entre Lexington Avenue et la zone de transit sur Amsterdam. Nous ne parlons pas beaucoup. Les passagers ne se plaignent pas.

Rendus à Amsterdam, nous prenons un autre autobus. Le silence est rompu par un lieutenant : « Aujourd'hui, nous allons voir des choses que nous n'aurions pas dû voir, mais, écoutez-moi, nous le ferons ensemble. Nous serons ensemble et nous reviendrons ensemble. » Il ouvre une boîte de masques antipoussière et en donne deux à chacun de nous.

Nous descendons West Street et nous nous présentons au chef en fonction. Il a de la boue jusqu'aux chevilles. Le chef qui l'a précédé aujourd'hui est déjà porté disparu, tout comme le poste de commandement, enfoui sous une montagne de béton cassé et d'acier tordu, résultat du deuxième écrasement de la Tour Nord.

Il y a maintenant plusieurs centaines de pompiers à l'œuvre. Nous n'avons pas grand-chose à faire, sauf déplacer les lances d'incendie quand un camion est repositionné. Tout est calme : ni sirènes ni hélicoptères. Nous entendons simplement le son des deux lances qui arrosent un hôtel de

West Street — les six étages qui restent. Le crépitement des radios du département se perd dans l'air. Le danger immédiat est l'édifice de quarante-sept étages qui brûle devant nous. Le chef des opérations a déjà fait évacuer les pompiers.

Je quitte les lances et les camions et je me promène dans le World Financial Center. Il a été totalement évacué; je suis seul dans l'entrée. Il semble que l'édifice ait été abandonné il y a dix ans, car il y a des centimètres de poussière sur le sol. Le grand et magnifique atrium et ses palmiers sont en ruine.

Dehors, en revenant, je ne peux pas lire les noms des rues, masqués par la poussière grise. Une compagnie isolée dans une rue étroite arrose une pile de décombres fumants. Partout, il y a des montagnes de débris de plus de 15 mètres. C'est seulement maintenant que je remarque que le silence est celui des milliers de personnes enterrées autour de moi.

Du côté de West Street, les chefs commencent à nous refouler vers la rivière Hudson. Des compagnies entières manquent à l'appel. On est sans nouvelles des équipes d'élites de sauvetage. La semaine précédente, j'ai parlé avec un groupe de pompiers du Rescue 1 des critères très élevés de recrutement de ces groupes. Je me souviens de m'être dit que ces hommes étaient vraiment hors de l'ordinaire, des gens intelligents et réfléchis.

Je connais le capitaine du Rescue 1, Terry Hatten. Tout le monde au boulot l'aime et le respecte. Je pense à Terry, et à Brian Hickey, le capitaine du Rescue 4 qui, le mois précédent, a survécu à l'explosion du Astoria qui a tué trois pompiers, dont deux de ses hommes. Aujourd'hui, il était au travail.

Je suis en train de traîner une lance de 15 cm de diamètre dans la boue quand j'aperçois Mike Carter, le vice-président du syndicat des pompiers, qui tire la même lance devant moi. C'est un bon ami, pourtant, nous nous saluons à peine. Je vois Kevin Gallagher, le président du syndicat qui cherche son fils, pompier également. Quelqu'un crie mon nom. C'est Jimmy Boyle, le président à la retraite du syndicat. « Je ne trouve pas Michael », dit-il. Michael Boyle fait partie de l'équipe du camion 33 et on est sans nouvelles de toute la compagnie. Je ne peux rien dire à Jimmy, sauf le prendre dans mes bras. La dernière chose que je vois, c'est Kevin Gallagher qui embrasse un pompier, son fils.

Dennis Smith

Deux héros pour le prix d'un

Quand je l'ai vue interviewée par Charles Gibson à *Good Morning America,* le 11 décembre, elle ressemblait à toutes les autres veuves que j'avais vues depuis le 11 septembre : son visage reflétait toujours cette terrible tristesse, cette inquiétude profonde pour elle et sa famille, seuls depuis le décès de son mari, Harry Ramos. Il y avait aussi cet orgueil doux-amer quand les autres disaient que son mari était un héros. Pourtant, ce qui m'a frappée chez Migdalia Ramos était différent. Elle était en colère.

Migdalia Ramos était en compagnie de la veuve de l'homme que son mari avait tenté de sauver en retournant dans le World Trade Center. Les deux étaient morts. Harry Ramon était le négociateur en chef du Groupe May Davis, une petite société de placements dont les bureaux étaient au quatre-vingt-septième étage de la Tour Un. Tous les autres employés de May Davis étaient sains et saufs. J'ai immédiatement compris pourquoi Migdalia Ramos semblait en colère. J'étais aussi en colère de voir que l'émission de télévision avait réuni ces deux femmes parce que c'était une bonne histoire. Les réalisateurs étaient-ils insensibles au chagrin et à la douleur?

L'émission de télévision se concentrait sur les coïncidences dans la vie des deux hommes — des choses qui m'ont semblé hors de propos — par exemple que Victor Wald, l'homme que Harry Ramos avait tenté de sauver, portait le même nom que le garçon d'honneur au mariage des Ramos ou que les deux couples avaient un fils prénommé Alex. Le seul lien commun et pertinent entre ces deux femmes, c'est que leurs maris étaient morts pour la simple raison qu'ils étaient allés travailler ce matin-là.

Cependant, l'un d'entre eux avait eu la chance de sauver sa vie et il ne l'avait pas saisie. Migdalia Ramos a parlé de sa colère — pas dirigée contre Rebecca ou Victor Wald, mais contre son propre mari. Elle ne comprenait pas du tout pourquoi il était retourné dans l'édifice. Je comprenais ce qu'elle ressentait. Comment avait-il pu l'abandonner, elle et ses enfants, avec toutes les responsabilités qu'ils avaient? Les couples sont censés se supporter, être loyaux l'un envers l'autre. Si tous les employés de sa société avaient pu quitter l'édifice, pourquoi pas lui? Il a fait son choix et les conséquences ont du même coup affecté toute sa famille.

Puis, Migdalia Ramos a raconté un autre incident dans sa vie. Sa mère était décédée le 1er septembre. La direction de l'immeuble où sa mère habitait l'a avisée qu'elle devait vider l'appartement le 30 septembre. Ainsi, le 30 septembre, Mme Ramos et d'autres membres de sa famille se sont rendus à l'appartement de sa mère. Pendant qu'ils emportaient des boîtes et les meubles, l'alarme d'incendie s'est déclenchée. Le corridor s'est rapidement rempli de fumée. Mme Ramos a fait ce que toute mère aurait fait, ce que toute personne responsable et sensée aurait fait — elle s'est assurée que son enfant et sa famille étaient en sécurité.

Plus, sans réfléchir, elle a fait quelque chose d'autre : Migdalia Ramos est retournée dans l'édifice en flammes, a monté sept étages à pied pour sauver la voisine de sa mère, aveugle.

Elle a fait ce que Harry avait fait. Tout comme Harry, il est probable qu'elle n'a pas pensé, n'a pas réfléchi, car quoi que ce soit qui ait motivé Harry à faire ce qu'il a fait, la même chose l'a poussée à l'imiter. Cette « chose » lui a fait oublier tout autre aspect de sa propre vie pour se concentrer sur quelqu'un d'autre, quelqu'un qui avait besoin d'aide.

Migdalia n'a jamais prononcé le mot « héros » pendant l'entrevue. Je ne crois pas qu'elle se voyait ainsi. Elle a simplement fait ce qui devait être fait. Plusieurs personnes ont qualifié son mari de héros. Il l'était mais pas seulement parce qu'il est retourné dans le World Trade Center. Pour

Migdalia et sa famille, Harry Ramos était probablement un héros seulement parce qu'il sortait du lit chaque matin.

Migdalia Ramos a perdu gros — son mari, son amant, son meilleur ami. Par contre, peut-être a-t-elle aussi trouvé quelque chose par le fait même. Elle a peut-être découvert que les plus grandes qualités de son mari avaient déteint sur elle.

Personnellement, je crois que ces grandes qualités étaient en elle depuis toujours.

Migdalia Ramos a dit que ce qui s'est produit à l'appartement de sa mère lui a fait comprendre ce qui avait motivé son mari. Elle croit qu'il lui a envoyé un message.

J'ai entendu un message de cette femme sur mon téléviseur. Il y a quelque chose à l'intérieur de certaines personnes — en la plupart d'entre nous, je crois. Quelque chose de bon, de décent, de brave et de généreux. C'est cette meilleure partie de nous-mêmes, cette partie qui se manifeste inconditionnellement, sans réfléchir, le simple geste de s'occuper d'un autre être humain. Dans un monde où certaines personnes ne vivent que pour causer de la souffrance et de la terreur, le message de Mme Ramos est opportun. Il s'adresse à nous tous. C'est l'espoir.

Marsha Arons

Pour votre information

La société des transports de la ville de New York (NY Transit) met toute sa confiance dans la paperasserie. Parfois, elle semble avoir raté le virage informatique ou, à tout le moins, ne pas lui faire confiance. En effet, dans une salle empoussiérée de Brooklyn, il y a des boîtes qui contiennent les mouvements journaliers, minute par minute, de votre ligne de métro, depuis des années — ils sont tous consignés manuellement sur papier.

Cependant, au cours des semaines qui ont suivi le 11 septembre 2001, semaines qui ont généré assez de paperasse pour envelopper chaque voiture de métro comme un cadeau de Noël, trois feuilles ont évité d'être confinées à l'oubli dans un classeur en carton.

Elles ont plutôt été copiées et recopiées et distribuées comme un *samizdat* soviétique [un mode d'expression et de communication qui échappait au contrôle des censeurs]. Elles ont été écrites par un homme de cinquante-cinq ans, John B. McMahon, qui est surintendant de plusieurs stations de métro de Manhattan. Les feuilles sont datées et estampillées, et débutent comme tout autre mémorandum de la société des transports, lourd de précision et d'acronymes, comme « F.O. » pour Field Office [bureau local].

« Alors que j'étais dans mon bureau à l'intersection de la 42e Rue et de la 6e Avenue vers 0900 heures », commence le texte, « le F.O. m'a informé... » À la lecture du mémorandum de M. McMahon racontant son périple du 11 septembre de son bureau vers le secteur autour du World Trade Center, il saute rapidement aux yeux qu'il s'agit d'autre chose que d'une correspondance officielle.

C'est le monologue d'un homme qui cherche à comprendre ce qui lui est arrivé ce jour-là. En fait, c'est une lettre de M. McMahon à lui-même.

Ce matin-là, il s'est précipité au centre-ville pour se rendre à la station de la rue Cortlandt sur les lignes N et R pour veiller à ce qu'aucun passager ou employé des transports ne soit prisonnier de la station. Après s'être assuré qu'il n'y avait personne, il est remonté dans la rue et, comme il pleuvait des débris des tours en feu au-dessus de lui, il s'est réfugié sous l'auvent de verre devant l'hôtel Hilton Millennium.

À 9 h 58, il a regardé au-dessus de lui. Il a vu ce qui lui a semblé être un anneau de fumée se former autour de la Tour Sud. « Sauf que, écrit-il, cet anneau descendait… »

Un camion était garé devant un quai de chargement au coin des rues Cortlandt et Church. M. McMahon a plongé entre le camion et une porte-rideau, s'accrochant au pied du mur. Il a écrit :

« J'ai senti un mouvement ascendant de l'air comme si on faisait le vide, suivi d'un sifflement de l'air. Ensuite… RIEN. Pas un son, mais la noirceur totale pendant qu'une substance ressemblant à de la poudre couvrait tout. Elle a aussi envahi mes yeux, mes oreilles et ma bouche. »

M. McMahon avait peine à respirer. Il a craché la cendre et la poussière de sa bouche, mais aussitôt, celle-ci s'est remplie à nouveau. Il sentait qu'il y avait d'autres personnes autour de lui et il se souvient s'être entendu parler, de même que d'autres personnes, ce qui lui a indiqué qu'ils étaient toujours vivants.

« Puis, écrit-il, il s'est produit quelque chose d'étrange. Je faisais toujours face au mur. J'ai tourné légèrement la tête vers la gauche parce que j'ai vu deux rayons de lumière, trop brillants pour être des lampes de poche et il n'y avait aucune automobile en vue. Bien que j'aie eu de plus en plus de difficulté à respirer, la lumière m'a réconforté et je me suis senti en paix. Nous avons crié "Au secours!" et nous nous sommes tenus par la main et nous avons marché vers la lumière. Plus nous marchions, plus il faisait clair, jusqu'à ce que j'aperçoive des silhouettes de voitures et des gens. »

Pourtant, en émergeant du nuage de cendres, écrit-il, il a regardé autour de lui et a vu qu'il ne tenait personne par la main. Il était seul. Il n'a aucune idée de ce qui est arrivé aux autres personnes. Il ne sait toujours pas ce qu'étaient ces rayons de lumière, ni comment il a pu retrouver son chemin dans les débris.

« Je suis catholique », a dit M. McMahon. « Mais je ne vais à l'église qu'une fois environ tous les cinq ans. J'ignore ce qui s'est passé ce jour-là. Je ne peux l'expliquer. Quelqu'un m'a aidé à sortir », dit-il.

M. McMahon a écrit son mémorandum à son patron sur du papier jaune, format légal, à la fin de la semaine, dans le jardin de sa maison à Westbury, Long Island. Quand sa fiancée l'a lu, elle a pleuré.

« Je l'ai écrit, dit-il, parce que je devais m'en libérer. »

Le jour de l'incident, raconte M. McMahon dans sa note, il a erré jusqu'à se retrouver devant l'hôpital New York University Downtown où les infirmières l'ont fait entrer et ont vérifié ses signes vitaux. Il a rincé sa bouche et pris une douche. Il a ensuite demandé à sa fiancée d'aller chez Macy's lui acheter des vêtements neufs pour, écrit-il, « terminer ma journée de travail ».

Aujourd'hui, il est en congé, aux prises avec des problèmes d'ouïe et son œil droit est affecté par la poussière. Mais pire que ces maux, il lutte avec son propre esprit.

« Quand j'en parle à mon psychiatre, je sais que cela lui semble totalement insensé, mais c'est bien ce qui s'est passé », dit-il.

Le mémorandum de M. McMahon se termine comme des milliers d'autres. Sur une nouvelle ligne, il n'y a que les mots :

« Pour votre information. »

Randy Kennedy

Que dire?

10 h 32

J'écris ceci du centre-ville de New York. Étrangement, mon seul moyen de communication avec les autres est ma connexion Internet à haute vitesse — les téléphones sont en dérangement et l'alimentation électrique dans le secteur est intermittente.

Les médias raconteront mieux que moi cette histoire, mais je peux vous dire qu'il y a une perte massive de vies. Le ciel est noir de cendre et les gens sont paniqués et fuient en pure terreur. Je n'ai jamais rien vu de tel. Il est très difficile de respirer, même avec une protection sur la bouche — la cendre s'engouffre dans les rues et brûle les yeux. J'ai l'impression que c'est la fin du monde. Quand les cris ont commencé et que la foule s'est mise à courir après que le deuxième avion eut percuté, on aurait dit un film d'horreur en accéléré, sautant et intermittent. J'ai perdu la notion du temps et j'ignore combien de temps tout cela a duré. J'ai une coupure à la jambe. Je me suis retrouvé dans un restaurant Wendy's comme une foule d'autres personnes. J'ignore où sont les employés. J'ai aidé à trouver de l'eau pour les gens.

Je commence à apercevoir des secouristes et les rues se libèrent quelque peu — du moins les premières vagues de panique semblent s'apaiser. J'ai vu des corps enveloppés dans des draps blancs — il m'a fallu du temps pour comprendre que c'étaient des cadavres et non des blessés; ils doivent manquer d'espace ou être dans l'incapacité de les évacuer vers les morgues ou les hôpitaux.

Je me dirige vers le pont de Brooklyn pour sortir de la ville. Je vais m'arrêter au premier hôpital pour donner du sang avant de quitter. Si quelqu'un lit ceci, je vous supplie de donner du sang — une infirmière m'a dit que les hôpitaux commencent déjà à en manquer.

15 h 50

J'écris ceci de ma résidence à Brooklyn après avoir quitté Manhattan. J'ai pris rendez-vous pour donner du sang plus tard ce soir et j'ai quelques heures devant moi.

Après mon dernier texte, j'ai marché dans un paysage lunaire urbain — il y a de la cendre partout, des sacs abandonnés dans les rues, des gens qui semblent perdus. J'ai pu avoir une ligne de cellulaire pour appeler Jean-Michele, qui est toujours à Seattle, et elle m'a aidé à naviguer grâce à des cartes en ligne pendant que je préparais mon plan d'évacuation.

Étrangement, j'ai pris un taxi pour traverser la ville. J'étais à une intersection, je ne sais plus où, et il y avait un taxi en attente. Une femme très agressive a foncé dans le taxi, je lui serai toujours reconnaissant.

L'instant d'après, sans même réfléchir, je m'engouffrais dans le taxi à sa suite. Le chauffeur, un Pakistanais au sourire invraisemblable, a immédiatement démarré.

Les cendres voilent la lumière du soleil sur la ville — c'est comme conduire pendant une nuit impossible, d'autant plus que je suis dans un taxi avec cette femme qui cherche fébrilement à obtenir une ligne sur son cellulaire et un autre homme, de mon âge, qui me semble avoir pleuré. C'est peut-être à cause de la cendre dans ses yeux, comme moi — j'ai l'impression que je ne verrai plus jamais correctement, même si ce n'est probablement qu'un effet du traumatisme. Je ne sais même pas où le chauffeur nous conduit. L'homme qui a pleuré a rejoint quelqu'un sur *son* cellulaire et a commencé à lui décrire ce qu'il voyait par la fenêtre. C'est comme si nous avions un narrateur qui voyage avec nous. Je ne vois que ce qu'il décrit, à mesure qu'il le décrit.

Que Dieu bénisse ce chauffeur de taxi — nous ne l'avons jamais payé pour la course. Il nous a laissés descendre, je crois qu'il est descendu lui aussi, près du pont de Brooklyn.

Il y a des policiers partout, les gens se dirigent en foule, plutôt calmes, en silence, vers le pont. Nous traversons le pont de Brooklyn qui est incroyablement beau, avec ses câbles et ses pierres et le soleil brillant au sortir de la noirceur.

Les gens ne se parlent pas, mais il règne une atmosphère chaleureuse. Les gens tentent d'obtenir une ligne sur leur cellulaire. Ceux qui y arrivent parlent précipitamment à leur famille, à leurs amis, à des gens dans d'autres villes, à leurs enfants à la maison. Il est réconfortant d'entendre leurs voix dire qu'ils sont sains et saufs. « Bien. Chut! Tout va bien, je vais bien. » En arrivant dans la lumière du soleil, je suis heureux d'être en si bonne compagnie, la compagnie de gens qui sont sains et saufs, de ceux qui s'en sont tirés.

J'étais allé en ville ce matin pour remettre une partie de mon livre. J'avais travaillé toute la nuit et je me demandais — est-il prêt à rendre, ai-je bien travaillé? Ces questions semblent bien secondaires aujourd'hui, pas sans importance, mais moins pressantes. Elles ont pris une autre dimension. Je pense à tout ce qu'il me reste à faire au cours de ma vie, les nombreuses choses non accomplies, les gens à qui je n'ai pas parlé depuis des années. Il est accablant de sentir que les gens qui m'entourent pensent de même, toutes ces pensées agitées qui suivent le pont en direction de Brooklyn.

Sur la Promenade, je suis en compagnie de centaines d'autres personnes qui écoutent la radio et regardent la colonne de fumée et le trou dans le paysage. Les gens restent là longtemps, en échangeant à voix basse. Quelqu'un me tend un feuillet annonçant la tenue d'une vigile ce soir. Je m'y rendrai après avoir donné du sang.

Que dire? Simplement ceci : nous allons insister sur l'horreur et le mal, très réels. Mais, il y a plus à cette histoire. J'ai vu un vieil homme qui avait de la difficulté à respirer entouré de deux jeunes noirs en pantalons bouffants et vêtus à la manière des ghettos, qui lui tapaient dans le dos en lui parlant. Il n'y avait ni émeute ni pillage. Toute la journée, les gens se sont aidés d'une foule de façons, petites ou énormes… une famille distribuait des sandwiches sur la Promenade. Tous ceux à qui j'en ai parlé ont accepté de donner du sang. Si on avait entrepris une campagne de recrutement pour être pompiers, les gens se seraient bousculés pour être les premiers à se porter volontaires.

Peu importe l'énormité et la complexité de cette manifestation du mal, elle ne se compare pas à la dignité tranquille et à la force des gens ordinaires. Je n'ai jamais été aussi fier de mon pays.

Mike Daisey

Sauvetages jumeaux
aux Tours jumelles

*Nous sommes tels des anges avec une seule aile. Ce
n'est que lorsque nous nous entraidons que nous pouvons voler.*

Luciano de Crescenzo

Les yeux bleus de Kenneth Summers, un homme d'âge
mûr, ont vu une des anecdotes les plus inspirantes d'un
citoyen sauvé par le geste d'un bénévole, héros instantané,
après l'attaque terroriste du 11 septembre à New York.

Summers est une des rares personnes sérieusement
blessées qui ont survécu pour voir le jour suivant, grâce au
sacrifice d'une autre qui lui a porté secours.

Lève-tôt, Summers était à son pupitre du 27e étage de la
Tour Nord à l'heure habituelle, 7 h 15. Après avoir réglé ses
affaires, il a pris l'ascenseur pour descendre dans la majes-
tueuse entrée de verre du World Trade Center afin d'aller
poster des paiements urgents de factures personnelles.
Quelle journée parfaite, a-t-il pensé. *Le ciel est clair, l'air est
frais. Le genre de journée où on se sent heureux de vivre.*

« Il y avait à peine 10 secondes que j'étais sorti quand j'ai
cru entendre un énorme train passer. Puis, badaboum! J'ai
regardé à ma droite et j'ai vu une personne que je connaissais tenter de s'abriter, se souvient-il. Je ne sais même pas
si j'ai pris le temps de regarder vers le ciel. »

Pour se protéger, il a couru vers la porte tournante
menant à la Tour Nord. Il a immédiatement remarqué qu'il
était entouré d'une fumée orangée. « Une seconde plus tard,
c'était l'enfer », a-t-il ajouté. Des morceaux de verre volaient

partout alors que la force de l'explosion le soulevait et le projetait vers la rue.

« J'étais sur le dos et je brûlais. J'ai rapidement regardé si j'avais tous mes doigts et mes pieds. J'étais étendu à côté des grosses jardinières à l'extérieur et je me répétais *Ça va. Ça va.* Puis j'ai vu que je saignais des mains jusqu'à la tête et que j'étais couvert de brûlures.

Il a frappé ses vêtements et ses cheveux avec ses mains pour éteindre les flammes qui l'enveloppaient. Après avoir éteint les flammes, il a traversé la rue en chancelant, a levé la tête et a vu la fumée noire qui s'échappait des étages supérieurs de la Tour. *Est-ce une autre bombe, comme en 1993?* a-t-il pensé. *Peut-être un avion a-t-il frappé une des tours.* Autour de lui, les gens semblaient figés sur le trottoir. Il a demandé de l'aide à des étrangers mais, évidemment, tout le monde semblait trop stupéfait pour lui porter secours.

Une fraction de seconde plus tard, il a entendu un sifflement au-dessus de lui, suivi d'une deuxième explosion. Soudain, la Tour Sud était en flammes. Des débris fumants pleuvaient et Summers s'est mis à courir. Sa peau fumait et brûlait et s'arrachait en lambeaux. Il était carbonisé, en état de choc.

C'est alors qu'un étranger au visage serein s'est approché de Summers. « Je veux vous aider. Je m'appelle Stephen Newman. Je veux vous servir de guide », a-t-il offert.

Banquier de trente-six ans chez Merrill Lynch, Newman avait pris un taxi de son domicile du Upper East Side pour venir au travail. Quand le premier avion a frappé, il a été bloqué dans la circulation deux rues au sud du World Trade Center. Après être descendu de la voiture, il s'est dirigé vers les Tours jumelles. « Je courais vers mon bureau pour m'assurer que tout le monde savait ce qui était arrivé », dit-il. Au moment où il a aperçu Summers, brûlé, le second avion percutait la Tour Sud.

Sans se rendre compte pourquoi il le faisait, Newman savait que Summers avait rapidement besoin de soins médicaux. « Nous devons aller de l'autre côté de la rivière », dit-il à l'homme sérieusement blessé qui faiblissait à vue d'œil.

Titubant, Summers s'écrasait un peu plus à chaque pas. Pourtant, Newman insistait calmement et Summers a continué. Ils sont finalement arrivés à l'embarcadère au pied de Wall Street où des milliers de New-Yorkais, habituellement inébranlables, se bousculaient pour monter à bord des traversiers vers le New Jersey. Même si Newman n'avait traversé la rivière Hudson qu'une fois ou deux dans sa vie, il n'allait pas abandonner l'étranger qui avait besoin d'aide et qu'il avait pris sous son aile.

L'homme boitillant et son nouveau guide ont été les deux dernières personnes à monter à bord du traversier à destination de Jersey City. Au moment où le traversier quittait le quai, la Tour Sud s'est écroulée. « C'était comme un volcan, se souvient Newman. Une avalanche qui envahissait tout le World Financial Center. »

Le capitaine ayant demandé de l'aide par radio pour Summers, grand blessé, des sauveteurs l'ont immédiatement mené au service des grands brûlés du centre médical Saint Barnabas à Livingston, au New Jersey.

Summers a été un des rares chanceux. Il a survécu. Si Newman ne s'était pas arrêté dans toute cette panique autour d'eux, Summers serait certainement mort.

« S'il ne m'avait pas guidé, dirigé et poussé, la tête me tournait tellement que je me serais probablement assis et j'aurais perdu connaissance. Qui sait ce qui se serait alors produit?

« Steve m'a sauvé la vie », a dit Summers. Cependant, dans une révélation étonnante, Newman a dit la même chose au sujet de Summers.

« Vous m'avez probablement sauvé la vie, a-t-il répliqué.
Si je ne vous avais pas aidé, nous aurions tous deux été là
quand l'édifice s'est écroulé. » Le sacrifice d'une personne a
permis de sauver deux vies. C'était du très grand bénévolat.

Robin Gaby Fisher

LES TOURS JUMELLES

Plus que du chocolat

Je suis arrivé à Ground Zero avec l'Emergency Animal Rescue Services (EARS) le 19 septembre, une semaine et un jour après les attaques des terroristes. Même s'il y avait plusieurs agences qui fournissaient nourriture et breuvages aux sauveteurs, les gens carburaient à peu près tous encore à l'adrénaline. Il y avait tant à faire, tellement de chaos et de débris — tellement d'énergie canalisée à aider de toutes les manières possibles.

La dévastation au WTC était inimaginable. Plus de trois cents équipes canines de sauvetage étaient venues de partout pour aider à trouver des survivants. Lorsqu'il est devenu évident qu'il y en aurait peu, les équipes se sont mises à la recherche des cadavres. Plusieurs de ces équipes humain-chien n'étaient pas à proprement parler des équipes de recherche et sauvetage; si quelqu'un était propriétaire d'un chien entraîné à détecter les drogues ou les explosifs, il était là également. Tous voulaient faire *quelque chose*.

EARS donnait son aide dans l'aire de triage pour les chiens qui travaillaient sur le site. Lorsqu'une équipe terminait son quart, elle nous amenait les chiens pour les nettoyer et les décontaminer. Il y avait beaucoup d'amiante dans la poussière omniprésente qui se déposait sur le pelage des animaux. De plus, les chiens devaient marcher dans des mares d'eau insalubre et puante causées par la pluie et les lances d'arrosage utilisées pour contenir la poussière des décombres.

Après que les chiens furent nettoyés, ils étaient examinés par des vétérinaires qui portaient une attention particulière à leurs yeux, à leur nez et à leurs pattes. Il fallait donner un bain d'yeux à plusieurs chiens, car la poussière était très abrasive. D'autres chiens avaient des coupures aux pattes qui auraient pu s'infecter facilement dans cet environnement.

Après l'annonce de la catastrophe, un homme, un policier canadien, avait décidé de venir sans attendre. Son chien Ranger, un gros berger allemand, et lui étaient arrivés le 12, et immédiatement ils s'étaient lancés dans ce duo étonnant qu'on appelle recherche et sauvetage : l'instinct et la grande concentration du chien combinés à l'attention soutenue du maître et ses réactions aux signaux de la bête. Sans arrêt, le duo inspectait la surface des énormes tas de béton fracassé, de métal tordu et de verre brisé.

Quand il eut épuisé ses journées de congé, le policier ne voulait plus rentrer au travail, car il estimait qu'il était plus utile à New York. Il a appelé le directeur de son poste de police au Canada et a demandé de prendre ses vacances. Ses supérieurs ont refusé.

« Dans ce cas, je démissionne », leur a-t-il dit avant de raccrocher.

Lorsque les gens de sa municipalité ont appris ce qui s'était passé, ils ont immédiatement entrepris une collecte pour témoigner leur appui à cet homme. Il y a eu tellement de plaintes et de critiques à la suite de cette malheureuse décision que la direction de la police a téléphoné à l'homme pour lui dire qu'il pouvait rester à New York aussi longtemps qu'il le souhaitait et qu'il pourrait reprendre son poste à son retour.

Tard en après-midi, le jour de mon arrivée à New York, Ranger et son maître se sont présentés dans mon aire de triage. Nous avons bien brossé Ranger avant de le confier aux vétérinaires. J'ai vu le maître de Ranger assis sur une chaise, fixant droit devant lui. C'était un homme imposant, un mélange d'Arnold Schwarzenegger et de Rambo — chauve et vêtu d'une tenue de camouflage. La poussée d'adrénaline avait finalement fait place à la réalité de l'ampleur du désastre. Son visage montrait une expression que j'avais tellement souvent vue sur le site de plus de cinquante catastrophes dont j'avais été témoin — une expression qui disait : « Je ne pourrai pas continuer longtemps ainsi. »

C'était probablement la première fois que l'homme s'assoyait depuis longtemps et il ne regardait pas les gens ni leur parlait, sauf pour répondre aux questions des vétérinaires au sujet de son chien.

Le médecin a demandé : « À quand remonte le dernier repas de votre chien ? »

« Hier soir », a répondu l'homme d'une voix aussi vide que son visage.

Quelqu'un a mis un bol de nourriture près de la tête de Ranger. Le gros chien était allongé sur le pavé et, même s'il avait humé la nourriture une ou deux fois, il semblait trop épuisé pour manger.

J'ai pris un biscuit pour chiens, je me suis accroupie devant lui, j'ai trempé le biscuit dans la sauce de la nourriture et je l'ai présenté à Ranger. Il a levé la tête et a lentement léché le biscuit. J'ai répété le manège, cette fois en prenant un peu de nourriture avec la sauce. Il a de nouveau léché la nourriture et la sauce du biscuit. J'ai continué à le « nourrir à la cuiller » pendant que les gens du triage et les vétérinaires me regardaient.

En même temps que je nourrissais Ranger, j'ai pensé qu'on devrait peut-être demander à son maître s'il avait mangé. Après tout, nous étions ici pour aider les humains aussi. Quand j'ai eu terminé, je me suis tournée vers l'homme pour lui demander quand il avait mangé la dernière fois. Avant que je puisse prononcer un mot, il m'a regardée droit dans les yeux et a dit : « Savez-vous comment je peux endurer tout ceci ? »

J'ai fait non de la tête.

Il a mis sa grosse main dans sa poche et en a retiré un sac de plastique dans lequel il y avait deux chocolats, deux biscuits pour chiens et un bout de papier.

J'ai immédiatement reconnu les « rations d'urgence » préparées par les écoliers du quartier pour les maîtres et leurs chiens. Que pouvait-il y avoir à l'intérieur pour soutenir ce grand homme fort pendant ce travail épuisant et exigeant? L'expérience m'avait appris qu'il fallait plus que du chocolat.

Il m'a tendu le sac, les larmes aux yeux. « Lisez la note. »

J'ai sorti la note que j'ai dépliée. J'y ai vu une écriture d'enfant qui avait tracé les mots suivants : « Merci de nous aider à retrouver les gens. Je sais que Lassie serait très fière de vous. »

Terri Crisp
Tel que raconté à Carol Kline

Courriels de Manhattan

Sur cette Terre, que nous soyons près ou loin, sans amour, il ne reste que la peur.

Pearl S. Buck

Le 11 septembre 2001
Une journée tragique : la marche vers Uptown (Manhattan)

Il est probable que je voulais vous décrire la situation ce matin pour mon propre bien plutôt que pour toute autre raison. Mon bureau est situé dans l'édifice United Jewish Community (UJC) and Jewish Education Service of North America, sur la Quatorzième Rue, à deux stations de métro du World Trade Center. Quand je suis arrivée à ma station vers 9 h ce matin, la première chose que j'ai entendue fut l'annonce qu'il n'y aurait plus de correspondance et que le service était interrompu. Il y avait une urgence au World Trade Center. En un mot, sortez. J'ai monté l'escalier du métro et j'ai senti la fumée, sans savoir d'où elle provenait. En arrivant en haut, des officiels de la UJC étaient déjà là à rassembler tout le monde dans la salle de conférence. La salle n'était pas remplie, même si des centaines de personnes travaillent généralement à l'étage. Plusieurs avaient vu les avions frapper les tours et n'étaient jamais montés au bureau. D'autres étaient coincés sur les ponts, dans les tunnels et les métros, qui avaient tous déjà été fermés. On nous avait avisés que le Consulat n'était pas fermé et que UJC ne serait pas évacué. Ensemble, nous avons vu les flammes de nos fenêtres. Nous avons récité quelques psaumes. Nous avons entendu les chefs parler. Nous savions que plusieurs personnes dans la salle avaient de la famille et des amis qui travaillaient au World Trade Center. Cinq minutes plus tard, nous avons appris l'effondrement du deuxième édifice. Par la suite, nous avons entendu dire que le Pentagone avait été frappé. Finalement, on nous a dit que le Consulat avait fermé et que nous devions quitter l'édifice.

Mais nous ne savions vraiment pas où aller. Ceux qui venaient de l'extérieur de la ville ne pouvaient pas en sortir, et même ceux qui habitaient en ville n'avaient pas de transport public. À l'extérieur, les rues étaient pleines de gens venant des édifices environnants. La circulation était immobilisée. L'air était rempli de fumée. Les sirènes beuglaient.

J'ai donc marché avec la plupart des autres résidents de Manhattan. Pendant cette marche de plus de six kilomètres, j'ai remarqué des comportements différents depuis Downtown, vers Midtown et finalement à Uptown. La marée de personnes pendant le premier kilomètre était impossible à décrire. L'état d'esprit était calme, en somme. Des gens parlaient entre eux à voix basse, la plupart sur leur téléphone cellulaire, et ils se mettaient en ligne devant les téléphones publics quand le leur ne fonctionnait plus. Il semble que tout ce monde disait à sa famille et à ses amis qu'ils étaient saufs. Je téléphonais à différentes personnes qui n'étaient pas dans le secteur, essayant de trouver quelqu'un de plus calme qui me dirait quoi faire ensuite.

À Midtown, les gens étaient rassemblés autour des magasins et des automobiles en stationnement dont la radio à plein volume donnait des nouvelles. Les appels téléphoniques ont pris une autre connotation : on cherchait des amis et de la famille. De bloc en bloc, j'entendais : « Je ne sais pas dans quel édifice il travaille », « Je ne sais pas si elle s'est rendue au travail aujourd'hui », « Je ne peux pas le trouver. » Ou encore : « Je ne sais pas où aller » et « Je ne peux pas rentrer à la maison. » Il me semblait que les gens se hâtaient davantage quand ils dépassaient des édifices connus, ne voulant pas être près d'une cible potentielle. Il est vraiment étonnant de voir avec quelle rapidité on peut changer de mentalité. J'ai vu des sortes de véhicules d'urgence que je n'avais jamais remarqués auparavant. Ils étaient tous équipés de sirènes, et toutes les sirènes mugissaient.

À Uptown, il y avait moins de monde. Tous ceux qui utilisaient les téléphones publics criaient après les standardistes, essayant de trouver des êtres chers, de moins en moins capables d'obtenir une tonalité. En général, les gens dans la rue étaient des parents qui allaient chercher leurs enfants dans les écoles qui avaient décidé de fermer pour la journée. Les conversations étaient maintenant celles de mamans essayant de répondre aux questions sans réponse de leurs jeunes enfants. « Pourquoi je ne suis pas à l'école? » « Des gens sont-ils morts? » « Qu'est-il arrivé? » Et même dans les quartiers chics : « Pourquoi y a-t-il tant de sirènes? »

Je suis chez moi, avec mes compagnes d'appartement, et comme vous, nous regardons les mêmes nouvelles. Nous avons retrouvé la plupart des personnes que nous recherchions avec inquiétude et nous ne pouvons certainement pas imaginer les centaines d'autres qui devraient nous inquiéter — vous tous, vos amis et votre famille, des parents d'élèves, des épouses de collègues de travail, des personnes qui étaient peut-être dans ces avions. Nous apprécions que plusieurs d'entre vous nous aient téléphoné ici (ou ont essayé de le faire). J'enverrai ce message dès que je le pourrai, mais notre service téléphonique est instable et les appels vers l'extérieur ont été difficiles. Ceux d'entre vous que nous n'avons pas pu rappeler, sachez que nous sommes sauves — que nous ne pouvons simplement pas obtenir une tonalité.

Plus que tout, j'espère que ce message vous rejoindra et que vous êtes en sécurité, de même que vos proches.

Avec amour,
Meredith

Le 12 septembre 2001
Le lendemain

Dans les médias, on ne parle que de l'événement, et les histoires sont nombreuses. Mais en vous écrivant à tous, il m'est plus facile de continuer et de rester « branchée » avec chacun.

Les efforts des bénévoles new-yorkais sont incroyables. Les services de la Croix-Rouge ont dû refuser des gens, en leur demandant de revenir plus tard ou le lendemain, les suppliant de ne pas oublier que, dans deux semaines, ce sera encore une tragédie qui demandera encore toute leur attention.

Mes amies et moi nous sommes dirigées vers la Croix-Rouge à 15 h hier après-midi, encore incapables de prendre le transport public (seuls les autobus circulaient). D'autres amis se sont joints à nous en cours de route, des professeurs qui étaient dans leur classe toute la journée et qui n'avaient entendu que des bribes de l'événement. Nous leur avons dit de marcher avec nous et que nous leur raconterions en chemin. Nous sommes rentrées à la maison cinq heures et demie plus tard, sans avoir pu donner de sang — on ne pouvait absolument pas prendre le sang de tous les donneurs qui attendaient en ligne. On s'est empressé de nous demander nos services comme bénévoles. Peu après, nous étions devenues expertes pour interviewer les gens à notre tour. En tant que travailleuse sociale, j'ai attendu pour savoir où les responsables voulaient envoyer les professionnels de la santé mentale. Certains ont été envoyés sur le site des tours pour parler aux sauveteurs, d'autres ont été envoyés à la morgue par autobus, et d'autres encore ont été dirigés vers des refuges. Ma compagne d'appartement a été placée sur une liste de surveillance d'enfants dont les parents n'avaient pas encore été retrouvés.

J'ai passé la journée au Canal 13, avec environ soixante autres aidants en santé mentale, et probablement qu'aucun d'entre nous ne se sentait prêt pour la tâche. La station de télévision avait donné de l'espace et des téléphones pour permettre à la Croix-Rouge d'installer une ligne ouverte permanente pour les personnes manquantes. C'était comme un téléthon à effet contraire. Les téléphones sonnaient sans arrêt pendant que nous écrivions le nom des personnes portées disparues. Plus tard, j'ai changé de rôle et j'ai téléphoné aux familles. Il me fallait rapidement tempérer leur optimisme d'entendre un bénévole de la Croix-Rouge et leur dire que je n'avais pas de nouvelles informations. Il me fallait plus de détails : « Êtes-vous certain qu'ils étaient dans leur bureau? » « Savez-vous quels vêtements ils portaient? » « Y a-t-il des distinctions particulières dans la dentition... des cicatrices... des tatouages? » La réponse était : « Il travaille au 104e étage et porte une chaîne en argent. » « Elle a une petite cicatrice sur la joue droite. » « Elle était à Windows on the World. » « Il travaillait sur le toit. » « Elle est mère célibataire — s'il vous plaît, trouvez-la. » Des enfants criaient. Des parents pleuraient. « Quel âge a votre fiancé? » « ... votre frère? » « ... votre fille? » Vingt-six. Vingt-quatre. Trente et un. « Sa femme est retenue à Paris. Est-ce qu'un avion du gouvernement peut la ramener au pays? » Je ne peux rien faire. Vous en savez plus que moi. Je n'ai même pas écouté les nouvelles aujourd'hui.

Mon dernier appel était à une femme de vingt-six ans qui avait une voix semblable à la mienne. Son fiancé a disparu et elle le décrivait en regardant sa photo. Elle m'a dit ce qu'il portait en regardant les vêtements manquants dans sa penderie. « Il n'a qu'une paire de souliers bruns et ils ne sont pas là », m'a-t-elle dit presque en riant. « Il était tellement beau. Il travaillait au 101e étage. Elle savait qu'il était dans son bureau. Il avait apporté son déjeuner au travail. Ce fut mon dernier appel. Je n'étais plus capable d'entendre une autre histoire.

Ma compagne d'appartement fait du bénévolat ce soir, pendant le quart de nuit, pour apporter de la nourriture et des couvertures aux sauveteurs sur le site. Personne n'a pu s'y rendre cependant, des édifices s'écroulent encore.

Je crois qu'il est important de rapporter ces histoires. Ces gens sont déjà morts pour rien. Merci de tous vos messages. Tous ici sont réunis et prennent soin les uns des autres pour compenser la difficulté de prendre soin de nous. Nous sommes reconnaissants d'être encore tous ici.

Avec amour,
Meredith

Le 13 septembre 2001
Le meilleur et le pire chez l'homme

J'ai quitté la permanence téléphonique hier soir en pensant y retourner ce matin, ou tout au moins retourner à la Croix-Rouge pour savoir où on avait besoin d'effectifs aujourd'hui. À la fin de la nuit dernière, bien que la différence entre le jour et la nuit ait été difficile à distinguer avec du bénévolat sur appel et de longs quarts de nuit, j'ai constaté que je ne pourrais pas tenir deux journées consécutives. J'étais rassurée par l'absolue certitude qu'il y aurait quelqu'un pour me remplacer — car les gens ici désiraient grandement faire du bénévolat. Quand on les renvoyait à 7 h, ils revenaient à midi. S'il n'y avait pas de place à midi, ils revenaient à 18 h, prêts à travailler toute la nuit, sachant que le prochain quart débuterait probablement à minuit. Pour plusieurs, l'occasion de livrer des bouteilles de solution saline, ou d'acheter des victuailles pour les déposer aux sites de ravitaillement est ce qu'ils ont besoin pour avoir l'impression d'aider. Nous nous sentons tous impuissants et nous devons trouver une façon de remplir les journées. Personne ne cherche à être un héros — tous ceux que je connais savent quand ils ont besoin de repos.

Que puis-je dire sur Manhattan aujourd'hui? Le rythme de la ville a changé. Chacun va lentement, tranquillement, souvent avec un air hébété. Dans les autobus, des gens seuls se mettent soudainement à pleurer. Plus de magasins ont ouvert leurs portes aujourd'hui, et des amis ont pu se réunir chez Starbucks et dans des restaurants, dont la plupart avaient été fermés pendant la journée et demie qui a précédé. On ne parle que de la tragédie. Ma compagne de chambre et moi nous sommes assises à l'extérieur et nous nous sommes dit que nous ne parlerions que de sujets non reliés à l'évènement. Nous nous sommes retrouvées à écouter, assises en silence, les histoires des gens autour de nous.

La plupart des gens que je connais ont des nuits de sommeil écourtées — ils regardent la télévision, les amis se visitent entre appartements et la senteur de la fumée pénètre dans nos édifices, même dans le Upper West Side. Nous nous disons les uns aux autres de ne plus écouter les nouvelles, de prendre une pause, d'aller à l'extérieur, de manger. Nous savons où vont nos amis, avec qui ils sont, quand ils reviendront. Nous avons par chance fondu en larmes à différents moments, tantôt offrant du support, tantôt en recevant. Mon cercle élargi d'amis a été extraordinairement chanceux. Tout le monde est là, personne de nos proches n'a disparu. Tous connaissent quelqu'un qui est rentré au travail en retard mardi. Il semble que tout ici soit transformé en abri. Les gens dorment sur le terrain au Shea Stadium. Battery Park City, un quartier entre Wall Street et la rivière qui longe Manhattan, a été totalement évacué. Nous avons entendu dire que les gens ont été amenés au New Jersey. Nous ne croyons pas qu'il y ait un danger réel, mais en tant que New-Yorkais, les sirènes que nous avions l'habitude d'ignorer nous font maintenant sursauter.

Un drapeau flotte à l'entrée de notre édifice. De chaque côté de mon appartement (7-C et 7-E), il y a des représentations du meilleur et du pire. À notre gauche, c'est l'élève de troisième année dont la classe prépare des sandwiches pour les sauveteurs demain. Leur but est d'en faire mille. À notre droite, par contre, la compagne d'appartement de deux femmes a disparu. Elle travaillait au 104ᵉ étage de la Tour Un.

Il faudra beaucoup de temps avant que les choses ne reviennent à la « normale », et nous prions pour que soit retrouvée vivante toute personne disparue, ne serait-ce qu'une de plus. En parlant aux gens de cette soirée, chacun de nous réagit à sa manière, et nous avons tous notre propre façon d'interpréter et de voir les événements de cette semaine. Les messages que je vous donne ne sont que ma propre perspective, et je vous remercie de me permettre de m'adresser à vous ainsi.

Meilleurs vœux pour un Nouvel An paisible et un *Shabbat Shalom.*

Avec amour,
Meredith

Le 12 octobre 2001
Un mémorial

Hier soir, je suis allée à un service commémoratif qui, en respect de la tradition juive de *shloshim,* marquait les trente jours depuis l'attaque au World Trade Center. Environ sept cents personnes se sont réunies pour cette cérémonie spéciale dans le Upper West Side de New York, un service qui a réuni des rabbins des synagogues Reconstructioniste, Réformée, Conservatrice et Orthodoxe, et qui a rassemblé tous mes amis et voisins, généralement éparpillés dans la pléthore de *shuls* qui ont pignon sur rue dans le West Side. Pendant plus de deux heures, les rabbins et les chefs communautaires ont parlé, dit des prières, fait l'éloge funèbre de leurs fidèles disparus et rendu hommage aux héros du 11 septembre, à l'idéal de l'Amérique et à l'âme des New-Yorkais.

Alors assise là en me demandant jusqu'à quel point l'âme américaine peut encore endurer, j'ai été frappée par le grand défi auquel nous sommes confrontés : le tiraillement des contraires.

Dans le premier courriel que je vous ai adressé, je vous ai parlé des sirènes que j'avais entendues beugler pendant tout le temps que je marchais de Downtown vers Uptown. Je ne pouvais pas m'empêcher d'y repenser la nuit dernière — pas à cause du bruit, mais en raison du silence effrayant dans la pièce. Chaque rabbin parlait et s'assoyait, et entre chaque discours, il n'y avait rien d'autre que le silence. Plusieurs choses étaient palpables : les larmes qui coulaient sur les joues de chacun, les gens qui regardaient leurs amis dans la salle bondée pour trouver du réconfort, le soulagement de voir des connaissances pour qui nous ne nous étions jamais inquiétés auparavant, les prières solennelles des rabbins, les paroles touchantes des chefs communautaires et le silence. Ensuite, nous avons entendu un pompier qui a dit avoir voulu faire ce travail depuis qu'il était tout petit. Il avait perdu deux de ses amis les plus chers il y a un mois. Après avoir parlé d'eux et des gens qui font ce travail tous les jours, il a dit gentiment : « La prochaine fois que vous verrez un camion de pompiers, souriez et faites signe de la main, et faites une prière. » Tout à coup, notre silence s'est transformé en applaudissements étourdissants et en une ovation debout. Le contraste était étonnant, renversant, remarquable.

Il y a deux jours, nous avons célébré *Simchas Torah*. Généralement, cette nuit-là, nous nous donnons l'impression d'avoir pris possession de la ville. La police ferme une douzaine de rues croisant l'avenue West End, nous dansons dans les rues, nous rencontrons presque tous ceux que nous connaissons. Il y a quelques semaines, on nous a dit qu'il n'y aurait pas de célébration à l'extérieur. Avec nos amis les plus proches, nous avons donc décidé de coordonner l'événement et de choisir dans quelles synagogues et appartements nous nous réunirions pour la fête. Nous n'avons pas fait de compromis quant à l'esprit de cette soirée annuelle. Nous avons mis notre tristesse de côté, nous avons fait taire nos émotions, nous avons cessé de parler du World Trade Center et, oui, nous avons bu jusqu'à ce que nous nous sentions libres de danser, de sourire et de rire, et de nous souvenir de ce qu'était notre vie à New York il y a un mois. Deux jours plus tard, aussi rapidement que nous avions créé cette ambiance pour *Simchas Torah,* nous nous sommes retrouvés au milieu de services commémoratifs, d'affiches des personnes disparues, de bannières, de vigiles, de drapeaux et du calme étrange de la ville qui autrefois était tout, sauf cela.

Nous avons promis de continuer à vivre notre vie — que les choses reviennent à la normale — et nous savons que rien de cela n'est vrai. Nous sentons le déchirement entre des forces opposées, des émotions contradictoires, notre forte capacité et notre grande résistance à compartimenter nos expériences. C'est une nouvelle façon de vivre étrange. Mais je crois que, partout dans le pays, nous recherchons tous le bien et nous tentons d'atteindre notre propre équilibre.

Shabbat Shalom.

Meredith Englander

Des drapeaux de prières

Il y en avait partout dans mon quartier du bas de la ville de New York : d'innombrables bouts de papier pour annoncer les personnes disparues après l'attaque du 11 septembre. Tout comme beaucoup de mes voisins, j'ai médité longtemps en silence, plein de compassion devant ces morceaux de papier déchirants. Il y avait des photos de personnes comme moi et mes amis, qui berçaient leur nouveau-né ou qui posaient fièrement le jour de leur mariage. Sur ces papiers, des mots désespérés, pleins d'amour, écrits par des personnes lors de moments d'angoisse presque inimaginable, à l'intention de maris, d'épouses ou de parents qui n'étaient pas revenus à la maison — ou, peut-être pire, qui avaient téléphoné pour dire qu'ils sortaient pour rentrer à la maison, sans y arriver. Les bouts de papier me rappelaient les drapeaux de prières tibétains, volant au gré d'une brise chaude. [Les drapeaux de prières (aussi appelés « chevaux de vent ») sont communs chez les bouddhistes tibétains. Ils sont censés purifier l'air par les prières qu'on a écrites dessus.] C'était presque trop à supporter. Pourtant, nous, les voisins et les amis de ces gens, sentions qu'il était de notre devoir d'être témoins, de présenter nos respects, d'envoyer de l'amour et de la lumière.

J'étais là, debout, une mélodie simple et obsédante emplissait ma tête, et les mots que je lisais volaient pratiquement en dehors de la page et se regroupaient en stances dans mon esprit. Le jour suivant, je ne suis pas allé travailler, j'ai réservé un après-midi au studio et j'ai enregistré cette chanson en direct.

Bien que « Prayer Flags » soit une chanson très triste, je l'espère apaisante et très respectueuse des gens par qui elle est née — et à qui elle est dédiée :

Drapeaux de prières

L'avez-vous vu
L'avez-vous vu
Cheveux bruns, yeux bleus, 5 pieds 10
L'avez-vous vue
Voici sa photo
C'est ma femme
C'est ma meilleure amie

L'avez-vous vue
L'avez-vous vu
Il a un grain de beauté sur la main gauche
Si vous l'avez vu
Voici mon numéro
S'il vous plaît, téléphonez dès que vous le pourrez

L'avez-vous vu
L'avez-vous vue
Elle porte une robe jaune
Un tatouage sur l'épaule droite
Qui dit « baby, je suis la meilleure »

L'avez-vous vue
L'avez-vous vu
Il porte un anneau au doigt
Et il est gravé à l'intérieur :
12 mai 2000, à jamais, Ann.

L'avez-vous vu
L'avez-vous vue
Il était au 100e étage
C'est ma mère
C'est mon frère
Elle m'a téléphoné à 9 h 04
De l'escalier
Du hall

De son cellulaire
Du toit
Si vous l'avez vu
Voulez-vous lui dire
S'il vous plaît
Que nous l'aimons tant

Les avez-vous vus
Les avez-vous vus
Marcher main dans la main
Depuis les décombres
Et la désolation
Vers le beau ciel bleu

Marc Farre

À un kilomètre de Ground Zero, les bouts de papier qui ont inspiré « Prayer Flags » [Drapeaux de prières].

Les chauffeurs de taxi de New York

Les chauffeurs de taxi de New York sont légendaires. Les blagues à leur sujet sont innombrables, traitant de la façon dont ils filent dans la circulation, évitant de justesse les autres voitures et les objets fixes, frôlant de quelques centimètres tout piéton assez téméraire pour penser qu'il peut traverser sur un feu clignotant indiquant « Don't Walk » [ne traversez pas]. Tous les passagers d'un taxi new-yorkais ont ressenti l'angoisse de l'accélération rapide pendant un court pâté de maisons, suivie d'un arrêt brusque derrière une voiture immobilisée. Les New-Yorkais ne s'étonnent plus quand un chauffeur sort la tête par la fenêtre de son véhicule pour faire des commentaires importants sur le talent de chauffeur d'un collègue ou même sur son apparence ou même ses origines !

Pourtant, trois mois après le 11 septembre, pendant un séjour d'une semaine à New York, mes déplacements en taxi étaient lents, les chauffeurs calmes, contenus. J'ai demandé à quelques-uns d'entre eux où ils se trouvaient et ce qu'ils faisaient le 11 septembre. Un chauffeur a d'abord refusé d'en parler avant de changer d'avis. En fait, il avait tellement à dire sur le sujet qu'une fois à destination il a fermé le compteur et je l'ai écouté jusqu'à la fin.

« La circulation s'est immobilisée ce jour-là. Ni les autobus, ni les taxis, ni les voitures ne pouvaient circuler. C'était aussi bien ainsi, car c'était l'enfer. Personne ne savait où se diriger pour se mettre à l'abri. J'étais au centre-ville, immobilisé dans la circulation avec un passager, quand le premier avion a percuté. Nous avons d'abord entendu le bruit de l'avion, puis nous l'avons vu. Nous avons tous deux pensé que c'était un accident. On ne savait encore rien...

« Puis, le second avion a frappé l'autre tour. J'ai déposé mon passager et je suis descendu de voiture. Déjà, il y avait tellement de sirènes et de véhicules d'urgence qui se dirigeaient vers le sud que nous ne pouvions plus bouger. Alors, comme tout le monde, j'ai regardé du trottoir. Puis... puis, elles se sont écroulées! C'était une belle journée ensoleillée, qui s'est immédiatement transformée en cauchemar. Soudain, il faisait noir, tout était gris et on ne pouvait plus respirer. J'ai fait demi-tour avec mon taxi pour me diriger vers le nord. Des gens ont frappé à ma fenêtre. Je leur ai dit de monter et nous nous sommes éloignés, tout simplement. Je ne me souviens pas où je les ai déposés.

« Quelqu'un m'a fait signe — s'est placé directement dans ma trajectoire. Il m'a montré sa carte d'identification. C'était un médecin et il voulait que je le conduise au Centre médical du NYU [Université de New York]. À l'hôpital, il y avait une file de taxis. La police nous interdisait de repartir. Alors, nous sommes tous entrés et avons donné du sang. Plus tard, on ne permettait qu'aux ambulances de circuler. Je leur ai dit : "Je suis un bon chauffeur. Laissez-moi vous aider." On m'a dirigé vers une ambulance avec un autre chauffeur. Nous avons commencé à livrer des fournitures au Centre médical du NYU, au centre-ville.

« Plus tard dans la journée, j'ai récupéré mon taxi et je me suis promené. Il y avait des gens partout, déambulant ahuris et en pleurs. Je ne pouvais rien faire pour eux, sauf les conduire. C'est donc ce que j'ai fait. Plusieurs allaient d'un hôpital à l'autre à la recherche d'un membre de leur famille qui travaillait au World Trade Center (WTC). J'ai mené un groupe — le père, la mère et deux sœurs — dans cinq hôpitaux différents. Au dernier endroit, je les ai laissés, car il semble qu'il y avait quelqu'un qui ressemblait à l'être cher. Je n'ai jamais su si c'était lui... »

Pendant que l'homme parlait, j'ai tenté de prendre des notes, mais je ne pouvais pas écrire assez rapidement. Je l'ai donc écouté. Je sais que je me souviens de toute son histoire, car il m'était impossible de l'oublier.

Un autre chauffeur m'a dit comment il avait consacré son temps à ramener des gens à la maison. « Ils marchaient, marchaient n'importe où — sur les ponts, au milieu de la rue. Les gens s'appuyaient les uns sur les autres. Je me suis arrêté afin de faire monter un vieillard et la personne qui le soutenait pour les amener vers le Upper East Side. Ils ressemblaient à des morts vivants... Nous avons fait monter d'autres personnes en cours de route. Une femme a dit qu'elle devait s'arrêter pour aller dire à son fils qu'elle était saine et sauve. Son téléphone ne fonctionnait pas. Je l'ai donc déposée au travail de son fils, près de la Cinquantième Rue. Il était à l'extérieur et regardait fixement vers le sud. Quand il a aperçu sa mère, il a éclaté en sanglots. La dame a décidé de rester avec lui. J'ai donc cherché d'autres passagers. »

J'avais entendu dire que, au cours des heures et des jours qui ont suivi, la ville de New York s'était littéralement figée. Pendant plusieurs jours, il n'y avait pas de transport en commun. Mais tous les chauffeurs de taxi à qui j'ai parlé ont été très occupés — ramenant des gens à leur domicile, transportant des fournitures médicales et véhiculant le personnel des services d'urgence. Tous ces gens en santé ont fait tout ce qu'ils ont pu pour aider, et ce, avec ou sans taxi. Ils ont trouvé des façons de rendre service. Évidemment, je n'ai pas eu à leur demander s'ils avaient été payés pour leurs courses. Ils auraient été insultés si je l'avais fait.

Les chauffeurs de taxi de New York sont un microcosme de la société. Ils sont Noirs, Blancs, Indiens, musulmans, hispaniques — ils représentent toutes les races, toutes les religions et toutes les couleurs imaginables. Ils vivent leur journée comme la plupart des gens, gagnant leur vie, faisant leur travail. Pour la plupart, ce sont des gens ordinaires. Et les gens ordinaires trouvent toujours le moyen de poser des gestes extraordinaires quand ils en ont l'occasion.

Bien des gens ont fait beaucoup pour venir en aide à leurs semblables ce jour-là. Ils ont mis leurs talents au service des autres, pour sauver des vies et donner de l'espoir. Ces talents allaient de la capacité de faire des opérations d'urgence à celle de conduire un taxi. On avait besoin de chacun d'eux et leur contribution était importante après le contre-coup de l'horreur du 11 septembre.

Quand on dit que les chauffeurs de taxi de New York sont légendaires — c'est vrai.

Marsha Arons

L'attente insoutenable

Il y a deux façons de vivre sa vie. L'une est d'agir comme s'il n'y avait rien de miraculeux. La deuxième est de faire comme si tout était miracle.

Albert Einstein

Comme d'habitude, je somnolais dans l'autobus en allant au travail ce mardi, 11 septembre 2001, quand j'ai entendu quelqu'un dire : « Mon Dieu, regardez le World Trade Center! »

Nous étions encore au New Jersey. J'ai regardé en direction des Tours jumelles et j'ai vu de la fumée sortir de toutes les fenêtres des étages du dernier quart supérieur de la Tour Nord. Quelqu'un d'autre dans l'autobus écoutait la radio sur son baladeur et a dit qu'un avion avait percuté le World Trade Center. J'ai demandé si on avait annoncé dans quelle tour et il a répondu qu'il croyait qu'on avait dit la Tour Deux. La Tour Deux n'était pas visible de l'angle d'où nous regardions, alors je savais qu'il devait se tromper.

J'ai dit : « Mon mari travaille au World Trade Center. Je sais que c'est dans la Tour Un. Pourquoi ai-je oublié mon téléphone cellulaire aujourd'hui? »

J'étais en état de choc. Je ne sais pas combien de temps je suis restée là à fixer, mais je me suis tournée vers la femme près de moi et je lui ai demandé si je pouvais emprunter son cellulaire. Elle a souri et m'a dit qu'elle venait de me l'offrir, mais je ne l'avais pas entendue. Elle a été assez gentille pour faire le numéro de téléphone de mon mari et me tendre l'appareil. Tout ce que j'entendais était un enregistrement disant que tous les circuits étaient occupés. Je lui ai remis le téléphone et j'ai commencé à prier : « Mon Dieu, s'il vous plaît, protégez-le. »

Je ne l'ai pas remarqué, mais elle a continué à essayer de rejoindre mon mari en pressant la touche de recomposition. Elle a finalement eu la ligne et m'a tendu le téléphone en disant qu'elle avait la boîte vocale de mon mari. Je ne me souviens pas de ce que j'ai dit, mais j'ai laissé un message et je lui ai rendu son téléphone.

Nous étions maintenant rendus au tunnel Lincoln et je ne pensais qu'à une chose : me rendre au bureau et vérifier sur ma boîte vocale et mes courriels pour savoir si mon mari avait laissé un message. Dès que nous sommes sortis du tunnel, je suis descendue de l'autobus avec les bons souhaits de chacun, disant qu'ils prieraient pour nous.

En courant pour attraper l'autobus local, j'ai vu des gens parler mais je ne pouvais rien entendre. Je ne pensais qu'à me rendre à mon bureau et à entendre un message de mon mari.

En arrivant à l'édifice Chrysler, j'ai marché dans le hall et je pouvais entendre les gardiens de sécurité qui disaient : « Nous évacuons. » J'ai continué à marcher aussi vite que j'ai pu, craignant qu'on m'empêche de me rendre à mon bureau. Je me suis rendue à un ascenseur vide, j'y suis entrée et j'ai prié pour que la porte se referme. Seul un de mes collègues de travail, Verne, est entré et a dit : « As-tu entendu ce qui se passe au World Trade Center? » J'ai éclaté et j'ai répondu en pleurant : « Mon mari travaille là-bas. » Je n'ai pas entendu ce qu'il disait, mais j'ai senti qu'il mettait ses bras autour de moi pour me réconforter.

Nous sommes arrivés au seizième étage et j'ai entendu mon patron dire de son bureau: « Rosemarie, as-tu eu des nouvelles de ton mari? »

J'ai répondu que non et j'ai couru vérifier mes messages. Jeff m'a demandé si mon mari avait un cellulaire ou un téléavertisseur. Je lui ai dit que Eddie n'avait pas son téléphone cellulaire avec lui.

Il n'y avait aucun message de Eddie sur le répondeur.

La première personne qui a téléphoné était ma sœur Carmel. Elle pleurait en me demandant si j'avais eu des nouvelles de mon mari. Je lui ai dit que non. Nous étions toutes deux au bord de l'hystérie. Elle m'a dit qu'elle allait bien. (Elle travaillait à l'immeuble voisin du World Trade Center.) Elle m'a aussi dit que ma nièce, Sharon, allait bien. (Elle travaillait à la Tour Sud.)

Mon autre sœur, Mary Lou, a aussi téléphoné pour s'informer de Eddie. J'ai répété que je n'avais pas de nouvelles de lui. Elle a raccroché en me demandant de la rappeler dès que j'en aurais.

J'ai ouvert mon ordinateur et je suis allé voir mes courriels, en espérant voir le nom de mon mari. Rien.

J'ai vu un message de ma plus jeune fille, Jillian. Elle et ma deuxième fille, Jessica, étudient à l'université de Scranton, en Pennsylvanie. Le message disait : « S'il te plaît, envoie-moi un message dès que tu auras lu le mien et dis-moi ce qui se passe au World Trade Center. J'essaie de te téléphoner et de rejoindre papa, mais les lignes sont bloquées. Il faut que je sache si papa est sauf. S'il te plaît, réponds-moi dès que tu le pourras. » Je lui ai téléphoné et je lui ai dit que je n'avais aucune nouvelle.

Tout le monde au bureau était d'un grand soutien et aussi très inquiet. Mon patron a demandé à la secrétaire du bureau voisin du mien de répondre à mon téléphone si je n'étais pas à mon bureau. Elle a accepté et m'a offert une tasse de café. Mon superviseur est venu à mon bureau et m'a demandé s'il pouvait faire quelque chose pour moi.

La première alarme a été déclenchée et on a annoncé dans les haut-parleurs que l'édifice était évacué. J'étais dans le plus grand désarroi. Je ne voulais pas partir. Je ne savais pas où aller ni quoi faire. Mon patron a commencé à me dire quoi faire et je répondais comme un automate.

J'avais l'impression de regarder ce qui se passait de l'extérieur de mon corps. Jeff m'a dit de changer mon message sur ma boîte vocale, de dire que je n'étais pas au bureau à cause de l'incident au World Trade Center et de dire à mon mari, s'il téléphonait, que je serais chez ma mère, de donner le numéro de téléphone de maman et, comme autre solution, de communiquer avec mon patron sur son cellulaire et de donner son numéro.

À ce moment-là, mon autre fille a téléphoné et je lui ai dit que je n'avais pas de nouvelles de papa et que j'allais chez ma mère parce que l'édifice était évacué. Je lui ai dit que je lui téléphonerais quand j'arriverais chez maman. Nous devions tous continuer de prier.

Le téléphone a sonné de nouveau. J'ai décroché. J'ai entendu une voix à l'autre bout dire : « Hello, Ro. C'est moi. »

Eddie était dans une salle de conférence, devant une fenêtre près de son bureau au soixante-quatorzième étage de la Tour Nord quand il a entendu l'avion frapper l'édifice au-dessus de lui. Il a senti l'édifice se déplacer d'environ 30 centimètres. Il a vu des débris en flammes tomber et a senti l'odeur du kérosène. Il est allé à la sortie d'urgence la plus proche et a descendu l'escalier. Il a rencontré un de ses collègues de travail et ils sont restés ensemble. Il a ajouté que tout le monde agissait de façon très ordonnée et très calme. Ils sont restés à la droite de l'escalier pour permettre aux blessés de passer devant eux. Une fois rendus à environ mi-hauteur, ils ont vu des pompiers monter. Les pompiers ont dit qu'en bas ils ne risquaient rien, de garder leur calme et de continuer à descendre vers la sécurité. Il était toujours dans la cage d'escalier en se dirigeant vers le bas quand quelqu'un avec une radio a dit qu'un deuxième avion avait frappé la Tour Deux. C'est alors qu'il a compris qu'il s'agissait d'une attaque et non d'un accident.

Quand mon mari a atteint le niveau de la Plaza, il n'a pas pu sortir à cause des débris en flammes qui tombaient à l'extérieur. Il s'est dirigé pour descendre les marches vers le niveau Concourse et a marché dans plusieurs centimètres d'eau, qui provenait du système d'extinction automatique, et il a finalement pu sortir de l'édifice. Il a marché jusqu'à la station de métro et a pris un train vers le nord. C'était probablement le dernier train à partir de cet endroit. Il ne s'est pas arrêté pour téléphoner jusqu'à ce qu'il soit rendu au Grand Central Station.

Quand j'ai entendu sa voix, une faiblesse m'a saisie. « Eddie, où es-tu? »

Il a répondu : « Au Grand Central Station. » Je ne pouvais pas le croire. Il était juste de l'autre côté de la rue.

J'ai dit : « Merci, mon Dieu! » Il a dit qu'il venait à mon bureau.

Je refermais le téléphone et la sonnerie s'est fait entendre de nouveau. C'était ma deuxième fille, Jessica. Elle m'a dit de ne pas aller chez ma mère, qu'elle avait entendu que la première tour s'était effondrée et comme elle vivait à dix ou quinze édifices du World Trade Centrer, c'était en ligne directe avec les tours. Je ne lui ai pas laissé la chance de terminé et j'ai dit : « Papa va bien et il est en route vers mon bureau. » Je lui ai aussi dit que je ne savais pas où nous allions puisqu'il fallait évacuer l'édifice, et que je lui téléphonerais plus tard. Je lui ai dit d'avertir sa sœur. J'ai rapidement téléphoné à mes deux sœurs pour les informer que Eddie était sauf, et que j'allais le rejoindre en bas.

En arrivant en bas, je l'ai vu devant l'édifice. Je l'ai serré et l'ai embrassé, ne pouvant pas croire à notre bonne fortune. J'étais si reconnaissante de la façon dont il avait agi. Même si le temps avait semblé une éternité, tout ceci s'était déroulé en un peu plus d'une heure.

Nous avons décidé d'aller chez mon cousin, qui habitait environ quatre rues plus loin. Puisque les tunnels et les ponts étaient fermés, nous ne pourrions nous rendre chez nous en autobus. Une fois arrivés, nous avons téléphoné de nouveau à ma sœur et à mes filles pour leur dire où nous étions. Mon mari a dit à ma plus jeune fille d'envoyer un courriel à notre fille aînée, Judie, qui étudie la médecine dans les Caraïbes. Nous avons appris plus tard qu'elle avait entendu la nouvelle de l'attaque et qu'elle cherchait désespérément à nous rejoindre.

Mon histoire a une fin heureuse. Nous prions sans cesse maintenant pour ceux qui n'ont pas eu notre chance, pour ceux qui ne s'en sont pas sortis et pour leur famille. Ils sont maintenant au ciel — le seul endroit plus formidable que les États-Unis d'Amérique.

Rosemarie Kwolek

Une journée à D.C.

Nous subissons tous de grands changements dans notre vie, qui sont plus ou moins une deuxième chance.

Harrison Ford

« Ne t'en va pas, maman », me supplie ma fille de dix ans pendant qu'elle me regarde préparer ma valise pour Washington, D.C. « J'ai un mauvais *pressentiment* à propos de ce voyage. » Il faut que j'y aille, j'essaie de lui expliquer, j'ai une réunion importante, le mardi 11 septembre.

À l'aéroport, je franchis la passerelle pour embarquer dans l'avion d'American Airlines et je jette un coup d'œil en arrière. Mon fils, presque adolescent, attend pour s'éloigner de la barrière. Je lui jette un regard rassurant — qui dit que tout ira bien — et je prends une profonde respiration. Moi aussi, j'ai quelques hésitations.

Comme l'avion approche de l'Aéroport national Reagan, je suis en admiration devant la vue de nos majestueux monuments nationaux qui transpercent l'obscurité de la nuit chaude en un bain de lumières magnifiques. C'est mon premier voyage dans notre capitale nationale — mon premier voyage d'affaires pour un poste de journaliste que j'ai depuis à peine cinq mois.

Tôt le mardi matin, 11 septembre, je me retrouve dans les édifices de la Chambre des représentants pour participer aux efforts de *lobbying* de mon employeur. En prenant l'ascenseur, un aide législatif dit qu'un avion a frappé le World Trade Center et qu'il y a un « gros trou sur le côté de l'édifice ». Je lui demande plus de détails, mais c'est tout ce qu'il sait. Je me dis que j'écouterai les nouvelles du soir.

À 9 h 20 ce matin-là, je marche avec un collègue de travail vers les édifices du Sénat pour ma rencontre avec le sénateur. Nous entendons un bruit qui nous fait nous regarder l'un l'autre et nous demander : « Qu'est-ce qui se passe ? » Nous regardons autour. Personne ne semble inquiet et nous marchons vers la colline du Capitole.

Près du Capitole, nous nous arrêtons pour prendre des photos et regarder un sénateur qui donne une conférence de presse. Nous sommes interrompus par les cris désespérés d'une femme qui appelle quelqu'un de toutes ses forces. Je pense tout d'abord qu'elle a perdu un enfant. Il semble y avoir des problèmes dans l'air — quelque chose ne va pas.

Nous nous rapprochons du Capitole et nous entendons un homme en uniforme militaire qui donne une interview à la presse. Nous sommes estomaqués de l'entendre dire que le Pentagone est en feu pendant qu'il gesticule dans la direction d'une traînée de fumée noire tout près.

Puis, une femme passe à la course en pleurant de façon incontrôlable, un cellulaire à l'oreille et une main sur la bouche. Dans le chaos, je regarde dans toutes les directions — essayant de savoir ce qui se passe. Des journalistes et des cadreurs sortent en courant du Capitole. Par la suite, nous entendons encore des cris — cette fois de la part des gardiens de sécurité et des policiers.

« Courez ! » disent les gardiens avec des gestes exagérés en montrant le chemin qui sort du Capitole. « Courez ! »

Les gens se précipitent en désordre, en scrutant le ciel à la recherche d'un danger invisible. Un étranger nous a dit qu'un avion a frappé le Pentagone, qu'un autre avion vole à basse altitude dans le secteur et qu'on pense que le Capitole serait une cible potentielle.

Nous courons. Nous ne savons pas exactement pourquoi, mais il est clair que nous ne sommes pas à la bonne place. Mon cœur saute dans ma poitrine et j'aurais voulu que tout cela n'arrive pas.

Tout est irréel autour de moi. Mes pensées tourbillonnent tantôt de questions illogiques — me demandant si cela signifie que mon rendez-vous avec le sénateur est annulé — tantôt de visions horribles d'avions étrangers plongeant sur nos monuments nationaux. Dans la confusion hébétée qui s'ensuit, mon esprit trouve ses propres réponses — des réponses directement sorties de films de guerre. Je lutte pour ne pas imaginer la ville entièrement rasée.

Plusieurs rues plus loin, la foule ralentit pour marcher et les gens regardent autour d'eux. Je remarque deux gardiens en uniforme et il me semble que ce sont les bonnes personnes à qui demander ce qui se passe. Ils nous disent que les Tours jumelles de la ville de New York ont été « frappées », que le Pentagone a été « frappé », et ils ont aussi entendu dire que l'édifice du White House Old Executive Office a été « frappé ». J'étais épouvantée. Nous étions justement près de cette partie de la Maison Blanche! (Plus tard dans la journée, j'ai appris que les renseignements sur la Maison Blanche étaient faux, évidemment.)

Puis, les gardiens nous annoncent ensuite la nouvelle horrible, que les avions qui ont frappé à New York et à Washington (D.C.) étaient des avions commerciaux détournés, qu'ils étaient remplis de passagers. *Incroyable.* Je réfléchis un moment, comprenant lentement que la fumée que j'ai vue sortir du Pentagone était des décombres où plusieurs personnes innocentes venaient de mourir. J'ai prié en silence.

C'était inimaginable. Je me demande si la nation tout entière est attaquée. Je commence à penser que je ne pourrai peut-être pas sortir de cette ville en vie et je prends mon cellulaire pour téléphoner à mon mari. Je ne peux avoir la ligne. J'essaie ensuite d'appeler d'autres collègues à D.C. Sans succès — aucun téléphone cellulaire ne semble fonctionner. Je me demande : *Tout cela pour un travail?*

Je recompose sans cesse le même numéro sur mon cellulaire et je comprends très clairement pourquoi les gens dans une situation dangereuse téléphonent à la maison. On ressent un besoin pressant de donner un dernier message — de dire à nos êtres chers que nous sommes saufs... ou que nous ne le sommes pas. Je veux raconter à quelqu'un ce qui arrive et combien je suis malheureuse d'être ici. Je veux dire à mes enfants que je regrette de ne pas les avoir écoutés quand ils m'ont prévenue de ne pas partir. Je me demande ensuite si ces passagers dans l'avion ont aussi essayé de téléphoner à la maison.

Nous commençons à marcher en suivant la foule, mais nous ne savons pas où nous allons. Les policiers dirigent la circulation. Nous croisons un sénateur qui a rassemblé ce qui semble être son personnel. Nous nous arrêtons un moment pour voir si nous pouvons obtenir d'autres informations, puis nous continuons.

À un feu de circulation, mon collègue reconnaît un membre du Congrès, qui a descendu sa fenêtre de voiture et qui parle aux gens — leur donnant les dernières informations qu'il possède. Mon collègue me demande de prendre sa photo et je me souviens tout à coup que je suis journaliste. Pendant un court instant, je me demande si je ne dois pas retourner dans le feu de l'action pour « un reportage ». Des images de ma famille me viennent à l'esprit et je sais immédiatement que je ne suis pas une journaliste d'action.

Les rues sont remplies d'autos qui klaxonnent et les sirènes beuglent constamment. Je veux traverser et mon collègue me tire brusquement par la manche en voyant une automobile tourner le coin à toute vitesse. Quelle ironie! Est-ce que j'ai survécu à cette matinée simplement pour être bêtement frappée par une automobile?

Les gens dans les rues sont par contre étonnamment calmes et ordonnés — ils suivent les directives des officiers de police. Mon collègue de travail et moi nous dirigeons vers notre hôtel pour retrouver les autres.

La première chose que nous faisons presque tous est de téléphoner à la maison — pour dire que nous sommes saufs. Je veux désespérément dire à mes enfants que leur mère est en vie et j'ai besoin de savoir qu'eux aussi vont bien.

Les gens se rassemblent autour des postes de télévision qu'ils peuvent trouver pour regarder les événements horribles qui se déroulent devant leurs yeux et se réconforter les uns les autres.

Je vais au bar de l'hôtel qui est rempli de monde, les yeux rivés à la télévision. On me demande si j'aimerais un verre de vin. Non, j'ai besoin de quelque chose de plus fort aujourd'hui — on vient d'annoncer aux nouvelles une liste d'avions commerciaux introuvables. Nous nous sentons comme des « cibles faciles ». Nous nous demandons si c'est le début — de ce qui pourrait suivre. Notre hôtel est dans le même édifice que le Federal Emergency Management Agency et d'autres édifices fédéraux nous entourent. Je veux partir de là.

L'après-midi s'étire, je ne peux rester inactive dans ma chambre d'hôtel. Je marche, j'observe les gens qui jouent aux cartes dans le hall, et je me rends à la piscine sur le toit de l'hôtel pour regarder la ville. Plusieurs personnes nagent, comme si c'était une journée normale. Un avion vole au-dessus de nous et les gens ont un mouvement de recul. « Ce sont simplement nos avions de chasse », crie un homme à l'intention des gens qui sont sur le toit.

Au coin de la rue, une famille avec des valises tient une affiche indiquant le lieu de leur destination — essayant désespérément de sortir de la ville. Plusieurs groupes avec leurs autobus déjà disponibles embarquent et quittent la ville.

De retour à ma chambre d'hôtel, mon collègue prend des dispositions pour notre départ précipité par le train Amtrak. Il n'est pas question qu'un de nous prenne l'avion de sitôt — surtout en direction de la Côte Est. Je me demande à quel point ce jour a changé le monde dans lequel nous vivons.

Je ne dors pas cette nuit-là. À 1 h, le matin suivant, six d'entre nous s'entassent dans un taxi pour nous rendre à Union Station et prendre le train de 3 h vers la maison. Plus rapidement nous quitterons D.C., mieux cela vaudra.

Plusieurs longues heures plus tard, le train entre en gare dans la ville agricole du Midwest où ma famille m'attend. Je suis de retour à la maison. Je descends du train, je prends mes enfants dans mes bras et je les serre… comme si on m'avait donné une deuxième chance. Oui, tout ira bien.

Maria Miller Gordon

Dernier message

À mesure que la fumée et la chaleur diminuaient de l'acier
   tordu et du verre brisé,
L'espoir des sauveteurs grandissait et disparaissait très
   rapidement.
Ces héros de notre nation travaillent sans relâche pour
   trouver
Un son, un souffle, une preuve de vie, pour maintenir cet
   espoir vivant.

Les victimes étaient si innocentes, elles ne faisaient que
   leur travail quotidien,
Dans une nation nommée Amérique, la plus libre sur cette
   Terre.
Soudainement, un travailleur trouve un téléphone cellu-
   laire dont la lumière rouge clignote.
Il écoute le « dernier » message et voici ce qui était dit :

« Allô, c'est moi. J'appelle pour te dire que je vais bien.
J'ai réussi à me rendre au ciel ; j'ai essayé de te téléphoner
   hier soir.
Le groupe avec qui je suis arrivé est fort et brave et grand,
Et fiers d'être Américains pendant qu'ils répondent à
   l'appel de Dieu.

« Je vous aime tous et je sais que j'ai été dans vos pensées et
   dans vos prières.
Je veux que vous sachiez que je n'ai ressenti aucune
   douleur et que je suis arrivé ici sans encombre.
Laissez-moi prier maintenant pour vous, pour votre
   catharsis et pour la vie,
Agissez avec courage et avec l'assurance que nous serons
   réunis.

« Je sais que c'est triste; je ne vieillirai plus, mais vous
    pouvez être certains de ceci :
Mes rêves ont été retournés sur la Terre en particules de
    poussière.
Cette poussière est dans l'air que vous respirez; je vous l'ai
    transmise.
Alors, s'il vous plaît, respirez profondément chaque jour et
    réalisez mes rêves. »

Dave Timmons
Soumis par Tom Lagana

La vigile

Dans les heures sombres de la nuit, Judith Kaplan, vêtue de ses plus beaux atours pour le sabbat, était assise sous une tente à l'extérieur du bureau du médecin légiste de New York et elle chantait des airs lancinants tirés du livre des Psaumes. De minuit jusqu'à 5 h, près des camions pleins de restes humains du World Trade Center, elle a observé le commandement juif le moins égoïste : veiller sur les morts, qui ne doivent pas être laissés seuls de leur décès jusqu'à leur enterrement.

En temps normal, ce rituel orthodoxe, connu sous le nom de *shmira,* dure seulement vingt-quatre heures et est accompli par un Juif, généralement un homme, pour un autre Juif. Mais ce n'était pas une période normale. La vigile jour et nuit à l'extérieur de la morgue au coin de First Avenue et de la Thirtieth Street en est donc à sa huitième semaine. Les trois camions scellés peuvent ou non contenir des corps juifs. Le *shomer,* ou le gardien, peut aussi bien être une jeune femme qu'un homme âgé.

Mlle Kaplan, vingt ans, élève de dernière année au Stern College for Women (une faculté de l'université Yeshiva), est l'une des neuf étudiantes qui ont offert leur temps pour cette tâche solennelle pendant les fins de semaine, travaillant en quarts du vendredi après-midi jusqu'à la nuit tombée le samedi, la partie de la semaine la plus sainte. Le reste du temps, cette tâche est accomplie par une vingtaine de bénévoles d'une synagogue orthodoxe, Ohab Zedek, sur la 95e Rue Ouest.

Les Juifs qui observent leur religion ne peuvent pas utiliser de véhicules motorisés le jour du sabbat, s'interdisant le métro ou les taxis pendant le long parcours de Ohab Zedek jusqu'à la morgue. Ainsi, les étudiantes de Stern, dont les dortoirs sont à quelques rues de la morgue, ont comblé le manque. Elles ont été recrutées par Jessica Russak, vingt ans, une étudiante qui a pris le quart d'après minuit, jetant un coup d'œil à l'extérieur de la tente, attendant le lever du jour et l'heure de ses prières du matin.

Mlle Russak, Mlle Kaplan et d'autres ont reçu les bénédictions des aumôniers chrétiens au site, et leur dévouement a ému aux larmes les policiers et les médecins légistes. L'imposant policier d'État qui garde le secteur a appris le nom des filles et certaines notions sur leur religion.

Au début, le policier leur demandait de s'identifier, ignorant que pendant le sabbat il était défendu aux Juifs orthodoxes de transporter quoi que ce soit. Maintenant, il surveille les livres de prières et les goûters que les étudiantes de Stern laissent avant la tombée du soleil le vendredi et qu'elles reprennent le samedi soir. Le policier a un jour téléphoné à Mlle Russak chez elle quand elle était quelques minutes en retard, au cas où son réveil n'aurait pas sonné.

Les jeunes femmes ont l'entière collaboration du Dr Norman Lamm, le *prescient* de l'université Yeshiva, qui a accepté sans hésitation que la règle habituelle des sexes — les femmes peuvent faire la veillée *shmira* seulement pour d'autres femmes, alors que les hommes peuvent veiller sur toute personne décédée — soit suspendue dans les circonstances. L'école fournit aussi des gardiens de sécurité pour accompagner celles qui font la veillée pendant les quarts de nuit.

Bien que cette tradition soit particulièrement juive, Dr Lamm a dit qu'il croyait que le *mitzvah,* ou bonne action, allait au-delà des dénominations. « L'idée d'avoir de la compagnie même dans la mort est très réconfortante, que l'on soit Juif ou non », a-t-il dit. Dr Lamm a dit que « la veillée d'amour au corps est un acte très humain », et il a souligné que le *shmira* est « le plus vrai et le plus sublime » des 613 *mitzvahs* « parce qu'il ne peut jamais y avoir de réciprocité ».

Il y a par contre d'autres récompenses dont les étudiantes de Stern ont parlé vendredi, à l'appartement de Mlle Kaplan, pendant la préparation de leur repas du sabbat — quatre sortes de kouglofs différents, steak au poivre et poulet glacé au miel.

Toutes se sont senties si impuissantes après les attaques terroristes. Elles ont donné de l'argent à la Croix-Rouge, mais on a refusé qu'elles donnent du sang ou qu'elles fassent du bénévolat parce qu'il y avait déjà suffisamment de réserves de sang et d'aide. Ensuite, il y a eu l'appel pour les *shomers* du sabbat. « Voici quelque chose que je peux faire, a dit Mlle Kaplan. C'est comme un monde surréaliste. On ressent vraiment la présence des âmes et on sent qu'elles se sentent mieux. »

Chaque bénévole a dit qu'elle avait eu peur au début de s'asseoir à portée de vue des camions pleins de restes humains. Au lieu de cela, elles ont trouvé la paix et une forme de joie.

Mlle Russak ne chante pas les psaumes comme Mlle Kaplan; plutôt, elle les murmure, dans l'ordre qui l'inspire, commençant souvent par le Psaume 130, qu'elle connaît par cœur. Il a un effet méditatif. « La cadence et le rythme répété ont le don de calmer, dit Mlle Russak. C'est la magie des psaumes. Ils vous remettent au bon endroit. »

Mlle Kaplan a composé des airs lents et tristes pour chaque psaume et elle les chante de sa voix de soprano, douce comme le chant d'un oiseau. Si elle les murmurait sans mélodie, dit-elle, elle pourrait perdre un mot ici et là et diluer ainsi la pleine signification de chaque ligne. En chantant, dit-elle, elle est tout à fait concentrée.

« Le temps s'arrête complètement, dit-elle. Je comprends maintenant ce que veut dire prier avec son cœur. »

Il y a deux semaines, pendant leur quart régulier de six heures, Mlle Kaplan a chanté 128 des 150 psaumes et c'est à regret qu'elle a cédé sa place à Mlle Russak à 4 h, la suppliant de compléter le cycle. La semaine dernière, bien décidée à réciter elle-même l'œuvre au complet, Mlle Kaplan a demandé et obtenu une heure additionnelle.

« C'est très gratifiant pour elle, a dit Mlle Russak. C'est comme terminer un livre de la Torah en entier. »

Avant que la vigile du milieu de la nuit de Mlle Kaplan soit terminée, sur les bancs en cuir brun dans la tente, d'autres ont pris leur tour, dont Anat Barber, la plus nouvelle recrue, qui posait nerveusement de nombreuses questions. « Les corps, là-bas, sait-on qui ils sont ? » a demandé Mlle Barber pendant que Mlle Russak l'accompagnait au site pour la première fois.

Mlle Russak a fait de son mieux pour la rassurer, en disant à Mlle Barber que tout irait bien pour elle, que « ironiquement, cela semble trop facile ». À l'extérieur de la tente, le dernier des hommes, un bénévole de Ohab Zedek, se pressait pour aller célébrer le sabbat à Brooklyn. Il était temps pour les femmes de commencer leur vigile, de remplir la nuit de poésie et de prières.

Jane Gross

Portrait d'une amitié

Tim Sherman a repéré la photographie vers la fin de son premier jour de creusage, le vendredi suivant le mardi fatidique. Le nuit était tombée, se rappelle-t-il. Il travaillait depuis l'aube. Il y avait de ses compagnons de travail à la Middlesex Water Company qui étaient venus à New York pour aider; ils étaient de solides gaillards pleins de bonne volonté, et ils avaient de l'expérience dans la canalisation d'eau. Dans un sens, il n'y avait rien à faire.

Autour d'eux, la fumée s'échappait de formes qui ne pouvaient être des créations humaines. Malgré les tonnes de débris qui jonchaient le sol, l'évidence était difficile à admettre.

Il se souvient avoir pensé : *Dieu n'existe pas.*

L'équipe de Middlesex a pris ses outils à main et a regardé les décombres sur Liberty Plaza. Il fallait creuser, vider l'eau, et faire tout ce qui était nécessaire.

Plus tard le même jour, il a balayé un tas de cendres, puis il a vu la photo. Figés dans le temps, dans un format de 20 par 25 cm aux couleurs vives, trois beaux enfants le fixaient du sol : un garçon, juste assez âgé pour porter un appareil dentaire, un autre de quelques années plus jeune et une toute petite fille.

La photo était mouillée. Il l'a placée sur un mur pour la faire sécher, mais elle a glissé. « Si tu la remets là, elle tombera encore et sera perdue », a dit un compagnon de travail à M. Sherman. Il l'a donc mise de côté. « Ce pourrait être la dernière chose qu'une mère ou un père a vue avant de mourir », a dit M. Sherman.

Pendant les quelque deux semaines suivantes, la fraternité dans un travail difficile, les préposés aux repas chauds et les gens bienveillants ont changé l'opinion de M. Sherman sur Dieu. De retour au New Jersey, son journal local, le *Home News Tribune,* a publié un article sur l'équipe de la compagnie des eaux qui avait donné son aide. Dans le journal, on avait aussi publié la photo que Tim Sherman avait récupérée.

Pendant toute la journée où Brian Conroy a vu la photo dans le journal, il a eu de la difficulté à se concentrer sur son travail, de gérer un territoire de ventes pour Arnold Bread et Thomas's English Muffins. Il connaissait ces visages — il connaissait les enfants. C'étaient ceux de George Tabeek, et George travaillait au Trade Center, à l'administration du Port.

Il y a des années, dix ans ou plus, M. Tabeek détenait des parts dans un restaurant à Edison. M. Conroy travaillait au bar du restaurant une fois par semaine. Les garçons Tabeek rendaient visite à leur père pendant que ce dernier était à la caisse. À la fermeture, les deux hommes mangeaient une pizza et George donnait des nouvelles de ses enfants. Ils étaient de bons amis mais des amis de travail. Et quand le restaurant a fermé, ils sont allés chacun leur chemin.

Reproduit avec la permission de George Tabeek.

M. Conroy se rappelait que les Tabeek vivaient à Brooklyn et il a trouvé deux inscriptions à leur nom. Au premier numéro de téléphone, un répondeur s'est mis en marche. M. Conroy a fermé l'appareil. Au deuxième numéro, une femme a répondu.

« Bonjour, ici la résidence des Tabeek. »

M. Conroy s'est identifié mais s'est embrouillé en essayant d'expliquer l'objet de son appel. Il ne pouvait pas dire si son cœur battait très fort ou s'il avait simplement cessé de battre.

Finalement, la femme a deviné ce que disait M. Conroy.

« Oh, dit-elle, George. Il est ici. Voulez-vous lui parler? »

M. Conroy s'est tu. Il avait les poils des bras retroussés.

Il y a environ dix ans, George Tabeek a amené ses enfants chez Sears où travaillait sa sœur au département de la photographie et il avait installé les enfants pour prendre leur photo. Dana avait peut-être trois ans; Steven, onze ans; et le jeune Georgie, quatorze ans.

La photo des enfants l'a suivi alors qu'il changeait d'affectation à l'administration du Port, quand Georgie est devenu officier de police de la ville de New York, quand Steven est allé à l'université St. John et quand Dana a commencé ses études collégiales à Bishop Kearney.

Dans un cadre doré, la photo était sur le coin de sa crédence, dans son bureau au trente-cinquième étage de la Tour 2 du World Trade Center. M. Tabeek, un ingénieur, était parmi les gens qui avaient toutes les clés en sa possession. Quand il regardait par la fenêtre de l'autre côté de la plaza vers la vue panoramique de New York, dans son champ de vision, il y avait une photo 20 par 25 cm de ses enfants.

Ce terrible matin, il avait eu la bonne fortune de s'arrêter prendre un beigne à la plaza quand le premier avion a frappé. Il a ensuite joué avec sa chance en grimpant vingt-deux étages avec les pompiers pour sauver des gens. Il était tout près d'un pompier, le lieutenant Andrew Desperito, quand le deuxième édifice est tombé et a tué le lieutenant Desperito.

Il a raconté toute l'histoire à Brian Conroy, le vieil ami avec qui il mangeait de la pizza auparavant. M. Conroy lui a ensuite parlé de Tim Sherman, le travailleur des eaux, et de la photo mouillée qu'il avait trouvée enterrée sous les cendres.

M. Tabeek a dit que, pour la première fois depuis des semaines, il avait pensé hier à la photo posée dans le coin de la fenêtre de son bureau, le petit morceau de son ciel dont il se souvenait.

Jim Dwyer

Souvenir

« Je veux aller à New York acheter quelque chose », a dit mon ami David, en empruntant le tunnel Lincoln vers notre endroit favori au monde. « Tu sais, rapporter quelque chose, un souvenir. » C'est notre premier voyage à Manhattan depuis le 11 septembre.

Nous nous stationnons où je demeurais autrefois, sur la rue Thomson, et nous faisons des courses au premier endroit que nous voyons.

« Que penses-tu de ceci? » ai-je dit, tenant un bibelot.

« Non, il me semble que ce n'est pas la bonne chose », fut sa réponse.

Il achète des t-shirts pour ses enfants, je me laisse convaincre par ma vendeuse de bijoux préférée, mais nous ne trouvons pas son souvenir spécial.

Nous marchons vers Ground Zero, nous rendant bientôt compte que les centaines de copies de « Poussière », un texte qu'il a écrit pour offrir aux sauveteurs, sont toujours dans l'auto, maintenant dans les entrailles d'un stationnement.

En approchant du site, il y a un silence inhabituel et aucune circulation, sauf la sirène occasionnelle d'un véhicule d'urgence. Les policiers sont debout près des barricades, l'air épuisé et triste. Des résidents de la région attaquée fuient en désordre les édifices vides en traînant des valises, des animaux en peluche, affichant des expressions de désolation.

Nous nous promenons en silence, puis nous arrêtons prendre un verre dans un pub au coin d'une rue et nous nous assoyons tout comme si nous faisions partie de la vitrine, regardant les gens et parlant, alors que les lumières de Ground Zero brillent au loin.

« Je n'ai pas mon souvenir », a-t-il dit avec tristesse.

Au dernier moment de notre voyage de la journée, nous passons près du stationnement et apercevons notre auto, dans la première rangée. La chemise qui contenait son texte, « Poussière », nous attire de la fenêtre arrière. Nous ramassons ses pensées, ses sentiments, ses mots et nous les apportons avec nous à Washington Square Park pour les distribuer en guise de tribut.

Nous en collons sous des chandelles; nous en scellons à la cire sur le trottoir, en maculant l'encre. Nous en donnons à des étrangers qui partagent des histoires d'êtres chers perdus lors d'attaques terroristes des années auparavant. Nous en remettons un exemplaire à un policier d'État à l'air solennel de Syracuse, New York, et nous restons là, silencieux, à l'écouter nous dire ce que la perte des dernières deux semaines signifiait pour lui. Nous en donnons un à un professeur du Bronx et nous l'aidons à suspendre une bannière faite par des élèves de huitième année qui ont vu les tours brûler des fenêtres de leur école de l'autre côté de la rivière. Son ami nous aide à en sceller un exemplaire pour l'accrocher sur la pierre tombale en chaînons. Nous en avons glissé un dans les mains infirmes d'une femme assise à l'ombre dans son fauteuil roulant à écouter les chants de lamentation des personnes endeuillées. Nous en donnons aux policiers et à un couple gai qui marchait bras dessus, bras dessous, et à des nouveaux mariés, et à d'énormes videurs de clubs trapus. En quittant la ville, nous en remettons à travers les vitres à de malheureux sans-abri, confus et misérables qui se tiennent au bord du trottoir. Nous avons remis ses mots-sur-papier et ses étreintes et son soutien jusqu'à ce que nous soyons trop épuisés pour continuer.

De retour à la maison, nous nous racontons les événements de la journée et nous nous rappelons les visages, les contacts. Mon ami exprime son désespoir, puis sa résignation de ne pas avoir trouvé de souvenir pour marquer la journée. Il n'a pas acheté de chemise ou une affiche pour le mur, ou une bague à porter, mais il a son souvenir.

Vous l'entendrez dans les histoires qu'il écrit. Vous le verrez quand il regarde un enfant. Vous le sentirez à son contact. Son souvenir ne disparaîtra jamais, ou ne s'estompera pas, ni ne se ternira. Il le portera, bien gravé dans son cœur, peaufiné et prêt à partager.

Mary Sue Mooney

Poussière

Il y a quelques vendredis de cela, j'étais dans l'auto à écouter la radio. Un membre de la communauté scientifique, à qui on demandait de quoi était faite la poussière que nous retrouvons sur nos meubles et sous nos lits, a donné une réponse qui m'a trotté dans l'esprit. « Un peu de tout, a-t-il dit. De fragments de troncs d'arbres et d'objets faits par les hommes, même des os de dinosaures. Tout peut se retrouver dans cette poussière, à partir du début des temps. »

Je pense à cela quand j'époussette ou que je vois des petites particules flotter à travers un rayon de lumière qui traverse la fenêtre de ma cuisine. Toute l'histoire de l'univers est sous mon lit. La pensée m'a fait sourire, jusqu'à la semaine dernière. À ma grande horreur, j'ai vu dans mon téléviseur les Tours jumelles se transformer en poussière. Étage par étage, elles se sont effondrées l'une sur l'autre après que deux avions et leurs milliers de litres de kérosène eurent allumé la catastrophe. Il y avait des flammes et des cris et des débris qui chutaient, et des sirènes, et des nuages et des nuages de poussière. Les gens couraient dans les avenues et dans les rues, pour-

chassés par des montagnes de poussière noire qui tourbillonnait. Elle s'infiltrait par les fenêtres ouvertes et dans les coins, au bas des cages d'escaliers et dans les métros. Elle pénétrait dans les poches et s'accrochait aux épaules et sur les parois des narines. Elle se balançait sur les fils électriques et montait en spirale dans le vent, qui la transportait au loin.

Sous mon lit et le vôtre, avec le collage du temps, il y a un nouvel ingrédient. Les os des dinosaures ne me dérangent pas. Ils n'existent plus depuis longtemps. Je ne crains pas que les tyrannosaures sautent de leur coin noir quand j'ai le dos tourné. Cette nouvelle poussière est par contre différente. Elle contient les documents et l'électronique d'une capitale de la finance, des tonnes d'acier et de verre, de fils de cuivre et de béton, des parcelles infinitésimales de milliers de vies, de même que les germes puissants, microscopiques, de la haine.

La poussière est étalée lourdement ces jours-ci. Elle recouvre les motifs et les couleurs éclatantes. Elle voile la vue. Il y en a une grande quantité dans l'air. Je bats des paupières pour la chasser avec des larmes qui reviennent sans cesse. Si jamais il y a un temps pour voir clair, c'est maintenant. Près de mon lit, sur mes genoux, dans une immobilité absolue, elle est venue vers moi. La poussière doit retomber avant qu'on puisse l'enlever.

David C. Page

2

L'Amérique répond

*Je ne peux pas faire tout le bien
dont le monde a besoin.
Mais le monde a besoin
de tout le bien que je peux faire.*

Jana Stanfield

« *Quand je serai grand, je veux être un* **super héros** *— un pompier ou un policier.* »

Une nuit à Ground Zero

Nous étions étonnés et confus après les attaques. Par contre, nous n'étions pas ébranlés. À la place, des milliers d'entre nous ont mis des chapeaux durs, des gants de travailleurs et des masques pour faire face à cette horreur, comme des êtres humains décents et civilisés. Et d'autres parmi nous les ont supportés, les ont applaudis et ont prié pour eux et avec eux.

Cardinal Edward M. Egan

Après avoir entendu à la télévision que personne ne pouvait aller à l'épicentre de cette tragédie, je m'étais aménagé une place sur le sofa pour ma troisième nuit d'affilée à regarder et à attendre, en espérant pouvoir « faire plus ».

Un journaliste a invité au hasard un adolescent sur les ondes pour dire quel matériel on avait besoin sur les lieux du désastre, et le garçon a dit : « Les pompiers ont besoin de café. » J'ai regardé mon ami, installé tout comme moi sur le divan à côté, et nous avons tous les deux dit : « Nous pouvons apporter du café. »

Une boîte de café s'est multipliée par quatre... et trois pizzas et des gallons d'eau, que nous avons apportés en taxi en direction des embarcadères Chelsea, où ce garçon avait dit qu'on avait besoin de café. Les embarcadères Chelsea sont immenses — il y a une patinoire, un terrain de pratique de golf, des salles de gym communautaires... Je n'étais pas certaine de l'endroit où arrêter, mais quand nous avons vu des pompiers debout près de boîtes, nous avons pensé qu'ils aimeraient peut-être manger de la pizza. Il s'est avéré que cette section était un lieu de ravitaillement où les magasins venaient donner des biens — des serviettes de papier, des serviettes en tissu, d'énormes quantités d'eau en bouteille, beaucoup de barres tendres Quaker. Des individus apportaient aussi des biens — un pack de six sodas, des vêtements, comme des t-shirts et des pantalons pour les pompiers, et des sous-vêtements. Un jeune garçon est venu avec ses parents, croulant sous le poids d'une bouteille de plus de 4 litres de jus de canneberge, l'étiquette à moitié enlevée, en disant fièrement qu'il l'avait remplie d'eau pour les « policiers qui éteignent des feux ».

Sans que personne ne dise quoi faire, chacun s'est mis en ligne pour prendre à droite et passer à gauche, vider les camions en empilant les articles sur l'embarcadère. Un à la fois, les bateaux du service de la patrouille des ports de la police de New York se rendaient à l'embarcadère pour être chargés de marchandises à apporter aux pompiers et aux policiers qui travaillaient sur le site. Avec dans les bras trois grosses boîtes de zitis chauds, je suis montée sur le bateau... et ce n'est qu'au moment où on m'a remis un masque que j'ai vraiment compris où j'allais.

Le voyage sur la rivière Hudson a été court... La nuit était belle et douce. Toute autre nuit aurait été magnifique. Toute autre nuit où le ciel de New York n'aurait pas été chargé d'un énorme nuage de fumée blanche qui tanguait dans la noirceur. La qualité de l'air se détériorait grandement à mesure que nous approchions du quai. La dernière fois que je m'étais retrouvée sur ce même quai, c'était il y a quelques années alors qu'on avait offert un dîner-croisière à un client. Rien n'aurait pu être plus différent que ce soir-là, alors que les fenêtres scintillaient et que les drapeaux le long du port battaient amplement au vent. Maintenant, les drapeaux en berne ne bougeaient pas. Les édifices étaient couverts de poudre d'un gris blanchâtre. Des papiers appartenant à ceux qui autrefois travaillaient aux étages supérieurs étaient éparpillés partout sur l'embarcadère. De gros morceaux d'édifices près des tours s'étaient détachés de leur structure, les côtés d'un édifice ressemblaient à une pelure de banane faite de cadres de fenêtres et de métal tordu.

L'atrium en verre du World Financial Center, le Jardin d'hiver, était devenu un fantôme de cadres de métal avec quelques pans de fenêtres restés intacts — mais les seules lumières qui se reflétaient sur les rares fenêtres qui restaient ne provenaient pas de l'éclairage intérieur mais de la réfraction étrange des puissants projecteurs utilisés sur le site. La poussière partout, les édifices coupés et les fenêtres éclatées faisaient penser étrangement à un plateau de cinéma — l'atrium de verre était comme le modèle pour le *Faucon du millénaire* du film *Star Wars,* et le reste du décor peint dans les mêmes tons mats sans différenciation. C'était presque comme un film de science-fiction en dessins animés.

Nous avons sorti les marchandises du bateau et nous les avons apportées à l'aire de chargement principal. Comme on prévoyait de la pluie, tout avait été transporté sous les corniches de l'édifice où il y avait autrefois des terrasses extérieures. Des piles de vêtements et de serviettes, des fournitures médicales, des outils de travail comme des pelles et des pioches, et de la nourriture étaient placés à l'endroit approprié... et de là, au besoin, on les transporterait à partir de ce grand terrain d'entreposage vers le « front ». En tenant fermement des plateaux de pâtes, j'ai clapoté dans des flaques de boue et j'ai contourné les boyaux d'arrosage qui jonchaient le terrain, à travers ce qui était auparavant le complexe du World Financial Center. Des bénévoles avaient écrit des messages dans la poussière qui couvrait les fenêtres : « Montrons au monde », « L'Amérique se tient debout » et « Merci ». J'ai marché à travers l'édifice et je me suis retrouvée du côté de la *plaza*, faisant face à ce qui était auparavant les tours du World Trade Center. La masse d'acier tordu, les morceaux de béton et les énormes revêtements extérieurs polis de ce qui avait déjà été le WTC... c'était comme on le montrait à la télévision, mais en beaucoup plus gros. Les pompiers grimpaient partout sur ces immenses tas, couvraient les monticules de décombres, passaient des seaux de déchets, un après l'autre. C'était

irréel. Le nombre incalculable de bénévoles qui se dépla-
çaient était tellement impressionnant — et l'horrible et
immense pile de matériel à enlever était inimaginable.
Juste au moment où vous auriez pu penser que vous étiez
sur un chantier de construction, ou dans un dépotoir, vous
trouviez un soulier. Là, tout simplement.

Après avoir rapidement distribué la nourriture, j'ai
passé les neuf heures suivantes à réorganiser le matériel à
l'intérieur de ce qui était auparavant le One Financial Center [centre financier]. Les escaliers mécaniques étaient à
l'arrêt et il y avait de la saleté partout, mais le toit était
solide... il offrirait la protection nécessaire contre la pluie
qu'on avait prévue. Les policiers et les pompiers qui travaillaient bénévolement m'ont donné une leçon d'humilité.
Quand j'ai demandé à un pompier s'il voulait s'étendre pour
se reposer, son regard s'est dirigé vers une photo de sa
femme et de sa fille, attachée à son bras. « Chaque fois que
je me sens fatigué, je pense à elles et je trouve l'énergie dont
j'ai besoin. » Un certain nombre de policiers sur les lieux
n'étaient « pas en devoir » — la direction ne voulant pas
qu'ils risquent d'être blessés, il leur était interdit de travailler sur les lieux pendant leur quart de travail. Dans
leurs temps libres, toutefois, ils pouvaient faire ce qu'ils
voulaient... et après des périodes de travail de douze à seize
heures, ils revenaient à Ground Zero, prêts à aider. Un policier avait fait un compromis avec sa femme terrifiée : il lui
téléphonait toutes les heures pour lui dire qu'il était sain et
sauf.

La pluie a commencé à tomber abondamment, et ces travailleurs étaient toujours là. Nous avons manqué de vêtements de pluie, et j'étais malheureuse de devoir leur dire
que nous n'avions plus rien pour les garder au sec. Nous
avons même manqué de sacs à ordures pendant un
moment, car ils les ont utilisés pour se fabriquer des cirés.
Plutôt que de se mettre en colère ou de s'emporter, ils ont
simplement secoué les épaules et dit : « Ça va, merci de

votre aide. » Nous avons manqué de chemises à manches longues pendant un temps, et bien qu'ils eurent certainement très froid, quand je leur ai annoncé la nouvelle, ils ont dit : « Ça va, merci d'avoir essayé. » Je ne connais aucun de leur nom parce qu'ils s'appelaient tous « Mon frère » entre eux. Ils m'ont aidée à transporter mes voiturettes de vêtements par-dessus les boyaux d'arrosage et ils ont été incroyablement polis. Ils s'assuraient que je n'avais pas froid et me demandaient constamment si j'avais mangé. Avec tout ce qu'ils avaient à faire, je ne pouvais pas croire qu'ils prennent le temps de veiller sur moi.

Je n'avais aucune idée des gens extraordinaires et humains qui protègent notre cité. Ces gens n'abandonneront pas. Ils vont toujours là-bas. Ils font une sieste de quelques minutes et ils reviennent sur le tas. J'ai été privilégiée de les aider, même pour peu de temps, privilégiée de « faire plus ». Ils étaient là quand je suis arrivée le soir et ils sont restés là après que j'ai quitté le matin... ils n'abandonneront pas... et ils sont tout simplement remarquables. Je suis de tout cœur avec eux.

Erin Bertocci
Soumis par Fr. Brian Cavanaugh

La seule chose à laquelle nous pouvions penser

Nous devons être persévérants et, par-dessus tout, avoir confiance en nous. Nous devons croire que nous avons un talent pour une chose et que cette chose doit être réalisée.

Marie Curie

Mon groupe de chant, *The Sirens*, a été invité à New York pour chanter lors d'une cérémonie de remise de prix pour Helen Thomas (correspondante à la Maison-Blanche). Seulement cinq d'entre nous ont pu y aller, mais ce fut bien. On nous a exemptées de tous nos cours pour la journée et nous avons donc décidé de tirer profit de nos temps libres. Après la cérémonie, nous avons pris le métro et nous nous sommes dirigées vers Ground Zero. Dès que nous nous sommes retrouvées sur le trottoir, l'ambiance était totalement différente. Il faisait noir, c'était tranquille et il y avait une odeur étrange.

Nous avons été dévastées par ce que nous avons vu. Les édifices brûlaient toujours et l'air était rempli de fumée. Le terrain était clôturé, mais on pouvait tout voir assez clairement. Je n'avais jamais vu une telle destruction de toute ma vie; personne ne pouvait regarder cette scène sans en être horrifié. Il y avait des chandelles, des photos, des affiches et des lettres apposées partout sur la clôture qui nous séparait des décombres. Des centaines de personnes étaient là à regarder et à pleurer. Je ne me suis jamais sentie si impuissante. Nous avons décidé de faire la seule chose à laquelle nous pouvions penser, c'est-à-dire chanter. Nous avions préparé plusieurs chants patriotiques merveilleusement écrits et avec de beaux arrangements (pour musique *a cappella*).

Les filles et moi nous tenions contre le mur, faisant face aux gens. Avec les ruines derrière nous, nous avons chanté pendant deux heures. Les gens nous filmaient sur vidéo, prenaient des photos, nous serraient dans leurs bras, chantaient avec nous, et environ cinq personnes ont téléphoné chez elles en tenant leur téléphone cellulaire bien haut pour faire entendre notre musique.

À un certain moment, une femme devant nous a éclaté et s'est mise à hurler; nous, les filles, avons toutes senti sa douleur et avons perdu le fil de la chanson. Le plus étonnant est que la foule s'est jointe à nous et l'a terminée à notre place. C'était tout à fait surréaliste. CNN a montré notre groupe et l'a enregistré, et les gens répondaient à la musique. Pendant notre dernière chanson, « The Star-Spangled Banner » (la bannière étoilée), des pompiers ont commencé à envahir les rues. Ils étaient une quarantaine et venaient de quitter Ground Zero après y avoir travaillé toute la journée. Ils ont enlevé leur casque et ont commencé à pleurer. C'était tellement triste; je ne peux pas décrire comment nous nous sentions. À la fin, ils nous ont applaudies et nous les avons applaudis. Nous avons marché dans les rues et les avons serrés dans nos bras et remerciés. Ils pleuraient et essayaient d'expliquer à quel point c'était horrible là-bas, mais ils nous ont dit combien il était important que les gens se soutiennent les uns les autres.

Je n'oublierai jamais cette journée, aussi longtemps que je vivrai.

Elizabeth M. Danehy

Jouer pour le 69ᵉ bataillon

Ce qui se rapproche le plus du silence pour exprimer
l'inexprimable, c'est la musique.

Aldous Leonard Huxley

J'ai probablement connu l'expérience la plus incroyable et la plus émouvante de ma vie. L'école Juilliard avait organisé un quatuor pour aller jouer à l'Armory. L'Armory est un immense édifice militaire où les familles de personnes disparues après le désastre de mardi vont y attendre des nouvelles de leurs êtres chers.

Il était très difficile émotionnellement d'entrer dans l'édifice (de la grandeur d'un pâté de maisons), parce qu'il était entièrement recouvert d'affiches de personnes manquantes.

Des milliers d'affiches, qui s'élevaient sur une hauteur de 2,75 mètres, chacune montrant un visage souriant différent. Je me suis frayé un chemin jusqu'à l'immense pièce centrale et j'ai retrouvé mes copains de Juilliard. Pendant deux heures, nous avons déchiffré la musique pour quatuors (avec seulement trois personnes!) et je ne crois pas pouvoir oublier de sitôt la douleur du conseiller de la police d'État du Connecticut, qui a écouté pendant tout le temps, ou de la femme qui n'a écouté que « Memory » de *Cats,* en pleurant constamment. À 19 h, les deux autres musiciens ont dû quitter; ils jouaient à l'Armory depuis 13 h et n'en pouvaient plus. J'ai offert de rester et de jouer en solo, puisque je venais d'arriver. J'ai eu tôt fait de comprendre que ma soirée ne faisait que commencer : un homme en tenue de camouflage qui s'est présenté comme « sergent-major » m'a demandé si je voulais jouer pour ses soldats qui reviendraient de creuser dans les décombres de Ground Zero. Des masseuses avaient offert leurs services pour masser ses hommes, a-t-il dit, et il croyait que rien ne serait plus apaisant que de recevoir un massage tout en écoutant du violon. Donc, à 21 h, je me suis dirigé vers le deuxième étage au moment où les premiers hommes arrivaient. Jusqu'à 23 h 30, j'ai joué tout ce dont je pouvais me souvenir par cœur : Partita en si mineur de Bach, Concerto de Tchaïkovsky, Concerto de Dvorak, Caprices 1 et 17 de Paganini, le « Printemps » et l'« Hiver » de Vivaldi, le thème de la *Liste de Schindler,* « Mélodie » de Tchaïkovsky, Méditation de Thais, « Amazing Grace », « My Country 'Tis of Thee' », « Turkey in the Straw », « Bile Them Cabbages Down ». Je n'ai jamais joué pour un public aussi reconnaissant. Il importait peu qu'à la fin j'aie perdu l'intonation et le contrôle de l'archet. J'aurais échoué dans toute compétition où j'aurais joué, mais ce n'était pas important. Les hommes montaient l'escalier en tenue d'armée, enlevaient leur casque, me regardaient et souriaient.

À 23 h 20, on m'a présenté au colonel Slack, chef du régiment. Après m'avoir remercié, il a dit à ses amis : « Cette journée a été la plus difficile. J'ai eu le malheur de retourner dans le trou et je ne ferai plus jamais ça. »

Impatient d'entendre un récit de première main, j'ai demandé : « Qu'est-ce que vous avez vu? »

Il s'est arrêté, a avalé péniblement sa salive et a dit : « Ce qu'on s'attend à voir. » Le colonel resta là, debout, pendant que je jouais une longue interprétation de « Amazing Grace », dont il a dit que c'était la meilleure qu'il avait jamais entendue. Il était maintenant 23 h 30 et je croyais que j'étais incapable de jouer encore. J'ai demandé au sergent-major s'il serait approprié que je joue l'hymne national.

Il a crié dans le tumulte de la foule de soldats pour demander leur attention, et j'ai joué l'hymne national pendant que les hommes du 69e régiment faisaient le salut devant un drapeau invisible. Après avoir serré quelques mains et rangé mon instrument, j'étais prêt à partir lorsqu'un des soldats m'a abordé pour me dire que le colonel voulait me voir encore. Il m'a conduit dans la Salle de guerre, mais nous n'avons pas pu trouver le colonel. Il m'a donc fait visiter la Salle de guerre. Il s'est avéré que le régiment pour lequel j'ai joué est le célèbre Fighting 69th, le plus décoré de l'armée américaine. Il m'a montré une lettre de Abraham Lincoln dans laquelle celui-ci offrait ses condoléances après la Bataille d'Antietam... Le 69e a subi le plus de pertes humaines dans cette bataille historique. Nous avons finalement trouvé le colonel. Après m'avoir remercié de nouveau, il m'a présenté le jeton du régiment. « Nous ne le donnons qu'à ceux qui ont fait quelque chose de spécial pour le 69e », m'a-t-il informé. Il a demandé à l'historien du régiment de me donner la signification de tous les symboles sur le jeton.

En retournant à Juilliard en taxi, j'étais hébété. Non seulement cette soirée avait-elle été celle où je m'étais senti le plus fier d'être un Américain, mais c'était ma plus importante journée comme musicien et comme être humain. Chez Juilliard, les garçons sont très critiques les uns envers les autres et ils sont très compétitifs. Les enseignants s'attendent à la perfection technique et, généralement, ils l'obtiennent. Là n'était pas la question. Les soldats ne se sont pas souciés du fait que j'avais eu tellement de trous de mémoire que je ne pouvais plus les compter. Ils ne se sont pas souciés du fait que j'avais oublié comment jouer le deuxième mouvement de Tchaïkovsky, j'ai dû improviser maladroitement jusqu'à ce que par hasard (et je ne sais toujours pas comment) je retrouve la cadence. Je n'ai jamais vu un public plus admiratif et je n'ai jamais compris aussi bien ce que veut dire communiquer la musique aux autres.

Dans quelle mesure cela m'a changé comme personne? Je vous dirai simplement que la prochaine fois que je voudrai me lancer dans un argument sans importance, à savoir

qui est le meilleur, de Richter ou de Horowitz, je me souviendrai que, lorsque j'ai demandé au colonel de décrire le
trou formé par l'écroulement des tours, il n'a pas pu me
répondre. Les mots ont leur limite, et même la musique ne
peut qu'aller un petit peu plus loin.

William Harvey

Réflexions inspirées
par le trou

*Nous avons été appelés pour cicatriser les plaies, uni-
fier ce qui s'était brisé et ramener à la maison ceux
qui avaient perdu leur chemin.*

Saint François d'Assise

Il y a exactement 360 kilomètres (à vol d'oiseau) de
Peace Ledge, notre maison au New Hampshire, jusqu'à
Ground Zero. Je le sais parce que, en revenant chez moi la
nuit dernière, j'ai vérifié la distance sur mon appareil de
positionnement par satellite (GPS). Mais ce pourrait tout
aussi bien être une distance de plusieurs années-lumière
d'ici à là. Le contraste entre les deux endroits est frappant.

Il y a vingt-cinq ans, nous avons baptisé notre maison
Peace Ledge (corniche de paix) parce qu'elle est construite
dans les bois, sur une colline, et qu'elle respire la tranquill-
lité — c'est un endroit imprégné de la présence de Dieu.
Combien de fois sommes-nous revenus à cet endroit fati-
gués, reconnaissants, même sous le coup d'une défaite personnelle, et avons trouvé là le rétablissement.

Peace Ledge est un endroit sombre la nuit quand la lune
ne brille pas. Seulement si le vent vient du bon côté, on peut
légèrement entendre le bruit d'un camion qui passe sur la
Route 106, à 8 kilomètres plus loin.

Ce n'est pas le cas 360 kilomètres plus loin. Il y a de fortes lumières halogènes qui brillent toute la nuit et qui éclai-
rent la fumée qui s'échappe encore des feux qui couvent au
plus profond des décombres (quelqu'un m'a dit que la température aux points les plus chauds se maintient à 925 °C).
Le bruit dans le trou est constant et parfois infernal pour

les oreilles. L'activité constamment fourmillante et fébrile, causée par des centaines d'hommes et de femmes, laisse certains dans un état d'esprit voisin de la folie. Ici, Peace Ledge ressemble à une oasis; là-bas, je ne peux pas trouver meilleure description que celle que j'ai toujours eue de l'Enfer de Dante.

Hier, nous avons quitté New York et roulé sur les autoroutes 95 et 93 nord, vers notre résidence au New Hampshire, et rendus là, j'ai commencé à décharger l'auto. N'eût été de l'odeur qui imprègne nos vêtements, nos bottes et mon sac à dos dans lequel je transportais du matériel spécial que Gail achetait chaque jour, il serait pratiquement impossible de croire que nous avons passé une semaine au bord du trou et que nous avons travaillé avec des gens de l'Armée du Salut, que nous avons eu le privilège de connaître.

Avant de quitter, Gail et moi avons tous deux parlé lors d'un service religieux au Centre de formation de l'Armée du Salut. En commençant ma causerie, j'ai levé ma casquette de l'Armée du Salut sur laquelle était écrit Service des catastrophes, et j'ai dit aux officiers et aux cadets que de tous les couvre-chefs, casquettes et casques que j'ai portés pendant ma vie, celui-ci me donnait le plus de satisfaction. Je le garderai toute ma vie, ai-je dit, comme symbole de l'expérience extraordinaire où j'ai senti l'esprit de Jésus à l'œuvre comme jamais auparavant.

Pendant notre dernier jour dans le trou, Gail et le colonel Rader m'avaient devancé pour aller dans la région sinistrée. Après avoir trouvé une place de stationnement pour notre automobile, j'ai suivi. Comme j'avais les autorisations requises, j'ai décidé de marcher à travers le trou (un raccourci) à partir d'un point d'entrée jusqu'à l'endroit où notre poste était situé. En chemin, j'arrêtais fréquemment pour bavarder avec les hommes et les femmes et je priais pour quelques-uns qui semblaient particulièrement ouverts à parler à un « aumônier ».

Soudainement, un contremaître est venu vers moi et m'a dit d'un ton plutôt brusque : « Mettez votre casque de sécurité! Ici, il faut un casque de sécurité! » J'ai compris que je portais ma casquette et non le casque de sécurité, toujours suspendu à mon sac à dos. Je l'ai remercié et j'ai immédiatement changé de chapeau. Il avait raison, bien sûr. Il y a encore le danger que des éclats de verre ou des pierres de façade tombent des édifices qui entourent le site du désastre du WTC.

Ce matin, j'ai commencé ma causerie aux officiers et cadets de l'Armée du Salut par une description de cette rencontre. J'ai fait la comparaison que ce ministère est, ou devrait être, un travail de « casque de sécurité ». Nous ne pouvons pas nous permettre de nous laisser avaler par les tracasseries de la vie organisationnelle quand un monde plus vaste demande de toutes ses forces à entendre un mot d'amour et d'espoir. Les gens qui vont « là-bas » font mieux de porter une sorte de casque de sécurité parce que c'est beaucoup plus dangereux que la vie en communauté religieuse. D'un autre côté, il peut se trouver des gens pour en douter.

J'ai toujours su que je préférais la vie « là-bas » plutôt qu'à l'intérieur du monde religieux. C'est peut-être la raison pour laquelle, en nous dirigeant Gail et moi vers le nord, j'ai ressenti une grande mélancolie m'envahir, probablement une sorte de sevrage psychique et émotionnel. Après tout, nous avons passé une semaine totalement différente de toutes les autres de notre vie. Chaque moment était chargé d'une puissante expérience qu'il est presque impossible de décrire à ceux qui n'étaient pas là. Sur le site, personne ne semblait étranger. Maintenant que j'en suis éloigné, tous les vieux sentiments et expériences d'incivilité commencent à reprendre place.

Les camionneurs sur l'autoroute se battent pour la meilleure position aux barrières de péage; à la station d'essence, le préposé ne vous regarde même pas quand vous essayez d'engager la conversation; et à l'aire de repos le long de la route, un jeune homme s'étend à l'extérieur de son auto avec le volume de sa radio si élevé que vous pouvez entendre et ressentir sa musique cinquante mètres plus loin. Il ne se soucie pas que d'autres soient affectés par son insensibilité.

Ce n'était pas l'esprit qui régnait dans le trou. Là, tout le monde semblait interrelié. Dites au policier qui est tout près que vous avez besoin de glace et il ne se passera pas quinze minutes avant qu'un camion arrive et qu'une demi-douzaine d'officiers costauds commencent à vous fournir plus de glace que vous pouvez en utiliser. Ensuite, quand vous dites « merci », ils répondent : « Non, merci de ce que vous faites. » Demandez à une des « guérilleros bénévoles » si elle a vu des coussinets Dr Scholl pour les pieds, et une heure plus tard, vous en avez mystérieusement une caisse devant vous. D'où viennent-ils? Demandez à toute personne qui passe par là comment elle va, et elle vous parlera comme si vous étiez un ami de longue date.

Je crois que la vie dans ce trou comporte certaines allusions à ce dont les vétérans au combat parlent quand ils se remémorent, si vous pouvez arriver à les faire parler, de la vie sur les champs de bataille. Stephen Ambrose avait raison : en de telles circonstances, nous devenons une bande de frères (et de sœurs).

En allant plus au nord jusqu'en Nouvelle-Angleterre, nous pouvons voir les premiers signes de l'automne. Les routes sont relativement propres; il y a plus d'ordre dans les affaires humaines; il y a même la perspective d'un bain chaud en arrivant à la maison.

Mais quelque part, je préfère la vie dans le trou. Le trou est — si j'ose comparer — un endroit plus vrai et plus séduisant. Il sent mauvais et son tumulte vous assomme. Mais il y a quelque chose de terriblement stimulant pour les sens et pour l'âme à cet endroit de tragédie humaine. Et une partie de moi préférerait être là plutôt qu'ici, avec mon chapeau dur sur la tête et mon gilet d'aumônier de l'Armée du Salut.

Cela me rappelle que des missionnaires retournent souvent à la maison en provenance d'endroits chauds où ils ont vu la mort, la pauvreté, la maladie et de grandes pertes spirituelles, et ils semblent souvent en état de choc et trop critiques sur la façon dont ils voient vivre les Américains (les Américains chrétiens). On a l'impression qu'ils voudraient dire à beaucoup d'entre nous : « Vivez, que diable! » quand ils nous entendent parler de problèmes et de besoins qui sont en somme très insignifiants en comparaison de ceux qu'ils ont vus. Je soupçonne que Gail et moi allons nous débattre avec ce même genre de sevrage pendant quelque temps. Aujourd'hui, je comprends pourquoi plusieurs missionnaires en viennent à considérer des sites du Tiers-Monde comme leur vrai « foyer ». Il y a une qualité de vie là-bas qui nous interpelle l'âme et fait de nous une meilleure personne. Si vous voulez, nous trouvons que l'évangile est mieux vécu là-bas; qu'il est là pour mieux cadrer dans une situation de souffrance et qu'il transforme puissamment. Si je peux m'exprimer ainsi, quand nous allons dans de tels endroits et que nous donnons tout ce que nous avons, nous sommes plus satisfaits de nous-mêmes.

La vie dans le trou pendant cette dernière semaine a ravivé mon sentiment d'humanité vraie. J'étais heureux de me sentir lié à de vrais hommes et à de vraies femmes qui donnaient le meilleur d'eux-mêmes. J'aimais être en contact avec leur intensité, leur chagrin, leur détermination à demeurer fidèles à leurs camarades disparus. Nous avons tous été entraînés dans une situation qui nous dépasse totalement.

L'avant-dernier jour où nous étions dans le trou, je marchais (je ne sais plus vers où) dans la rue parmi les enchevêtrements de boyaux d'arrosage en spaghetti et de lignes électriques. Partout, les gens allaient et venaient en hâte. Soudain, un pompier a crié mon nom : « Salut, Gordon. »

Puisque mon nom est écrit en grosses lettres sur la visière de mon casque dur, il n'est pas difficile de le lire. Il est venu vers moi et a dit : « Tu te souviens de moi? Je m'appelle Ken. Tu as prié pour moi l'autre jour. Je voulais que tu saches que ta prière a été efficace. Je suis bien! » Tout en nous faisant une bonne accolade d'homme, ma joue a frôlé la sienne et j'ai pu sentir la sueur, et la rudesse du sable et de la saleté sur sa peau. Dans un autre moment, j'aurais peut-être eu un mouvement de recul. Mais pas à ce moment-là. J'étais fier de partager sa saleté. J'ai murmuré une bénédiction à son oreille pendant que nous étions là, au milieu de la rue, puis nous nous sommes quittés.

Gordon MacDonald

Le loup habitera avec l'agneau, le léopard se couchera près du chevreau. Le veau et le lionceau seront nourris ensemble, un petit garçon les conduira.

Ésaïe 11, 6

Klaxonnez
si vous aimez l'Amérique

L'été, nous devenons une grosse ville quand les touristes arrivent. Mais après la fête du Travail, à Bradley Beach, New Jersey, notre population retombe à cinq mille âmes. Aujourd'hui, 13 septembre 2001, nous sommes devant un monument en hommage aux victimes de la Première Guerre mondiale pour honorer ceux qui ont survécu et ceux qui ont péri le 11 septembre 2001. Les membres du clergé ainsi que le maire ont pris la parole. Nous avons allumé des cierges, pleuré ensemble, partagé nos histoires sur cette journée et la façon dont elle nous a marqués. Plusieurs racontaient que des amis, des membres de leur famille n'étaient pas rentrés à la maison. Sans cesse, nous entendions la même histoire. « Ils ne sont pas rentrés à la maison ce mardi-là. » Il y avait des enfants de tout âge qui tenaient des cierges et des drapeaux. Ils écoutaient.

Plus tard, après le service commémoratif, les enfants ont quitté le parc et se sont rendus à l'intersection. Nous sommes restés là, brûlant de faire quelque chose de plus. Nous nous sommes étreints. Nous avons parlé. Nous nous sommes dit que les choses iraient mieux. Pourtant, il n'y avait ni sourires ni rires.

Soudain, nous avons remarqué que les voitures klaxonnaient sur Main Street, comme lors d'une parade. Comme s'il y avait une fête.

Nous ne pouvions imaginer qui voudrait célébrer un jour comme aujourd'hui.

C'est alors que nous avons entendu le cri scandé des enfants. « Klaxonnez si vous aimez l'Amérique! » criaient-ils. Sans arrêt. « Klaxonnez si vous aimez l'Amérique! » Ils occupaient le trottoir à l'intersection de deux rues, ils sautaient, ils agitaient les mains pour attirer l'attention, ils tenaient des drapeaux américains devant eux en implorant « Klaxonnez si vous aimez l'Amérique! » Tout le monde le faisait. Des klaxons résonnaient dans la nuit et on voyait les gens saluer les enfants qui sautaient avec leurs drapeaux et criaient de plus en plus fort : « Klaxonnez si vous aimez l'Amérique! »

Leur énergie a fouetté les gens qui étaient présents comme ceux qui passaient en voiture. Les conducteurs revenaient peut-être du travail ou allaient au magasin. Sans doute, écoutaient-ils à la radio les comptes rendus, les vies sauvées, les vies perdues. Pourtant, il y avait des jeunes à l'intersection criant et faisant des signes sans arrêt : « Klaxonnez si vous aimez l'Amérique! »

Cela a duré longtemps. La ville résonnait de coups de klaxons. Les gens leur souriaient.

Nous nous sommes entendus rire avec les enfants. Nous avons nous aussi fait des signes aux voitures qui passaient. Ce soir-là, nous avons laissé les enfants nous montrer le chemin. Même s'ils avaient lu les journaux, regardé la télévision et vu les adultes autour d'eux pleurer et crier leur colère, même s'ils savaient que quelque chose de terrible était arrivé à leur pays, un nouveau sentiment s'était emparé d'eux — un sentiment qu'ils ne pouvaient même pas s'expliquer. Cela concernait les drapeaux qu'ils tenaient. Cela concernait leur pays, l'Amérique. Cela avait quelque chose à voir avec leur amour de la liberté.

Ce soir-là, pendant quelque temps, nous avons laissé les enfants nous montrer le chemin et nous guérir.

« Klaxonnez si vous aimez l'Amérique! » hurlions-nous.

Et nous savions que l'Amérique nous entendrait.

Harriet May Savitz

Cher Monsieur Cox

Cher Monsieur Cox,

Il m'a fallu trop de temps pour vous écrire. J'ai été retardé par ma peur que votre fils ait perdu la vie au World Trade Center, et ensuite par le défi de chercher la vérité, et puis de vous retrouver. J'espère ne pas me tromper en croyant que, à titre de père de Fred, vous voudriez entendre parler de moi, même si vous pleurez votre fils.

Je suis un écrivain qui voyage souvent pour affaires. J'ai rencontré Fred au cours de la dernière semaine d'août sur un vol de Los Angeles à New York, avec escale à Las Vegas. Nous rentrions tous deux à la maison, mais il avait l'intention de passer quelques heures à Vegas avant de prendre un autre vol plus tard vers Kennedy.

Chaque vol est pour moi l'occasion de quelques heures de solitude, de lecture et de réflexion, d'une manière qui m'est presque impossible à la maison ou au travail. J'entreprends rarement de longues conversations avec mes voisins de siège. J'utilise plutôt le langage corporel et un livre pour me distancer des autres passagers dans cet espace restreint que nous sommes forcés de partager.

Cependant, au cours de ce vol, on m'a promu en première classe où l'environnement confortable m'a permis de relaxer un peu. J'occupais le siège côté fenêtre dans la dernière rangée. Le jeune homme qui s'est levé pour me laisser passer m'a souri chaleureusement, a offert de donner mon manteau à l'hôtesse et s'est présenté — Frederick.

Pendant ce court vol, Fred m'a dit à quel point il aimait son travail, particulièrement les voyages pour rencontrer ses clients, et comment la vie semblait prendre un tournant qui lui plaisait. Le choix de travailler pour une plus petite société en était un exemple. Il croyait que cela lui donnait la chance d'apprendre beaucoup plus rapidement et il était reconnaissant d'en avoir l'occasion. (Il était aussi très fier d'avoir été embauché par cette société même s'il n'était pas diplômé de Wharton ou de Harvard.)

Quant à sa vie personnelle, Fred m'a dit que, bien malgré lui, il était tombé amoureux d'une jeune femme qu'il admirait beaucoup, et il découvrait que les valeurs qu'on lui avait enseignées à la maison — être honnête, être bon pour les autres, écouter son cœur — avaient leur place dans la vie adulte. Fred faisait preuve d'une rare combinaison d'idéalisme, d'intelligence et d'innocence qui le rendait très attirant.

Quand j'ai avoué à Fred que j'étais l'auteur de deux livres sur le golf, il a commencé à me parler de vous, des moments que vous passiez ensemble sur différents parcours, et à quel point il aimait jouer avec vous. Quand je lui ai mentionné que j'avais été caddy à Wentworth-by-the-Sea au New Hampshire, il m'a dit avec enthousiasme que, jeune garçon, vous aviez été caddy et que vous aviez travaillé dans des hôtels du New Hampshire et d'ailleurs. « J'adore les caddies, a-t-il dit. Vous jouez vraiment au golf pour les bonnes raisons et vous appréciez le jeu d'une manière qui nous échappe. »

Fred m'a dit à quel point il chérissait sa relation avec vous. Il m'a raconté que vous aviez commencé à chercher l'endroit idéal où passer la prochaine étape de votre vie. Il m'a parlé de votre sens de l'aventure avec beaucoup d'amour et d'admiration. Il m'est clairement apparu que Fred tenait de vous et de sa mère sa soif si énergique de vivre.

Quand nous avons atterri à Las Vegas, Fred m'a dit au revoir et je suis allé à la recherche de quelque chose à manger pendant l'escale. Avant de manger, j'ai téléphoné à ma femme pour lui dire que j'avais rencontré un jeune homme

extraordinaire qui m'avait semblé avoir les pieds fermement sur terre, même lorsqu'il laissait son cœur s'envoler.

Après avoir erré quelque temps dans l'aéroport, je suis
monté à bord de l'avion pour New York pour découvrir Fred
dans la cabine. Il a souri et m'a dit que ses rendez-vous
avaient été annulés. Il a demandé à la personne assise à
côté de lui si elle voulait changer de place avec moi pour que
nous puissions poursuivre notre conversation.

Pendant le vol vers New York, Fred m'a parlé de son
rêve d'utiliser l'expérience acquise à Wall Street pour se
créer une vie selon sa propre vision. Il a parlé de s'installer
dans une plus petite ville, de partir en affaires — peut-être
quelque chose relié à l'aviation — et de consacrer sa vie à la
fois à ses propres passions et à ses relations avec ceux qui
lui sont chers. Ce qui m'a le plus frappé chez Fred, c'est son
engagement envers les vraies valeurs — l'amitié, l'amour, le
service aux autres — et son rejet du matérialisme froid et
de l'égocentrisme. Il m'a dit que la chose la plus importante
qu'il avait apprise à Wall Street était que l'argent est un
moyen, non une fin, et qu'une obsession tenace du travail
était presque suicidaire.

J'espère que vous direz à la mère de Fred qu'il m'a aussi
longuement parlé d'elle. Il m'a parlé de l'enseignement
qu'elle transmettait — il était réellement fasciné par sa
capacité de rejoindre les étudiants — et de l'amour incondi-
tionnel qu'elle prodiguait. À un certain moment, il a ouvert
son ordinateur, a cliqué à quelques reprises et m'a montré
un manuscrit, ainsi que les dessins, d'un livre pour enfants
qu'elle avait écrit et illustré. (Il était question de nutrition
et de santé.) Il m'a clairement dit que, comme vous, elle
avait été une source importante des valeurs qui guidaient
sa vie. Elle lui a appris à aimer, et il lui en était profondément reconnaissant.

Quand nous avons atterri, nous avons échangé nos cartes professionnelles et nos adresses de courriel. (Une première quant à moi avec un compagnon de voyage.) Nous

nous sommes mis d'accord pour nous rencontrer pour le lunch et pour jouer au golf avec vous à Long Island, où j'habite. Quelques jours plus tard, j'ai reçu un courriel. J'ai répondu et nous avons commencé à planifier notre lunch. Bien que je sois beaucoup plus âgé que Fred, je crois avoir fait la rencontre d'un être exceptionnel, quelqu'un qui pourrait devenir un bon ami. Je savais qu'il était une de ces rares personnes dont les yeux sont réellement remplis de lumière, dont le cœur est accueillant, et dont l'esprit est alerte et toujours en éveil.

J'imagine que, de la même façon qu'il m'avait impressionné, Fred devait aussi impressionner tous ceux qu'il rencontrait. Il aurait sans doute été le dernier à l'admettre, mais il était exceptionnel, un jeune homme qui se donnait sincèrement aux autres et qui abordait la vie avec une générosité et un esprit extrêmement rares. Vous devez savoir qu'il estimait être pleinement aimé et soutenu par vous et par sa mère. En retour, il était clair qu'il vous aimait beaucoup tous les deux. En effet, je n'ai jamais rencontré un jeune homme qui m'a semblé être aussi certain des dons qu'il avait reçus, aussi heureux de ce qu'il avait et tellement déterminé à partager avec les autres.

Je vous prie d'accepter ma gratitude pour votre fils et le temps qu'il a partagé avec moi. Je suis attristé par sa perte, et par le terrible fait que je n'aurai pas eu une longue relation avec lui. Mais j'ai été privilégié de savoir qu'il existait et j'espère que vous serez réconforté de savoir qu'il m'a très profondément marqué.

Je vous prie de partager mes pensées avec la mère de Fred. Sentez-vous libres de communiquer avec moi, tous les deux.

Sincèrement,
Michael D'Antonio

Michael D'Antonio
Soumis par Tara Hitchcock et John Langbein

Cher Mike,

Merci pour votre merveilleuse lettre. Comme vous le savez, je l'ai déjà acheminée par télécopie à Annelise, sa petite amie, qui vous a déjà envoyé un courriel.

Votre lettre est une des plus belles que j'ai reçues depuis le 11 septembre. Je suis sensible au fait que vous ayez pris le temps de l'écrire et je la conserverai précieusement jusqu'à ma mort. Qu'un parfait étranger ait consacré son précieux temps à dire les choses comme vous l'avez fait signifie beaucoup plus pour moi que vous ne pourriez possiblement le comprendre.

J'anticipe le plaisir de vous rencontrer.

Fred O. Cox

Fred O. Cox

Le seul hommage qui compte est celui des actes et non des mots... La justice entre les nations de l'humanité... ne peut exister que grâce à ces hommes forts et audacieux... qui préfèrent la droiture à la paix.

Theodore Roosevelt

Le visage de l'Amérique

Mount Pleasant, Caroline du Sud, États-Unis

Le 11 septembre a été un coup terrible pour l'âme de l'Amérique. Pour plusieurs d'entre nous, ébranlés et sous le choc, la question urgente qui nous venait à l'esprit en regardant le carnage que nous présentaient nos téléviseurs était *Que puis-je faire pour aider ?*

Les lecteurs de nouvelles locales et nationales nous incitaient à répondre à l'appel de la Croix-Rouge et à donner du sang. J'avais déjà donné du sang, mais jamais je n'avais ressenti cette urgence. Mardi soir, j'ai dit à mon mari : « Nous devons y aller demain. »

Nous avons apporté des livres et des collations à grignoter pour occuper l'attente que nous estimions à une ou deux heures. Quand nous sommes arrivés au bureau de la Croix-Rouge à Charleston, Caroline du Sud, nous ne pouvions pas en croire nos yeux. À 11 h du matin, la file faisait déjà le tour du pâté de maisons.

Il nous faudrait peut-être huit heures avant d'arriver à l'avant de la file — malgré cela, nous avons pris notre rang tout à l'arrière. Pendant que nous attendions, je regardais les visages autour de moi et j'ai vu le visage de l'Amérique.

J'ai vu des jeunes et des vieux, des femmes et des enfants, des gens de la génération X en t-shirts avec leurs tatouages, des vétérans, des gens avec des cannes et en fauteuils roulants, attendant tous de donner à notre pays ce qu'ils avaient. Personne n'était impatient, personne ne se disputait ou se poussait pour passer devant. Nous avions une raison et un but — alors nous attendions.

Pendant que nous étions là, les techniciens de la télévision et de la radio locale sont arrivés. Ils ont installé des haut-parleurs pour nous permettre d'écouter de la musique et les nouvelles en provenance de New York et de Washington. Ils nous ont distribué des drapeaux américains donnés par les gens de la ville et des autocollants qui se lisaient L'AMÉRIQUE SORTIRA DE CETTE ÉPREUVE.

Des bénévoles de la Croix-Rouge nous ont distribué de la nourriture donnée par des marchands locaux : des pizzas, des cheeseburgers de McDonald, des sandwiches sous-marins, du délicieux poulet frit, des collations, des fruits frais, des bouteilles d'eau et des sodas froids. Ils nous ont nourris, ont répondu à nos questions et nous ont dit ce qui nous attendait au bout de la file. Ils nous ont remerciés d'être venus et de notre « sacrifice. »

Un bénévole nous a dit que la télévision retransmettait des images de notre file d'attente sur des écrans géants au cœur du World Trade Center. « Vous ne pouvez imaginer le bien que cela fait à ces gens de vous voir ainsi. Ils sortent des décombres exténués. Puis, ils vous voient sur les écrans et ils retournent au travail. »

Nous n'étions que des Américains, faisant ce que nous avions à faire, trouvant une autre façon de nous divertir, même au cœur de la tragédie. Nous chantions avec la musique qui sortait des haut-parleurs et nous riions, car les Américains aiment rire. Nous nous sommes fait des amis et avons trouvé des points communs entre nous.

Par un chaud après-midi d'automne à Charleston, Caroline du Sud, j'ai vu le visage de l'Amérique. Nos cœurs sont brisés, mais notre moral remonte rapidement. Nous avons une cause commune et un but commun. Une fois de plus nous sommes les États UNIS.

Susan Halm
Révisé par Joyce Schowalter

Papa, on a entendu beaucoup d'histoires d'actes incroyables de bravoure et d'héroïsme récemment.

Et je sais que ton don de sang est bien petit par rapport à ce qui a été fait.

9-29

Mais je crois que même les petits héros ont droit à une caresse.

Merci, mon grand.

Comment les enfants font leur part

Je me suis éveillée le matin du 11 septembre aux cris de ma mère qui disait : « Mon Dieu, nous sommes attaqués! »

Quand je suis arrivée dans la cuisine, la plupart des membres de ma famille étaient en larmes, assis autour de la radio de ma sœur, écoutant les nouvelles qui avaient interrompu sa musique habituelle du matin. Dans le salon, les enfants de notre garderie en milieu familial étaient devant le téléviseur où ils écoutent habituellement les émissions éducatives. Aujourd'hui, c'était différent. Les bandes dessinées avaient fait place à des bulletins et à des reportages d'urgence, à des images sombres de fumée, de décombres et de souffrance. Pour la première fois depuis que je m'occupe d'enfants, personne ne se plaignait en demandant de changer le poste (les nouvelles sont « ennuyeuses », vous savez). Non, aujourd'hui, ils étaient assis et fixaient attentivement l'écran. Il était clair qu'ils sentaient que ce bulletin de nouvelles avait quelque chose de très sérieux.

Quand les images des tours qui s'écroulaient apparurent sur cet horrible écran, tous les enfants se sont tournés vers moi pour voir la réaction sur mon visage avant de retourner au téléviseur. Aucun d'eux n'a émis le moindre son pendant tout ce temps, et j'ai fait de mon mieux pour ne rien laisser paraître. Dans leur intérêt, j'ai souri.

Après avoir fait longtemps le tour des chaînes, où je n'ai trouvé que des images sombres d'une foule désorientée, de fumée et de ruines, j'ai mis plutôt un film. *Bambi,* je crois. Dès que je me suis assise sur le divan, les sept enfants, âgés de un à trois ans, se sont blottis contre moi.

Ce soir-là, après que les enfants eurent tous été repris par leurs parents, je me suis rendue au bureau local de la Croix-Rouge pour donner du sang. J'ai été renversée par ce que j'ai vu. La file s'étirait jusqu'à l'extérieur, et les employés et bénévoles renvoyaient les gens chez eux. Incapable de donner du sang, j'y suis retournée chaque soir avec une assiette de brownies, de biscuits ou de petits gâteaux que j'ai distribués à ceux qui allaient donner leur sang.

Les enfants ont adoré préparer des « friandises » pour « les gens qui aident à sauver tous ceux qui ont été blessés par les écrasements d'avions ». Ce n'était pas notre travail d'expliquer ce qu'était le terrorisme. De toute façon, les enfants n'auraient rien compris, mais ils savaient que des avions s'étaient écrasés et que des personnes avaient été blessées, et ils voulaient aider plus que tout. Nous avons fait des gâteaux chaque jour. Et chaque soir, j'allais distribuer ce que nous avions préparé à ceux qui allaient donner de leur sang.

Les enfants ont aussi confectionné des cartes de remerciement pour les donateurs et, un soir, je les ai distribuées avec les brownies. Un vieil homme qui attendait dans la file a éclaté en sanglots quand je lui ai donné un brownie et une carte. Il avait perdu sa fille et sa petite-fille dans l'écrasement d'un des avions. Je ne savais quoi faire d'autre que de le serrer dans mes bras et de pleurer avec lui. Les autres dans la file se sont aussi mis à pleurer. Après quelques minutes, nous nous essuyions tous les yeux et nous avons commencé à parler, à échanger nos histoires et à trouver des points communs. Les gens se montraient leurs cartes, souriaient en regardant les dessins des enfants et les mercis et condoléances mal épelés. Quand je suis partie, il y avait plusieurs personnes autour du vieil homme qui, les bras autour de son cou, lui montraient des détails des dessins sur sa carte de remerciement.

Le jeudi, nous avons appris qu'il y aurait un rassemblement le lendemain après-midi. Nous étions invités à nous rendre dans un parc local pour montrer notre patriotisme et notre soutien aux sauveteurs à l'Est. Nous avons demandé aux parents l'autorisation d'emmener les enfants. Le vendredi matin, les enfants sont arrivés avec des chemises aux motifs du drapeau et des robes bleu, blanc, rouge. Ils portaient des rubans patriotiques dans les cheveux et autour des poignets. Une mère avait même peint un t-shirt pour son enfant de trois ans. Devant, il y avait un immense drapeau américain; derrière, en grosses lettres bleues, blanches et rouges, on pouvait lire : « CES COULEURS NE PÂLIRONT JAMAIS. » Le petit garçon semblait bien excité de le porter. Il était décidé à marcher à reculons pendant tout le trajet au cas où une caméra serait présente. Il voulait que le monde entier voie son t-shirt.

Nous avons fait des biscuits, préparé un pique-nique et décoré les trois poussettes dans lesquelles prendraient place la plupart des enfants pour se rendre à l'événement. Nous avons utilisé des banderoles et des drapeaux, des silhouettes en carton et du ruban. Nous avions même des serviettes de plage aux motifs du drapeau américain que nous allions utiliser comme couvertures pour les jambes des enfants. Avec ces poussettes contenant chacune deux enfants, on aurait dit un véritable défilé! En route vers le parc, les gens sortaient de leurs maisons et nous demandaient où nous allions si glorieusement. Quand nous leur disions, ils prenaient le drapeau planté devant leur maison et se joignaient à nous. On aurait dit un marathon de personnes et de poussettes, chacun portant un drapeau. Nous avons rempli le parc au grand plaisir des organisateurs.

Je ne peux pas décrire entièrement cet après-midi, sauf pour dire que nous avons chanté « God Bless America » quatre fois et que les enfants étaient plus intéressés à brandir leurs drapeaux qu'à manger leur repas. Pour couronner le tout, le vieux monsieur de la Croix-Rouge était là! Il est venu partager notre pique-nique. Inquiète, je me disais que la vue des enfants pourrait le bouleverser et j'ai presque

serré les dents quand ils sont tous allés en courant lui serrer la main. Ils l'ont immédiatement adopté et ils étaient
bien excités qu'il se soit assis avec nous. En fait, ils lui ont
tous offert leurs biscuits.

Il a parlé aux enfants des écrasements d'avions et leur a
dit que sa fille et sa petite-fille étaient à bord d'un d'entre
eux. Les enfants ont écouté et une petite fille a même dit :
« Oh ! Vous êtes un grand-papa ? » Au lieu de pleurer, comme
je le croyais, il a souri et les enfants l'ont entouré. Le petit
garçon de trois ans lui a montré son t-shirt, une petite fille
lui a dit qu'on est plus heureux au ciel que sur terre et une
autre petite de deux ans a offert son verre de jus à l'homme.
Comme il s'apprêtait à partir, la petite fille qui avait parlé
avec tant de bien du ciel lui a serré la main et a dit : « Tu
sais, même s'ils sont tous les deux au ciel, tu seras toujours
un grand-papa et un papa. » Il a souri en s'éloignant.

Même s'ils ressentent les pertes, les enfants savent,
d'une certaine manière, ce qu'il faut pour continuer à vivre.
Je m'estime bien chanceuse de travailler avec de tels
guérisseurs !

Ann Marguerite Swank
Révisé par Joyce Schowalter

Dans les visages des hommes et des femmes,
je vois Dieu.

Walt Whitman

Il répond
à l'appel de son pays

*L'or est bien… à sa place, mais des hommes en vie,
braves et patriotes valent plus que l'or.*

Abraham Lincoln

La famille Nebe et leurs amis sont réunis dans la cuisine, devant des assiettes de mets mexicains, la tête baissée pour une prière.

Ils sont réunis pour célébrer le court séjour à la maison de Justin Nebe. Le fils d'Eleanor et de Bill Nebe, le petit frère de Nicole, le fougueux petit-fils de Beatrice Gomez, est un Marine des États-Unis, en visite chez lui au Texas pendant une semaine avant de se rapporter à une base en Californie.

Il est fier d'être le premier Marine de sa famille. Ses parents disent qu'ils sont, eux aussi, très fiers. Mais depuis le 11 septembre, l'enrôlement récent de Justin a fait vivre d'autres émotions à sa famille. Ils souhaitent, bien sûr, qu'il serve son pays. Mais aujourd'hui, par contre, ils sont aussi craintifs.

Quand Justin a décidé de se joindre aux Marines il y a près de 11 mois, l'Amérique était en paix. Ses parents et lui savaient qu'il pourrait être appelé à défendre son pays. Pour eux, la possibilité semblait vague. De plus, la vie militaire semblait le meilleur choix pour Justin. Les Marines l'intéressaient particulièrement. Il aimait la discipline, l'honneur, le défi.

En décembre dernier, il a terminé sa scolarité de cours secondaire. En février, il s'est présenté au camp d'entraînement. En mai, il a complété son entraînement et a assisté à sa graduation de l'école secondaire en uniforme des Marines. Depuis ce temps, il était à l'entraînement dans des bases en Floride et en Caroline du Nord. Aujourd'hui, Justin, qui célébrera ses dix-neuf ans chez lui cette semaine, est en route pour le *Marine Corps Air Station Miramar*, près de San Diego, où il travaillera comme mécanicien d'hélicoptères.

Tout cela est ordinaire et vécu par des milliers de nouvelles recrues chaque année. Sauf que nous vivons en des temps extraordinaires.

Devant la résidence familiale, le drapeau américain et le drapeau des Marines flottent au haut d'un grand mat argenté, agités par le vent. Il n'y a pas si longtemps, ils étaient les seuls drapeaux de cette rue, hissés en mai pour marquer la graduation de Justin. Aujourd'hui, il y a des drapeaux partout, flottant fièrement devant les maisons des voisins pour souligner le jour où l'Amérique a changé brusquement.

Le retour à la maison de Justin — et son départ — est particulièrement doux-amer. Au cours de la dernière année, chaque fois que Justin est venu à la maison ou que sa famille lui a rendu visite, il avait changé lui aussi. Sa sœur Nicole dit que sa démarche a changé. Sa mère ne reconnaît plus le petit garçon qui avait brisé tous les crayons de sa classe de confirmation à l'église. L'adolescent qui s'intéressait plus à ses amis qu'à sa famille est devenu un jeune homme pour qui la famille est ce qui importe le plus.

Cette fois, quand Justin partira, ni lui ni sa famille ne savent quand ils se reverront. Quand Justin arrivera à la base, on lui donnera un gilet pare-balles, une gamelle et le reste de l'équipement dont il aura besoin s'il doit aller en guerre. Même s'il est improbable qu'il soit envoyé au front bientôt, la possibilité existe. Il en va ainsi de l'incertitude.

« Je m'inquiète de plus en plus », dit Mme Nebe.

« Évidemment, j'éprouve des sentiments contradictoires », dit M. Nebe.

« Je veux combattre pour mon pays », dit Justin. C'est une phrase qu'il répète souvent.

Attablé dans la salle à manger, Justin, qui fait 94 kilos et plus de 1,80 m, mange une *tamale*.

Derrière lui, Mme Nebe caresse les cheveux en brosse de son garçon. Soudain, elle le couvre de baisers.

Le dimanche, Justin est devant le miroir dans la salle de bains de sa mère et il essaie de boutonner le collet de son uniforme de parade. Le tissu fait à peine le tour de son cou. Il moule ses épaules. Depuis qu'il s'entraîne avec des haltères, son corps est devenu plus massif.

Après avoir boutonné la veste, il demande à sa mère d'aligner ses boutons. Mme Nebe tourne soigneusement chaque bouton pour que l'aigle ait les pattes parallèles au sol et la tête vers le ciel. Elle replace un fil rebelle. Justin met ses gants blancs. Ils sont prêts.

En uniforme, la démarche de Justin est différente. Il se tient droit et ses mouvements sont plus raides. Il dit que son attitude change.

« Je me sens plus fier, vous savez », dit-il.

Dans le stationnement du Trietsch Memorial United Methodist Church, Justin offre un bras à sa mère et l'autre à sa petite amie, et ils marchent vers l'église en passant devant les petites croix blanches que les paroissiens ont plantées dans la pelouse en l'honneur de chacune des quelque six mille victimes du 11 septembre. Justin s'arrête. Il fait signe aux femmes de partir du pied droit. Ils repartent; cette fois, ils sont au pas.

Le révérend Jim Ozier connaît Justin depuis des années. Le pasteur lui demande de se lever devant l'assemblée. Justin obéit, les épaules droites, les pieds légèrement écartés.

« Il me semble que c'est hier que je le grondais parce qu'il avait brisé tous les crayons de sa classe de confirmation, dit le révérend Ozier. Quel petit crétin. » Les gens rient. « Mais regardez-le aujourd'hui. » Les gens applaudissent.

À la fin de l'office, les Nebe rejoignent le révérend Ozier, bras dessus, bras dessous, au moment où celui-ci donne la bénédiction finale.

Le semaine passe rapidement. On est déjà samedi, et Justin doit partir.

Sur la porte de la penderie est accrochée une tenue de camouflage. Sa chambre est pleine de valises à moitié faites. Il a déjà dit au revoir à son père et à sa sœur, car ils devaient quitter la maison tôt.

Sa mère lui répète sans cesse de faire ses valises. Mais Justin est étendu sur le divan avec Amanda, sa petite amie. Il lui chuchote quelque chose à l'oreille en essuyant ses larmes. Il y a maintenant plus d'un an que les deux sortent ensemble. Ils ont même parlé de mariage bien qu'ils n'aient pas fait de plans pour l'immédiat. Sur son lit, Amanda a déposé une boîte à chaussures recouverte de papier de couleur. « Mon cœur t'appartient », a-t-elle écrit sur le couvercle.

Il doit maintenant faire ses valises. Son copain Marine, Jason, arrivera bientôt de Plano; ils mettront ses affaires dans son camion et entreprendront le long voyage vers la base en Californie. Justin doit se forcer pour faire ses bagages.

Une ligne se forme bientôt : sa mère, sa grand-mère et son ami, Taylor, prennent les bagages terminés et les placent dans le vestibule.

Quelques minutes plus tard, Jason arrive. Les jeunes gens entassent les bagages dans le camion.

« Je dois partir », dit Justin. Il semble essayer de s'en convaincre lui-même.

Mme Nebe ne cesse de retourner à la chambre de son garçon et de rapporter des objets — son chapeau blanc, un oreiller et une prise contre la surtension.

Il prend sa mère et sa grand-mère dans ses bras. Mme Gomez s'éloigne en silence en essuyant ses larmes. Justin s'en aperçoit.

« Viens ici, grand-maman », dit-il, et il se penche pour étreindre la petite femme.

Mme Nebe n'est pas prête à le laisser partir. Des larmes coulent sur ses joues. « As-tu ton portefeuille? Ton argent? As-tu oublié ta brosse à dents? »

Justin ne répond pas. Il la prend de nouveau dans ses bras. Puis Amanda. Ensuite Taylor. C'est le moment.

Justin monte enfin dans le camion et Jason recule vers la rue.

Il sort la tête de la fenêtre côté passager. « Au revoir. Je vous aime », dit-il. Le camion s'éloigne rapidement.

Karen A. Thomas

Les actes de courage façonnent l'histoire de l'humanité. Chaque fois qu'un homme défend un idéal, ou agit pour améliorer le sort des autres, ou se dresse contre l'injustice, il crée une petite ondulation d'espoir.

Robert F. Kennedy

Son rêve s'est réalisé

La tentation d'arrêter était forte. Arrêter de courir. Mettre fin à la douleur qui tourmente le corps de tout marathonien. Mais Erich Maerz a entendu la voix de son frère Noell qui l'encourageait à terminer le parcours que Noell n'avait pas pu entreprendre.

Le marathon de New York a été un voyage de 42 kilomètres à travers cinq arrondissements et une douzaine d'émotions. Il a débuté dans le chagrin sur le pont Verrazano-Narrows au moment où Maerz a regardé de l'autre côté du port vers le lieu où reposait son frère dans les ruines du World Trade Center, qui fumaient toujours comme un défi étrange et qui remplissaient de fumée blanche le trou dans la ligne d'horizon.

En courant à travers Brooklyn, Maerz a conversé intimement avec son frère de vingt-neuf ans, Noell, un négociant en obligations, disparu depuis les attaques terroristes du 11 septembre. En traversant le pont Queensboro, il s'est concentré sur les bons souvenirs au lieu des sensations de brûlure qu'il ressentait sur la plante des pieds.

En courant à l'ombre des gratte-ciel de Manhattan, Maerz a pensé à la petite de Noell, née et baptisée Noel le jour de l'Halloween, sept semaines après le dernier appel désespéré de son père à sa femme. Quatre heures et quarante-quatre minutes après son départ, Maerz a traversé la ligne d'arrivée, rouge, blanc et bleu, sous une voûte de feuillage automnal dans Central Park. Il a essuyé une larme versée pour une courte vie bien vécue, pour une longue course bien courue.

« Il me regardait de là-haut », a dit Maerz qui a couru sous le nom de son frère et avec son numéro d'inscription, le 8334. « Dans ma tête, j'en ai couru 16, il en a couru 16 et la foule en a couru 10. Noell apparaîtra dans la liste de ceux qui ont terminé le marathon. C'était ce qu'il voulait. »

Les deux millions de spectateurs qui s'alignaient le long du parcours pendant cette journée aussi fraîche qu'une feuille d'érable rouge faisaient tellement de bruit que les coureurs ont dit qu'ils entendaient à peine leur respiration pénible à cause des cris « Go USA! » et « New York vous aime! » Pour ces New-Yorkais qui agitaient leurs drapeaux, le trente-deuxième marathon annuel, qui a commencé par un lâcher de colombes blanches, a été une célébration cathartique de la faculté de récupération de New York, un énorme ralliement d'encouragement pour la ville. Pour une bonne partie des 30 000 coureurs qui portaient des t-shirts où apparaissaient les photos et les noms de gens d'affaires, de parents, d'officiers de police et de pompiers disparus, le marathon a été une cérémonie commémorative en mouvement, une course du souvenir.

Jamais un marathon a-t-il été un symbole aussi puissant du désir de l'homme de survivre. Jamais une ligne d'arrivée a-t-elle autant symbolisé le désir de l'homme de vaincre la souffrance.

Noell Maerz était prêt à courir son premier marathon. L'ancien quart-arrière de Hofstra était un triathlète, un kayakiste et un skieur accompli. C'était un beau jeune homme, plein d'énergie, dans la fleur de l'âge, adorant son travail chez Euro Brokers, et attendant avec impatience la naissance de son premier enfant et le premier anniversaire de son mariage avec Jennifer, qu'il avait rencontrée dans le métro. Pourquoi ne pas couronner le tout par le Marathon de New York?

« Noell aime les gens et les gens aiment Noell », dit Ralph Maerz, cinquante-six ans, qui mêle le passé et le présent quand il parle de son fils aîné. « Au cours des vingt-neuf ans où je l'ai élevé, je n'ai jamais été capable de rester fâché contre lui plus de dix minutes. Il se sortait toujours d'embarras. C'est pour cette raison que nous pensions qu'il sortirait aussi du World Trade Center. »

Juste avant 9 h, le 11 septembre, Noell a fait trois appels téléphoniques de son bureau au quatre-vingt-quatrième étage de la Tour Sud. Il a dit à son père qu'une bombe venait d'exploser, mais qu'il était en sécurité. Il a dit à Jennifer que l'avion n'avait pas percuté son édifice et de ne pas s'inquiéter, qu'il sortait et qu'il l'aimait. Il a appelé Erich et lui a dit que des gens se jetaient par les fenêtres, mais qu'il était rendu au soixante-dix-septième étage. Quelques minutes plus tard, le deuxième avion détourné frappait sa cible.

Erich Maerz, vingt-sept ans, a décidé de terminer ce que Noell avait entrepris.

Il a convaincu son père, Ralph, de se joindre à lui. Ralph, un ex-fumeur qui n'avait pas couru depuis l'école secondaire, a terminé la course de dimanche en cinq heures et trente et une minutes. Il a dit qu'il a fait appel à l'énergie de Noell.

« Au vingtième kilomètre, j'ai dit : "Noell, je suis tellement heureux de partager ceci avec toi", a raconté Ralph Maerz. Au trente-deuxième, j'ai dit : "Noell, j'espère que tu t'amuses. J'espère que tu vois tous ces gens qui t'acclament."

« À la ligne d'arrivée, j'ai simplement regardé au ciel et dit : "Merci, Noell." J'étais si fier de lui. Maintenant, je peux dire qu'il est fier de moi. »

Erich et Ralph ont mis leurs dossards dans le trousseau de la petite Noel, afin qu'elle sache un jour que l'esprit de son père vit toujours.

Linda Robertson

Des étrangers à l'unisson

Ce soir, un ami m'a appelée. Il se rendait seul dans un parc de Los Angeles apportant des chandelles pour penser et pour honorer la mémoire des victimes du 11 septembre. Il ne savait pas si d'autres personnes se joindraient à lui. Il n'y avait rien de prévu. Je cherchais aussi un endroit où aller partager mes émotions avec d'autres personnes. J'ai ramassé quelques chandelles, un petit drapeau américain, et je l'ai rejoint.

À 19 h, nous étions seuls dans le parc, mais un petit groupe de personnes qui semblaient sortir d'une église étaient sur le trottoir où elles distribuaient des chandelles et les paroles de chants patriotiques. Nous avons commencé à chanter.

À la tombée du jour, nous avons monté notre lieu de pélerinage fait de chandelles, et d'autres nous ont rejoints. Ils ont apporté des drapeaux et des chandelles. Les gens qui passaient en voiture se sont mis à klaxonner, sont allés se garer et se sont joints à nous. Plus de monde, plus de drapeaux. Des énormes, des petits, un minuscule drapeau dessiné et colorié à la craie de cire par un enfant qui n'avait pu s'en procurer un dans les magasins en rupture de stock. Une amie est arrivée avec son chien qui portait un foulard bleu, blanc et rouge autour du cou. Les gens se sont alignés au bord de la rue et ont agité leurs drapeaux. De l'autre côté de la rue, nous avons vu une longue file de marcheurs qui portaient des chandelles votives. On leur avait parlé de ce qui se passait dans le parc. La foule augmentait et criait « USA! » en agitant les drapeaux. Il y avait une vieille femme arménienne qui pleurait une perte et qui a ajouté son cierge à notre lieu de pélerinage. Ils arrivaient toujours plus nombreux : des familles latinos, des asiatiques, des jeunes, des vieux, un homme en fauteuil roulant et un itinérant, arrivé au parc avec son chariot qui contenait tous ses biens et sur lequel il avait installé un drapeau.

Puis, les pompiers sont arrivés... pas pour nous dire que nous présentions un danger pour le feu, mais pour garer leurs gros camions à l'intersection. Nous avons applaudi ces symboles de l'héroïsme américain et nous leur avons serré la main. Un des camions a dressé sa grande échelle où il y avait un grand drapeau qui flottait dans la nuit, au-dessus de la rue. Nous avons acclamé les pompiers qui y sont montés. Des policiers sont passés, activant la sirène de leurs voitures. Les chandelles illuminaient l'intersection et nous avons continué à chanter. Des gens que je ne reverrai jamais chantaient avec moi. D'autres encore sont venus. Le son des klaxons emplissait l'air alors que des voitures décorées de drapeaux passaient et approuvaient notre témoignage. J'ai parlé à une femme pompier qui revenait de deux jours de fouilles dans les décombres du World Trade Center. Elle avait besoin d'un tel soutien, et nous étions heureux de le lui donner.

Plus tard, j'ai rencontré une jeune femme qui avait mangé dans un restaurant de l'autre côté de la rue. Elle a vu notre groupe; elle est retournée chez elle chercher son drapeau et elle est revenue. C'était un énorme drapeau dont elle ne pouvait tenir qu'un bout; alors j'ai pris l'autre bout. Devant les gens alignés dans la rue, nous avons agité le drapeau. Nous nous sommes jointes aux autres qui scandaient « USA! » et chantaient « America the Beautiful » et « Grand Old Flag » pendant que d'autres camions de pompiers qui passaient activaient brièvement leur sirène.

CNN News est venu filmer la scène et un hélicoptère d'un service de nouvelles tournait au-dessus de nous. Les fourgonnettes de ABC et CBS sont arrivées. Les nombreux photographes de plusieurs journaux ont pris beaucoup de clichés.

J'espère que ces images font partie de l'énorme *patch-work* qui part de l'Amérique vers les autres villes et pays du monde libre — vers d'autres intersections et d'autres étrangers qui se tiennent forts, ensemble avec défi et fermeté, la tête et les drapeaux portés bien hauts. Malgré la diversité de nos origines, de nos religions, et malgré nos différences politiques, nous sommes unis dans notre peine, notre colère et notre détermination qu'aucune armée de racaille et de fous furieux ne pourra jamais détruire. C'est une soirée que je n'oublierai jamais; elle fait partie d'un moment dans l'histoire où, peu importe leur diversité, les gens de Los Angeles étaient unis… à une intersection… où tout avait commencé par quelques personnes un peu plus tôt. C'est ce que les fous furieux n'avaient pas prévu et qui finira, le moment venu, par les vaincre.

Lynn Barker

Les policiers de Madison, Alabama

*Il n'est jamais trop tôt pour faire une bonne action,
car on ne sait jamais quand il sera trop tard.*

Ralph Waldo Emerson

Je me demandais quand je ressentirais enfin la tristesse. Je me demandais pourquoi les autres New-Yorkais déambulaient dans les rues de Manhattan avec un air si attristé alors que je ne me sentais qu'hébété par le choc. Je me demandais si j'étais humain. Je ne ressentais rien du tout. Rien.

Tout a commencé plusieurs jours après que le ciel nous est tombé sur la tête, le 11 septembre, lorsque j'ai regardé par la fenêtre de mon salon à Westfield, New Jersey, et que j'ai vu des amis et des parents rendre visite à la femme enceinte d'un homme de trente et un ans, disparu dans les décombres. J'ai bien essayé de pleurer mais — même si j'aimerais dire que je me sentais courageux et déterminé — je ne ressentais qu'une peur paralysante à la suite de l'immense audace de ces gestes.

À mon travail à Manhattan, il m'était encore plus difficile de ressentir la peine et la souffrance : mon bureau est situé en face de l'Empire State Building, et son nouveau statut d'édifice le plus haut de New York effrayait tous ceux qui travaillent autour. Il n'y a pas de place pour la tristesse lorsque la peur que quelque chose nous tombe sur la tête nous envahie.

Plusieurs jours plus tard, ma femme et moi avons assisté à un service religieux œcuménique. J'ai vu une affiche où étaient inscrits les noms des gens de notre ville qui étaient disparus. Plusieurs étaient des parents de jeunes enfants. J'ai senti une petite boule se former dans ma gorge. Mais je ne pouvais toujours pas pleurer.

Mes émotions refoulées ont soudain explosé au moment où je m'y attendais le moins : je marchais devant l'Empire State Building. Je voulais simplement sentir la présence des officiers de police de New York qui surveillaient l'édifice. En m'approchant, j'ai remarqué que l'entrée était gardée par des policiers de Madison, Alabama. J'ai craqué. J'ai couru à mon bureau et j'ai enfin versé les larmes qui m'échappaient depuis trois semaines.

Vous devez comprendre. La plupart des New-Yorkais sont désespérément provinciaux, vivant encore sous l'impression qu'ils sont au centre de l'univers, comme si ce merveilleusement complexe et diversifié univers pouvait avoir un centre! Quelques-uns en sont encore à la Guerre civile et leur opinion sur le Sud est aussi moderne qu'une photo de Matthew Brady. Je connais des gens qui ne quittent même jamais Manhattan, comme si — après avoir trouvé le paradis — ils ne voient pas pourquoi ils iraient ailleurs.

Pourtant, ils étaient devant l'Empire State Building. Un groupe de New-Yorkais, habituellement railleurs et cyniques, entouraient ces policiers et les regardaient avec un respect qu'on réserve normalement aux membres du clergé. Ces policiers, grands, forts, confiants et rassurants, venus d'un endroit dont personne n'avait jamais entendu parler, calmaient ces gens qui avaient vu et ressenti des choses que personne n'aurait dû voir ni ressentir.

J'ignore où se trouve Madison, Alabama. Je ne sais pas combien de gens y vivent. Je ne connais pas le sujet des petites batailles que se livre le conseil municipal, mais j'imagine que plusieurs personnes ont dû soulever un tollé parce qu'il manque un feu de circulation à une intersection particulièrement achalandée. J'ignore si une rivière paisible traverse la ville ou encore s'il y a un lac où on peut pêcher et se baigner. J'ignore où on peut déguster le meilleur barbecue en ville et, c'est certain, je ne connais personne qui y réside. Ce que je sais, c'est que par une belle journée ensoleillée dans ma ville natale, trois semaines après qu'il nous ait semblé que le monde s'écroulait autour de nous, un groupe de policiers de Madison, Alabama, courageux et compatissants, étaient exactement ce dont nous avions besoin à ce moment précis.

Aux bonnes gens de Madison : merci de nous avoir envoyé vos plus braves et meilleurs policiers. Leur écusson de Madison et la politesse et la confiance dont ils ont fait preuve m'ont donné une incroyable dose d'espoir et m'ont fait comprendre que — peu importe ce qui arrivera — notre compassion presque instinctive comme nation pourra vaincre n'importe quelle adversité.

Rendez-moi un service : promettez-moi que quelqu'un de Madison, où que ce soit, communiquera avec moi la prochaine fois que la rivière débordera de son lit (y a-t-il une rivière dans les environs ?), la prochaine fois qu'un incendie privera une famille de sa maison, et la prochaine fois — Dieu fasse que non — que cet endroit d'une gentillesse et d'une décence si évidentes sera frappé par la douleur et la perte. J'aimerais faire ma part.

Steven M. Gorelick, Ph.D.

À la lumière des récents événements,
nous sommes tous New-Yorkais...

Si j'avais eu le choix

Jamais plus je ne regarderai un pompier de la même manière. Qu'y a-t-il à l'intérieur des pompiers, de centaines d'entre eux, qui les pousse à entrer à la course dans un édifice en feu, alors que tous les autres en sortent, pour simplement sauver des gens qu'ils ne connaissent même pas? Leur bravoure fait maintenant partie de notre héritage national collectif. Leur bravoure nous honore tous.

Révérend Bill Hybels

Pendant la nuit, quelque part entre Two Falls et Ogden, j'ai dirigé mon Ford F-250 hors de l'autoroute. Je ne m'étais pas arrêté depuis mon départ de Seattle et j'étais fatigué. À la fin de la journée du 12 septembre, j'ai posé ma tête sur le volant pour me reposer quelques minutes.

Les yeux fermés, je le voyais clairement, s'élançant dans le ciel bleu de cobalt des Rocheuses. Je connaissais le monument aux pompiers disparus du I.A.F.F. depuis des années, mais ce n'est qu'en septembre 1995 que je m'étais rendu à Colorado Springs. Ma première visite à ce mémorial national était due à l'effondrement d'un entrepôt où mon ami Jim et trois autres pompiers de Seattle avaient perdu la vie huit mois plus tôt.

Par la suite, chaque mois de septembre, j'ai fait le trajet vers cet endroit pour le service anniversaire annuel. J'avais toujours trouvé un moment pour m'isoler devant le monument et regarder, impressionné, l'image de bronze d'un pompier descendant une échelle en tenant un bébé sous son bras. Je passais mes doigts sur la nouvelle série de noms gravés dans le granit noir et lisse, sur le devant du monument. Derrière le monument flottait fièrement un drapeau américain, souvent en berne. Des employés du mémorial mettaient le *Old Glory* en berne chaque fois qu'un pompier donnait sa vie. Un nouveau drapeau était hissé et flottait pour chaque pompier mort, et remis à la famille de ce fonctionnaire dans un étui triangulaire en chêne lors de la cérémonie de septembre.

J'ai relevé la tête et j'ai embrayé le camion. Le moteur diesel a grondé quand j'ai accéléré pour reprendre la route vers le Colorado.

Plusieurs heures plus tard, j'étais au sud de Ogden, finissant d'avaler une autre tasse de café tiède. Dans un moment de fatigue, une vague de frustration égoïste m'a envahi. Je bouillais de colère à la pensée que des terroristes, à l'autre bout de mon continent, puissent être si cruels et, par la même occasion, bouleverser ma vie à ce point. Cette année, j'avais prévu faire le pèlerinage avec ma femme, Kate, mais notre vol avait été annulé comme tous les autres.

Dans la faible lumière du crépuscule, j'ai aperçu un drapeau américain solitaire attaché à un poteau de clôture par un patriote, en signe de provocation, et qui pendait mollement dans l'air calme du matin. Depuis Seattle, j'avais vu des étoiles et des rayures partout — fixées aux antennes de voitures, accrochées sur les toits des fermes et suspendues à des fenêtres de bureaux. Quand j'ai pensé aux milliers de morts, à leurs familles ébranlées et aux centaines de sacrifices de collègues pompiers, ma frustration a disparu, remplacée par un sentiment de honte d'être si égoïste.

À l'occasion de sa mort, Jimmy m'avait fait un magnifique cadeau. Pendant des années, j'en avais fait un secret. J'étais en fait un poète inavoué. Après un accident particulièrement tragique ou une journée difficile, j'écris, pendant des heures parfois, pour calmer la douleur et l'agitation de mon âme bouleversée. Ironiquement, c'est lors des funérailles de Jimmy, quand, à la demande de sa mère, j'ai récité un de mes poèmes, que j'ai découvert que mes textes trouvaient un écho dans le cœur de plusieurs autres pompiers.

Le mot s'est rapidement passé et, bientôt, j'étais surnommé « le pompier poète ». J'en étais à la fois gêné et étrangement fier. Au cours des années qui avaient suivi, le Mémorial de l'I.A.F.F. avait utilisé plusieurs de mes poèmes pendant leur cérémonie annuelle. On en avait même publié plusieurs sur des plaques. J'en étais honoré, mais jamais autant qu'après la cérémonie de 2000. Le directeur du mémorial m'avait fait une demande spéciale. Comme le mur existant était presque rempli des noms de pompiers morts en devoir, il fallait en construire un deuxième. Il m'a demandé si je voulais écrire un poème qui serait gravé sur le nouveau mur.

La tâche avait été difficile. Pendant des mois, j'ai cherché les mots, sans résultat. Une question me hantait : *Que pourrais-je dire pour rendre ce mémorial plus significatif?*

La réponse m'est venue au début d'avril pendant un week-end en famille. Appuyé sur une épave en regardant les mouettes voler dans le vent de la mer, j'ai eu une révélation : le mémorial était incomplet. Il y avait des monuments, des murs commémoratifs et les noms de nos disparus, mais il n'y avait pas de message d'adieu, de dernières paroles. Il manquait une déclaration venant des pompiers disparus. Le poème que je cherchais est né en pensant aux milliers d'enfants qui ne verraient jamais plus leur papa, aux mères et aux pères qui enterreraient un enfant, aux femmes et aux maris qui deviendraient veuves et veufs. J'ai griffonné une vingtaine de lignes sur un morceau de papier froissé, je l'ai remis dans ma poche et j'ai rejoint A.J. et Annie, mon fils et ma fille, qui jouaient au bord de la mer.

Dans l'après-midi du 13 septembre, j'étais à une heure au nord de Denver. En entrant dans une station-service à Fort Collins, j'ai presque frappé une camionnette, à quatre roues motrices, de couleur rouge. Flottant fièrement au-dessus de la cabine du camion, il y avait deux grands drapeaux américains. Au lieu de me faire un geste obscène ou de me jeter un regard hargneux, le chauffeur m'a fait un signe amical. J'ai souri et lui ai retourné son geste. Le monde avait bien changé en quarante-huit heures! Je n'avais jamais vu autant de patriotisme et autant de camaraderie entre étrangers. Quelque chose de bien sortait déjà de cet horrible mal.

En arrivant à Colorado Springs, je me suis rendu à ma chambre et j'ai laissé tomber mes deux valises par terre. Après près de vingt-quatre heures de route, le grand lit me semblait bien invitant, mais il me restait une chose à faire. Je suis remonté dans ma camionnette et j'ai démarré.

De l'endroit où je m'étais garé, à environ 200 mètres du monument, je pouvais voir les bouquets. Un arc-en-ciel de fleurs couvrait le terrain du mémorial, certaines soigneusement alignées sur le dessus du mur de granit noir, d'autres éparpillées au hasard comme les jouets abandonnés par un bébé. Il y avait des douzaines de plaques de cire durcie sur les pavés du chemin qui serpentait autour du site. Chaque chandelle représentait le témoignage d'un citoyen respectueux qui se souvenait. Parmi les fleurs, il y avait des cartes et des notes écrites à la main : « Nous t'aimons » « Merci de votre sacrifice » et « Dieu bénisse vos familles! » Sur une autre, il y avait l'image d'un dalmatien soigneusement colorié et un petit bonhomme qui pleurait : « Je suis triste que tu sois mort », disait-il simplement.

Le drapeau américain en berne bougeait à peine. Il ressemblait à une sentinelle qui veillait sur le premier mur de granit noir où on avait inscrit la dernière liste de noms, chacun symbolisant le sacrifice de la famille d'un pompier. J'ai porté mon attention vers le nouveau mur, derrière.

Long de 20 mètres, sa riche surface ébène était vierge à l'exception d'un poème. En passant la main sur les plaques

de pierre, j'ai compris que les premiers noms qu'on y grave-
rait ne seraient pas ceux de soixante, soixante-dix ou même
de cent pompiers tombés au champ d'honneur au cours
d'une année normale de tragédies, mais ceux de plus de
trois cents pompiers de New York qui étaient morts dans un
seul et tragique drame. Appuyé contre le granit froid et
lisse, j'ai pleuré.

Comme il fallait s'y attendre, les pompiers n'étaient pas
nombreux au service commémoratif du samedi. Le 15 septembre, des milliers de pompiers, partout au pays, avaient
été mobilisés pour faire des recherches et du sauvetage. De
plus, comme quatre-vingt-dix pour cent des vols avaient été
annulés, des centaines d'autres n'avaient pu trouver un vol.
Mais le vide causé par les pompiers absents a été comblé
par les citoyens qui sont venus au mémorial de Colorado
Springs, et même d'ailleurs. De Denver, au nord, et de
Pueblo, au sud, de Cascade et de Fort Carson, ils sont venus
par milliers, apportant avec eux leurs larmes, leurs fleurs,
leurs étreintes, leur soutien discret. Ils ne nous avaient pas
oubliés dans notre peine et notre journée du souvenir.

En regardant ces milliers de gens qui étaient venus rendre hommage à des pompiers qu'ils ne connaissaient pas,
j'ai su que, pour la première fois peut-être, l'Amérique comprenait vraiment. Ces gens avaient compris que, pour des
pompiers, la seule différence entre la tragédie innommable
de New York et celles qui se produisent chaque semaine sur
notre continent était dans le nombre de vies perdues, et non
dans l'importance du dévouement ou des sacrifices inestimables. Devant le micro, avant de lire mon poème, j'ai su
que l'Amérique comprenait. Nous avions été là pour eux. À
leur tour, ils étaient là pour nous.

Refoulant mes larmes et la gorge serrée, j'ai lu les mots
gravés sur le nouveau mémorial — des mots que j'avais grif-
fonnés un jour de début de printemps dans une crique au
bord de la mer pendant que les vagues battaient le rivage.
Des mots simples, mais des mots forts, je l'espérais. Simples

et forts, comme la race d'Américains qu'ils voulaient honorer.

Si j'avais eu le choix

Si j'avais eu le choix,
tu sais que je serais resté.
Que j'aurais vieilli, un peu plus gris,
un peu plus sage,
pour combattre quelques incendies de plus,
pour sauver quelques vies de plus.

Si j'avais eu le choix,
je serais revenu une autre fois
pour voir et toucher
ceux qui me manquent,
pour essuyer une larme,
pour voler un baiser.
Et si j'avais le choix
de l'endroit où sera gravé mon nom,
je demanderais que ce soit ici, dans un champ
à l'ombre des Rocheuses,
où les montagnes dominent
les plaines.

Gravez mon souvenir
dans ce granit,
auprès de ceux
qui enseignent au monde
ce qu'est la bravoure d'un cœur de lion,
chaque fois qu'on déploie un nouveau drapeau.

Capitaine Aaron Espy

LE HÉROS EST ORDINAIREMENT LE PLUS HUMBLE
ET LE PLUS INCONNU DES HOMMES.

HENRY DAVID THOREAU

Prendre les choses en main

C'était le matin du vendredi 21 septembre 2001. Je marchais dans l'immense aérogare de la United Airlines à l'aéroport international O'Hare et je remarquais que les aérogares, habituellement foisonnant de monde, étaient anormalement calmes. Je voyage régulièrement par avion et j'aurais pu penser qu'il était tôt un jour de week-end ou de congé, et non un vendredi régulier, jour d'affaires, sans la triste réalité qui expliquait pourquoi l'aéroport était si désert.

Après m'être enregistré et avoir passé la sécurité, j'ai entrepris le long trajet vers ma porte d'embarquement. En marchant, j'écoutais avec plaisir le « Appalachian Spring » de Copeland qui sortait des haut-parleurs de l'aéroport et, sans m'en rendre compte, j'ai commencé à siffler l'air. En descendant l'escalier mobile, une voix à ma gauche a dit : « Un air entraînant, non? » C'était la voix d'un pilote de la United.

« Oui, capitaine », ai-je répondu.

Sans que je lui dise quoi que ce soit, le capitaine s'est tourné vers moi et a dit : « Il y a deux façons de mettre fin à tout ceci. » J'ai immédiatement compris ce dont il parlait.

« La première, c'est que j'ai entre mes mains le contrôle d'une machine très puissante et, en cas de nécessité, je peux causer tellement de turbulence à cet avion que vous ne pourrez maintenir en place votre repas, encore moins pourrez-vous tenir une arme. »

« C'est certain », ai-je répondu, sachant que je n'avais pas besoin de l'encourager à poursuivre.

« L'autre, c'est quand les passagers décident que c'est assez », faisant clairement référence aux méthodes de contre-attaque employées par les passagers du vol 93.

La puissance de ses paroles m'a frappé. Il a immédiatement calmé mes peurs et m'a donné le pouvoir de contrôler ma destinée. Il était réconfortant de l'entendre dire qu'il ébranlerait littéralement tout assaillant jusqu'à lui faire abandonner son projet, et que si cela ne suffisait pas, il me demandait à moi ainsi qu'aux autres passagers sur ce vol de nous battre pour notre vie et pour celle de milliers d'autres personnes que nous pourrions sauver au sol.

Je ne suis pas partisan de la violence, mais la pensée qu'un agresseur armé d'un couteau devrait faire face à mon ordinateur portable dans mon sac à bandoulière, utilisé comme une fronde m'a donné de l'assurance.

Une fois dans l'avion, j'ai de nouveau entendu la voix du même capitaine, sur le système de sonorisation de l'avion. Après nous avoir souhaité la bienvenue à bord, il a répété à l'intention de tous les passagers ce qu'il m'avait dit plus tôt. Il a ajouté qu'il était un pilote de chasse expérimenté et qu'il avait déjà survécu à un détournement d'avion, quelque trente ans plus tôt.

Nous étions confrontés à une grande anxiété et à une grande peur, et ce merveilleux capitaine nous a fait comprendre que nous n'avons pas à être des victimes passives, mais que notre sort repose, du moins en partie, entre nos mains et les siennes.

Matthew E. Adams

Opération Teddy Bear

Je ne suis qu'une seule personne, mais je suis une per-
sonne. Je ne peux pas tout faire mais je peux faire
quelque chose. Je ne permettrai pas à ce que je ne
peux pas faire d'interférer avec ce que je peux faire.

Edward Everett Hale

Je conduisais les enfants à l'école quand j'ai appris la nouvelle. J'ai tout d'abord pensé qu'un petit avion avait sans doute causé des dégâts, mais il était tôt et il n'y avait certainement pas beaucoup de personnes déjà au travail. Je me suis dit *C'est terrible,* en espérant qu'il n'y ait pas de morts. J'ai ensuite pensé à autre chose. Pour être honnête, j'étais trop occupée à me complaire dans ma propre misère pour m'attarder sur quelque chose qui s'était produit si loin de mon petit monde, dans un petit village du Tennessee. Mon mari ne travaillait pas depuis presque un mois et il n'avait encore rien trouvé. Nous avions tant d'arrérages dans le paiement de nos factures que nous doutions pouvoir jamais nous sortir de cette impasse. J'avais pris un rendez-vous pour voir si je pouvais obtenir de l'aide de l'État, simplement pour acheter de la nourriture pour nos trois enfants. Ma mère, décédée en 1997, me manquait beaucoup et je n'avais personne avec qui partager mes peines. Je me souviens avoir pensé que les choses ne pouvaient pas empirer davantage.

Je suis revenue chez moi, et après avoir rangé un peu la maison, je me suis installée pour nourrir le bébé et regarder la télévision. Les images qui passaient à l'écran sur toutes les chaînes m'ont horrifiée. Je suis passée de l'état de choc et d'incrédulité à l'horreur absolue, puis à la colère, et finalement à l'hébétude. J'ai pleuré pendant des heures et des heures, et je n'ai pas fermé l'œil de la nuit. Toutes mes petites tracasseries de dettes et d'apitoiement m'ont quittée. Il

est vrai que rien n'avait changé depuis les heures précéden-
tes, mais face à une telle tragédie, mes problèmes semblaient insignifiants. Tant de vies, tant de destruction et
une nation tout entière en deuil. *Qui s'inquiète du paiement
de l'auto?* Je me suis assise sur mon lit ce soir-là et j'ai
pleuré. J'ai pleuré pour les mères qui avaient perdu leurs
enfants et pour les pompiers, pour les techniciens ambulan-
ciers et les policiers qui avaient fait le sacrifice ultime de
leur vie au nom du service. J'ai pleuré pour les enfants qui
avaient perdu leurs parents. J'ai pleuré pour notre nation et
j'ai pleuré pour mes enfants. J'ai pleuré parce que j'avais le
privilège d'avoir une maison et un lit pour me coucher la
nuit, et parce que mes enfants, mon mari et ma famille
étaient tous sains et saufs. J'ai pleuré de peur que nous
devions aller en guerre et que mes enfants grandissent en
temps de guerre. J'ai pleuré jusqu'à ne plus avoir de larmes.

Le lendemain matin, comme d'habitude, j'ai préparé les
enfants pour l'école. Ils ont posé très peu de questions sur
les événements de la veille, mais celles qu'ils ont posées
m'ont fait réfléchir.

« Pourquoi Dieu crée-t-il des méchants, maman? » m'a
demandé celui de six ans.

« Dieu ne les fait pas méchants, mon cœur », fut ma
réponse à peine audible. Heureusement, elle l'a apaisé.

« Maman, ne pourrions-nous pas aller les aider? » a
demandé celui de onze ans.

« Je le voudrais bien, mon chéri, mais c'est si loin. Et
nous n'avons pas d'argent à envoyer », ai-je répondu, hon-
teuse.

Une fois les enfants à l'école, leurs questions ont continué à me trotter dans la tête. *Pourquoi? Pourquoi? POUR-
QUOI?* Je n'avais pas de réponse, seulement d'autres questions. Je suis arrêtée chez Wal-Mart pour acheter des cou-
ches et, pendant que j'étais là, j'ai vu du ruban bleu, blanc,
rouge. Un rouleau ne coûtait que soixante-dix cents. Je me

suis dit que je pourrais me permettre cette dépense pour démontrer mon appui envers ceux qui étaient au centre d'une telle horreur. J'ai préparé des rubans d'unité pour toute la famille et j'en ai même eu assez pour en faire quelques-uns de plus que j'ai apportés à l'école pour les donner aux professeurs. Ce soir-là, ma fille a enlevé son ruban et l'a épinglé sur son ourson en peluche préféré. J'ai pensé que c'était pour le mettre en lieu sûr. Par la suite, à ma grande surprise, elle m'a apporté l'ourson et m'a dit : « Maman, est-ce que je peux l'envoyer à New York, à une des personnes qui ont été blessées ? »

Les larmes aux yeux, j'ai dit : « Certainement, ma chérie, je crois que nous pouvons le faire. » À partir de là, les idées se sont mises à trotter dans ma tête. *Pourquoi ne pourrions-nous pas le faire?* J'ai pensé que je pourrais amasser des oursons et y attacher un ruban de l'unité avec un message écrit à la main sur chacun pour envoyer à New York et à Washington. Je peux faire cela! C'est ainsi qu'est née la Brigade Teddy Bear 911 (Opérations caresses d'oursons).

Je me suis installée à l'ordinateur et j'ai raconté le projet au plus grand nombre de personnes possible. Un des groupes en ligne appelé « Mom Writers » a particulièrement été d'un grand soutien. Ce groupe de mères est l'un des plus compatissants que j'ai eu le plaisir de connaître. Avant de m'en rendre compte, des suggestions m'ont été faites ainsi qu'une offre pour écrire un communiqué de presse. En l'espace de quelques jours, plus de quarante oursons du monde entier ont été livrés à ma porte.

Une fois le communiqué de presse et les feuillets prêts, les choses ont vraiment démarré. Tout d'abord, un chroniqueur du journal local m'a interviewée, puis un de la télévision communautaire, « Tullahoma Living ». Par la suite, nous avons été interviewées par le chef des nouvelles du Canal 6. J'ai envoyé des courriels à plusieurs réseaux de nouvelles et quelques-uns ont souligné notre projet. Les troupes des Guides nous ont envoyé des oursons avec des phrases à nous briser le cœur d'émotion. Nous étions émus chaque fois qu'arrivait un nouvel ourson avec son précieux message, et nous pleurions. Oh, comme nous avons pleuré!

Le 5 octobre, nous avions en notre possession environ trois cents oursons. Certains n'avaient pas de notes et nous avons demandé aux services des pompiers et de la police s'ils voulaient écrire des messages; et pour les autres, nous les avons écrits nous-mêmes.

Nous avions retenu la date limite du 11 décembre 2001 pour envoyer les oursons à New York et à Washington. Nous ne savions pas combien nous en recevrions, mais notre objectif était de cinq mille.

Nous remettrons les oursons aux bénévoles. Nous avions remarqué qu'on s'occupait beaucoup des victimes et de leurs familles, et nous voulions honorer les bénévoles qui avaient travaillé sans relâche, dormant dans la rue et retournant travailler à l'aube. Je ne peux pas imaginer l'horreur de la scène à Ground Zero, mais je suis tellement reconnaissante envers tous ceux qui ont donné d'eux-mêmes si généreusement pour aider les autres. Ils méritent notre gratitude et bien plus. Je sais qu'on pourrait penser qu'un ourson n'est rien si on considère la situation dans son ensemble, mais ce n'est pas l'ourson qui compte. Ce sont les messages qui y sont attachés, l'amour, la gratitude et le simple geste qui comptent. Les bénévoles sont à la base des efforts de sauvetage et de nettoyage, et on ne devrait pas les oublier. Je crois que cette citation dit tout : « Les bénévoles ne sont PAS payés, non pas parce qu'ils n'ont pas de valeur, mais parce qu'ils n'ont pas de prix. »

Je voulais juste démontrer que, si je peux faire une contribution, tout le monde le peut. Je suis simplement une maman à la maison avec un budget limité. Je n'ai pas d'argent à donner, mais j'ai donné ce que j'avais : mon amour et ma gratitude éternelle.

Tina Warren

Envoyez de la beauté

Le matin du mardi 11 septembre, Kate Cain-Bell était totalement absorbée par l'enseignement de « choses importantes » à ses élèves de première année à l'école élémentaire Richboro, à Richboro, Pennsylvanie.

Tôt dans la journée, le principal lui a demandé de sortir de la classe un instant. Là, dans le hall, elle a appris la dévastation à New York et à Washington, D.C. Il lui a été difficile de bien saisir la nouvelle, et encore plus d'essayer de l'expliquer toute seule aux petites têtes innocentes; elle a donc convenu de respecter la décision de l'école de ne pas informer les enfants.

Quand Kate est retournée vers ses étudiants qui l'attendaient, la tâche d'enseigner semblait bien peu importante en comparaison de la signification des événements de la journée. Comme c'était une femme profondément spirituelle, elle s'est sentie obligée de créer un impact positif sur le monde en temps de si grande crise. Une idée a jailli dans son esprit. Elle a inspiré profondément, s'est dirigée vers le devant de la classe et elle a fait sa demande.

« Je demande à chacun de vous d'imaginer la chose la plus belle à laquelle vous pouvez penser. Gardez cette pensée dans votre tête et envoyez-la dans le monde. Pouvez-vous tous faire cela? »

Tous les jeunes visages ont fait oui de la tête.

« Bien, faisons-le. »

À ce moment-là, une vague de beauté a été envoyée dans un monde de laideur.

À la fin de la journée, Kate voulait préparer sa classe au fait qu'ils ne retrouveraient pas le même monde qu'ils avaient laissé le matin même. Elle a eu une autre idée. Elle s'est levée devant la classe encore une fois.

«Vous vous souvenez quand je vous ai demandé d'envoyer votre plus belle pensée dans le monde? »

Après avoir attendu qu'ils acquiescent, Kate a continué. « Pendant que vous envoyiez votre beauté, quelqu'un d'autre n'a pas envoyé de si belles pensées dans le monde. »

Kate s'est arrêtée pour voir si les jeunes étudiants comprenaient.

Une petite fille, qui s'appelait Allie, a dit d'une petite voix : « Quand je serai rendue à la maison, je leur enverrai aussitôt une belle pensée! »

Au cœur d'une tragédie, le triomphe se présente sous plusieurs formes. Cette fois-là, il est venu sous la forme d'une jeune enfant qui a appris une leçon qui était « une chose importante. »

Envoyez de la beauté.

Teri Goggin

Sans paroles

Pendant les jours qui ont suivi les bombardements du World Trade Center, New York est resté figé. Ceux qui ont réussi à aller travailler l'ont fait avec le sens du devoir mais aussi dans la crainte. Certains pensaient qu'en retournant travailler, ils déclaraient : « Nous sommes Américains. Nous n'avons pas peur, nous ne sommes pas vaincus. » Mais la peur était partout — dans les images d'horreur à la télévision, parmi les survivants et leurs amis et connaissances, sur le visage des passants dans les rues.

Rowland Henley, qui travaille pour Philip Morris, devait se rendre au bureau le jeudi. « Tout semblait surréaliste. Je pensais que, si j'allais travailler, je pourrais secouer ce terrible sentiment de perte envahissant. Impossible. » Philip Morris a reçu une alerte à la bombe le jeudi, et l'édifice a été évacué. Les gens s'entassaient dans les rues. Certains parlaient sur leurs cellulaires, en disant adieu à ceux qu'ils aimaient. Rowland s'est dirigé au sud vers le pont Brooklyn, en espérant retourner chez lui. Il s'est retrouvé dans un bar avec d'autres évacués, avec une mosaïque de la société — des professionnels, des chauffeurs de taxi, des travailleurs de la construction, des pompiers et des secouristes. Leur besoin de réconforter et d'être réconfortés était leur lien commun.

Rowland, comme des milliers d'autres, croyait que la seule façon d'atténuer la tristesse qui l'envahissait était d'aider de quelque façon. Quand sa compagnie a proposé à ses employés qui le voulaient d'offrir leurs services à la Croix-Rouge, Rowland a accepté. Son travail consistait à fournir du support aux travailleurs à Ground Zero.

« On nous a dit de nous efforcer de remonter le moral de ces gens. "Parler des Yankees, faire de grands sourires, leur changer les idées…" On ne peut pas dire des banalités à ces gens qui sont des géants, chacun d'eux. J'ai cessé d'essayer et je me suis lancé dans le travail physique. »

Rowland et d'autres bénévoles ont transporté des boîtes de provisions, ont préparé de la nourriture, ont nettoyé des tables, vidé les ordures, rempli des choses, transporté des choses, ils ont fait ce qui était nécessaire pour aider ceux qui avaient pour terrible mission de nettoyer Ground Zero.

« Ils ne cessaient pas de nous remercier! a dit Rowland incrédule. Ils nous remerciaient quand c'étaient eux qui auraient dû recevoir ces remerciements. Je voulais dire quelque chose, n'importe quoi qui aurait exprimé mes sentiments à ces êtres humains généreux et aimants.

« Je pensais, si seulement je pouvais trouver les mots... »

Mais il n'y avait pas de mots.

Même quand un corps était retrouvé, quand tous s'arrêtaient, la main sur le cœur pendant qu'un cortège ramenait lentement son précieux contenu vers le centre de triage avant d'être amené à la morgue improvisée, même quand les larmes coulaient, elles coulaient en silence. Il n'y avait pas de mots.

Pour quelqu'un comme Rowland, ce silence était la chose la plus difficile à supporter. Une jeune femme, dont le mari ou l'amant ou l'ami était parmi ceux dont les corps ont été retrouvés, se tenait seule à l'intérieur de la tente de l'Armée du Salut après le service. Elle est restée là très longtemps, à regarder dans le vide. Après un certain temps, elle a remarqué sur une table dans un coin un petit animal en peluche. C'était un ourson avec un ruban rouge.

« Je me suis arrêté près de l'entrée de cette tente, a dit Rowland. J'étais déjà passé devant dans mes déplacements et j'avais vu cette femme qui était là. Je ne sais pas pourquoi, je me suis arrêté à ce moment-là pour la regarder. Mais je l'ai fait. Et alors, j'en ai été heureux. »

La femme a pris l'ourson, l'a serré fortement contre elle et s'est mise à pleurer — de gros sanglots profonds. C'était comme si elle avait besoin de libérer ce qu'elle avait gardé à l'intérieur. Cette chose-là devait être normale, un doux et ravissant jouet d'enfant envoyé par quelqu'un dont la seule intention était d'offrir du réconfort, de la bonté et de l'appréciation. Et parmi toute cette dévastation, l'ourson ne détonnait pas du tout. Et ce, parce que tous les travailleurs — ceux sur le tas et ceux, comme Rowland Henley, qui avaient offert leurs services pour les supporter — étaient là pour la même raison.

Quelqu'un avait envoyé cet ourson (j'ai appris plus tard que plusieurs autres étaient en route) dans l'espoir qu'il fournirait du réconfort à quelqu'un, à une personne qui en avait besoin. Sa douceur, son petit ruban rouge vif sur la grisaille de l'environnement triste brillaient comme un phare pour indiquer la raison de sa présence — la compassion et l'espoir.

Parfois les mots ne suffisent pas. Parfois aussi, ils ne sont même pas nécessaires.

Marsha Arons

Le ruban bleu froissé

Nous ne connaissons pas toujours les vies que nous avons touchées et que nous avons contribué à améliorer par notre sollicitude, parce que les actions peuvent parfois avoir des ramifications imprévues. L'important est que vous aimiez et agissiez.

Charlotte Lunsford

Madame Green, une enseignante de quatrième année, était accablée en regardant les nouvelles à la télévision. Elle avait enseigné pendant plus de vingt-deux ans, mais elle n'avait jamais été confrontée à un tel désastre. Elle était envahie par le désespoir jusqu'à ce que, soudain, elle se rappelle une histoire qu'elle avait lue dans *Un 1er bol de Bouillon de poulet pour l'âme* intitulée « Vous n'êtes pas n'importe qui », dans laquelle la vie d'un garçon de quatorze ans a été sauvée quand son père l'a décoré d'un ruban bleu.

« C'est la réponse », s'est-elle écriée. *Nous n'avons pas à concentrer toutes nos énergies sur les terroristes. Je peux enseigner à mes étudiants comment s'aimer les uns les autres et faire en sorte que le monde soit un endroit plus sain et plus paisible dès maintenant.* Elle a téléphoné immédiatement pour acheter des rubans bleus « Qui je suis fait une différence ».

Ses yeux scintillaient pendant qu'elle tenait les rubans bleus dans ses mains et qu'elle annonçait à ses étudiants qu'aujourd'hui ils n'apprendraient pas à lire, à écrire et à compter. Plutôt, ils vivraient une expérience pratique sur l'amour, la vie et la signification d'être vraiment un être humain remarquable. Elle leur a parlé tour à tour, en disant à chacun à quel point ils étaient spéciaux et uniques à ses yeux. Ensuite, elle a mis un ruban bleu « Qui je suis fait une différence » tout juste au-dessus de leur cœur. La tristesse et la douleur des jours récents se sont estompées.

Le visage des étudiants était lumineux, la poitrine gonflée et le moral au plus haut. Si seulement la morosité et le désespoir habituels des derniers jours avaient pu disparaître pendant ces trente minutes, elle était convaincue que quelque chose de très spécial s'était produit ce jour-là.

Elle a remis d'autres rubans bleus aux étudiants qui quittaient la classe en leur disant : « Allez chez vous et dites à vos parents, à vos frères et à vos sœurs — à tout le monde — combien vous les aimez. Dites-leur aujourd'hui! Mettez un ruban bleu au-dessus de leur cœur. » La cloche a sonné et les étudiants se sont précipités à l'extérieur avec un nouvel enthousiasme. Elle s'est assise à son bureau en pleurant de joie. Elle se sentait tellement soulagée. L'amour était définitivement ce qu'il fallait enseigner au monde à l'instant même. Au moins, elle avait fait sa part.

Elle espérait maintenant que ses étudiants pourraient transmettre cet amour aux autres. Mais elle n'aurait jamais soupçonné la différence qu'a fait cet exercice pour un père.

Moins d'une semaine après, un parent est entré en coup de vent dans sa classe sans s'annoncer.

« Je suis le père de Timmy, a-t-il dit. Ce projet de ruban bleu, était-ce votre idée? »

« Oui », a répondu Madame Green.

« Eh bien », a murmuré le père en sortant un ruban bleu froissé de sa poche, « mon fils est arrivé à la maison l'autre jour et m'a dit combien il m'aimait, et que j'étais un bon père. Je suis venu ici pour vous dire que je ne suis pas un bon père. Je suis un alcoolique. Il s'est pourtant produit une chose quand mon fils m'a dit combien il m'aimait. À ce moment-là, j'ai décidé d'aller chez les AA pour la première fois. Je suis même allé à l'église dimanche dernier. Vous voyez », a-t-il dit en se dirigeant vers la porte, « le monde souffre peut-être, mais je n'ai pas besoin d'ajouter à sa souffrance. En fait, ajouta-t-il, à partir de maintenant, je vais devenir le père que mon fils croit que je suis. »

Mme Green a ravalé sa salive en regardant le père sortir de sa classe, sachant que la guérison avait commencé et que le monde serait meilleur... parce qu'elle avait appris l'amour à au moins un enfant.

Helice Bridges

*« Enfin, une file
dans laquelle ça ne m'ennuie pas d'attendre. »*

S'acquitter d'une dette
de reconnaissance

Un groupe d'étudiants de la Caroline du Sud ont amassé près de 500 000 $, dépassant leur objectif, afin d'acheter un camion de pompiers pour New York et ainsi payer une vieille dette de reconnaissance datant de 134 ans.

Les efforts des étudiants de l'école White Knoll Middle pour remplacer un des camions détruits lors des attaques du 11 septembre ont connu un élan d'encouragement quand on a découvert que les pompiers de New York avaient donné un camion à Columbia deux ans après la Guerre civile. Les responsables de l'époque à Columbia avaient promis de ne jamais oublier cette faveur.

« Cela démontre combien nous apprécions les gens de New York », a dit Laurin, étudiante de deuxième secondaire. « Cela prouve aussi que nous tenons nos promesses. »

Les enfants projettent de présenter un chèque de 447 265 $ au maire de New York, Rudolph Giuliani, pendant le défilé de l'Action de grâces de Macy's. Cette somme couvre le montant du camion, 350 000 $, et d'autres équipements que les pompiers souhaitent se procurer.

Le gouverneur, Jim Hodges, espère que le camion emportera avec lui un petit symbole de la fierté des gens de la Caroline du Sud. Quand l'annonce a été faite le mardi, il a remis aux étudiants un drapeau bleu de l'État représentant un palmier nain pour apporter à New York.

La directrice de l'école White Knoll, Nancy Turner, s'est dite surprise que les étudiants aient pu recueillir l'argent si rapidement. Elle a ajouté, par contre, que les enfants n'en avaient jamais douté. Quand elle a parlé aux adultes d'acheter le camion de pompiers, ils ont tous demandé :

« Combien ça coûtera? » Tous les étudiants ne voulaient savoir qu'une chose : « Qui conduira le camion? »

Ce fut Turner qui a trouvé dans les dossiers l'histoire du cadeau de New York, des années auparavant, alors qu'elle faisait des recherches sur le prix et sur quel type de camion acheter.

En 1867, Columbia se débattait encore pour se remettre des ravages causés par la guerre de Sécession quand l'Association des pompiers de New York a entendu dire que la ville utilisait encore des brigades de seaux à eau pour combattre les incendies. Les New-Yorkais, dont plusieurs étaient des anciens soldats de l'Union, ont fait une collecte pour acheter un camion de pompiers pour Columbia. Le camion a été perdu pendant le transport et ils ont fait une autre collecte pour le remplacer.

L'ancien colonel Confédéré, Samuel Melton, était tellement ému qu'il a promis, au nom de la capitale de la Caroline du Sud, d'acquitter la dette de reconnaissance un jour, « si jamais le malheur frappait la ville de New York ».

Inspiré par ce lien historique, William Murray, un avocat de New York qui avait des liens avec la Caroline du Sud, s'est engagé à donner 100 000 $ si les étudiants pouvaient amasser le reste. Le chef des pompiers de Columbia, John Jansen, un natif de New York, s'est aussi joint à eux pour aider à diriger la collecte de fonds.

Pendant qu'on s'attardait surtout à s'acquitter de la dette de reconnaissance datant du dix-neuvième siècle, plusieurs dignitaires, le mardi, ont mis le focus sur les leçons de générosité. « Ceci est l'exemple ultime de la formation du caractère », a dit le commissaire de l'éducation de l'État, Inez Tenenbaum. « Ces étudiants ont fait un cadeau aux gens de New York, mais ils nous ont aussi fait un cadeau à chacun de nous. »

Associated Press

Des rosettes
partout en Amérique

*Quand se produisent des événements inattendus, ils
augmentent notre foi, renforcent notre capacité de
tolérance et mettent en valeur nos talents, nos aptitudes et nos forces cachés.*

Iyanla Vanzant

Comme plusieurs d'entre nous, je tournais en rond le
samedi après les attaques du 11 septembre sur notre pays,
en me demandant quoi faire. Comment pouvais-je aider et
était-ce vrai que quelqu'un avait rasé le World Trade Center
avec deux avions détournés?

Ce n'était pas le moment de rester inactive, je me suis
donc dirigée vers la ville. Les pompiers de la localité amas-
saient des fonds pour New York, des drapeaux flottaient au
vent sur les édifices, sur les voitures et sur les motocyclet-
tes, et des banderoles étaient accrochées sur les ponts et
autour du cou des chevaux. Les gens marchaient autour du
lac, la tête basse, et la ville était d'un calme inhabituel, et
néanmoins tout aussi animée que tout autre samedi dans
une ville touristique des Montagnes Rocheuses.

Je me suis arrêtée au café et me suis mise à pleurer à la
vue d'une enfant de quatre ans qui avait des rubans américains dans ses cheveux, pour ensuite éprouver une sou-
daine et immense fierté pour le pays où je vivais. En un rien
de temps, je me suis retrouvée au magasin de tissus à la
recherche de moyens d'afficher ma fierté américaine. Dans
un panier sur le coin, il y avait un petit morceau de tissu à
drapeau, une épingle et des rubans bleus, blancs et rouges;
j'ai donc acheté ce qu'il y avait là et je me suis demandé
pourquoi je n'avais jamais eu de drapeau à déployer. Dans

une période de crise nationale, avec un sens renouvelé de patriotisme, il était impossible de s'en procurer un dans toute la ville de Denver. J'ai eu quelque peu honte de moi.

Le tissu et les rubans se sont transformés en une boucle que j'ai portée à l'église le lendemain. Avant la fin du service, dix personnes voulaient une rosette comme la mienne. Je me suis entendue dire : « Je les vends cinq dollars et tout l'argent va au New York Fire 9-1-1 Relief Fund. Combien en voulez-vous ? »

Le jour suivant, j'ai porté ma rosette au travail et j'ai vite compris que j'avais trouvé une façon d'aider. Après avoir reçu cent commandes, je suis allée au magasin de tissu le plus près et j'ai acheté le seul rouleau de tissu à drapeau ainsi que toutes les épingles et les rubans qu'ils avaient. Il a fallu que je fasse des rosettes pendant trois nuits avant de pouvoir passer la soirée sans pleurer. Cette simple façon de créer avec mes mains m'aidait à guérir. Ce n'était pas que les attaques ne prenaient plus leur sens — seulement que chaque rosette symbolisait une énergie positive pour remplacer la tristesse omniprésente.

Ce projet devait porter un nom et avoir une mission. Je me suis éveillée un matin avec l'acronyme « BOWS Across America — Bracing Others With Support » [Des rosettes partout en Amérique — Soutenez les autres par votre appui]. La mission consistait donc à faire une rosette à la mémoire des personnes qui avaient perdu la vie le 11 septembre. *Si nous fabriquions 10, 20 ou 150 000 rosettes, notre fierté grandirait et se multiplierait, et il ne serait pas nécessaire de cesser de fabriquer des rosettes,* ai-je pensé. Tout comme ne pas avoir de drapeau à déployer quand j'en avais le plus besoin, pourquoi les gens ne porteraient pas une rosette bleu, blanc et rouge sur leur corsage, que ce soit à Noël, au 4 Juillet, mardi ou à la Saint-Patrick ?

En une semaine, des professeurs de sept écoles élémentaires ont demandé du matériel pour fabriquer des rosettes. Les épiceries locales ont permis aux enfants de s'installer à

l'extérieur de leurs entrées et de vendre les Rubans patriotiques aux clients. Il aurait fallu voir l'arrangement de
rosettes et de rubans présentés dans des paniers de Pâques
jusqu'aux boîtes à chaussures. Certains tissus étaient coupés en deux; les rubans étaient attachés aux extrémités et
au milieu, et formaient une boucle avec de longs bouts flottant au vent. Des épingles de sûreté étaient piquées dans la
boucle, sur le devant et à l'arrière. Pendant tout ce temps,
les gens se mettaient en ligne pour acheter des rosettes.
Certains donnaient un dollar, d'autres vingt dollars, mais
chacun donnait soit un sourire, soit une caresse, versait une
larme ou disait : « Que Dieu bénisse l'Amérique. »

Il fallait que je partage mon idée avec des amis. Cela les
aiderait peut-être à guérir un peu, tout comme moi. J'ai
emballé les rosettes et je les ai envoyées à des personnes qui
en voulaient dans d'autres États. Une personne a acheté
une rosette et l'a envoyée à un ami quelque part en Amérique. Le temps de le dire, le projet avait été lancé dans onze
États. Ma chère amie au Texas a dit : « Je ne pouvais pas
lutter contre la peine ou la tristesse. C'était beaucoup trop
difficile. Donc, je niais la chose au lieu d'essayer d'aider
quelqu'un d'autre, comme cette rosette m'a montré à le
faire. Nous devons honorer les victimes. »

Quelques semaines après, nous avons envoyé au Relief
Fund plus de cinq mille dollars — le prix de mille rosettes
vendues pour un millier de héros. Avant longtemps, de nouvelles écoles ont apporté leur aide, des gens d'autres États
ont téléphoné de la part d'églises et de groupes de jeunes.
Les gens voulaient aider d'une façon ou d'une autre; parce
que la facette « ne pas savoir » que cette attaque a apportée,
a rendu le désespoir trop difficile à ressentir.

Un millier de rosettes, un millier de héros, plus de quatre mille autres vies à honorer. Que Dieu bénisse l'Amérique.

Lisa Duncan

3

LE MONDE RÉPOND

Ceci n'est pas une bataille
entre les États-Unis et le terrorisme,
mais entre le monde libre et démocratique et le terrorisme.
En conséquence, nous, ici en Grande-Bretagne,
sommes coude à coude avec nos amis américains
en ces heures tragiques,
et nous, comme eux, n'aurons de repos
que lorsque le mal aura été chassé de notre monde.

Le premier ministre britannique, Tony Blair

Un village de pêcheurs ouvre son cœur à des invités-surprise

Le 11 septembre, quand les responsables des gouvernements ont constaté qu'on utilisait des avions comme missiles, trente-huit vols internationaux ont immédiatement été déviés vers le terrain d'atterrissage d'urgence de Gander, Terre-Neuve, une ville de dix mille habitants sur la côte atlantique du Canada.

Le lieutenant de police de Bellevue, Steve Cercone, qui était allé en Europe pour des funérailles dans sa famille, était l'un des quelque 1 000 passagers qui ont atterri à environ quarante kilomètres à l'est de Gambo, un village de pêcheurs de 2 200 habitants.

Cette escale, qui devait être temporaire — en attendant que les gouvernements et les compagnies aériennes mettent au point les détails logistiques pour rouvrir l'espace aérien américain — s'est avérée une aventure de cinq jours pour les passagers comme pour les gens du village.

Ils se sont regroupés autour de postes de télévision ; à la seule taverne de l'endroit, ils ont bu du « screech », le rhum brun local ; ils ont mangé du ragoût d'orignal et des filets de morue ; et ils ont dormi dans les églises et les écoles du village. Les gens locaux ne sont pas allés travailler cette semaine-là pour s'occuper des visiteurs.

« Au milieu de cette grande tragédie, nous avons été assez chanceux de voir l'autre côté de la vie, l'autre côté de la nature humaine, se rappelle Cercone. La bonté de parfaits étrangers qui nous ont accueillis, nous ont permis de prendre des douches, nous ont nourris, ont fait notre lessive...

« Cinq jours à Gambo. Ce serait un très bon scénario de film. »

Le vol 929 de la compagnie United Airlines — de Londres à Chicago — était à 11 500 mètres d'altitude quand Cercone a entendu la nouvelle.

Le pilote, capitaine Mike Ballard, a dit aux 198 passagers qu'il y avait une urgence majeure à New York et que l'espace aérien américain avait été fermé.

On a délesté de l'essence parce que l'avion était trop lourd pour atterrir et on a sorti le train d'atterrissage d'urgence. « Notre imagination courait de A à Z », a dit Cercone, un vétéran de vingt ans de la police, qui avait été autrefois superviseur de l'escouade tactique de Bellevue.

La petite équipe au sol à Gander, habituée à sa routine calme en tant qu'escale pour les avions-cargo, accueillait soudain 6 500 passagers.

« Vers le milieu de la journée, on nous a dit que des avions venaient vers nous et de nous attendre à en recevoir quelques-uns », a dit Claude Elliot, le maire de Gander. « Nous avions un plan d'urgence que nous avons aussitôt appliqué. »

Les églises, les écoles et les organismes municipaux ont ouvert leurs portes. Elliot a transmis des messages à la radio et à la télévision, en disant aux gens qu'on avait un besoin urgent de vêtements, de lits, de nourriture, d'oreillers et de sacs de couchage. Les chauffeurs d'autobus de la ville, qui étaient en grève, ont déposé leurs affiches et ont offert de transporter les passagers.

« Tout le monde écoutait les nouvelles ce matin-là, tout le monde savait que ces gens avaient échoué loin de chez eux ou qu'ils avaient des êtres chers qui travaillaient au World Trade Center, a dit Elliot. Nous avons simplement essayé de rendre leur séjour aussi confortable que possible. »

C'est Gander qui a accueilli la plus grande partie des passagers, environ 4 200. Certains de ces gens ont été envoyés dans des villages environnants — Gambo, Glenwood et Benton.

Les étrangers sont arrivés à Gambo dans l'après-midi, quatre avions pleins, encore bouleversés par les nouvelles de l'attaque.

On les a rapidement répartis entre la Society of United Fisherman, la Smallwood Academy, le Lions Club, et différents autres groupes municipaux et églises. Les passagers du vol 929 ont dormi sur des lits de camp et sur des bancs à la citadelle de l'Armée du Salut.

La population du village venait d'augmenter de 50 pour cent. Le monde, lui, s'était rapproché un peu plus.

Wycliffe Reid, capitaine de l'Armée du Salut, a dit : « Nous avons vu la nouvelle ce matin à la télévision. Comme tout ce qui arrive aux États-Unis, c'est loin. Le même jour, ces gens sont ici, juste ici à nos portes, et nous sommes maintenant touchés, nous aussi. On a fait appel à nous pour donner un service. Nous sommes devenus liés à ces gens et à ce qui se passait. »

La première inquiétude de Reid était : comment allons-nous faire pour les nourrir tous?

Des épiceries et des restaurants ont fait des dons. Des pêcheurs ont donné plus de 70 kilos de morue.

La Home League Ladies, deux douzaines de femmes fortes, ont préparé et servi les repas.

« Nous comprenions la gravité de la situation », a dit Kevin Noseworthy, le président du Club des Lions. Nous nous sommes serré les coudes et nous avons établi des quarts. Quelqu'un cuisinerait un repas, un autre préparerait le repas suivant. Parfois, la tâche était écrasante, mais nous avons passé au travers.

« Quand je serai vieux dans ma berceuse, je me rappellerai ce moment important. J'ai fait quelque chose de bon pour l'humanité. »

La seule taverne du village est située dans un bungalow de plain-pied, qu'on appelle le Trailway Pub.

Graham Thompson l'avait achetée trois mois plus tôt et il était à la transformer ce mardi après-midi — déplaçant le bar vers l'autre côté du local. Soudain, vingt-cinq personnes sont entrées, puis vingt-cinq autres et encore vingt-cinq après cela.

« Nous avons eu 150 personnes dans la place, quatre soirées d'affilée, dit Thompson. Le club était en désordre avec tous ces gens agités, chaleureux et intenses. Nous nous sommes fait beaucoup d'amis parmi eux. »

La télévision était réglée à CNN et les sept employés surexcités n'arrivaient pas à répondre à la demande de bière.

Le bar a été l'hôte d'une cérémonie au cours de laquelle les étrangers ont été faits Terre-Neuviens honoraires. Ils l'ont expliqué ainsi : mettez-vous à genoux; embrassez une morue sur les lèvres pour reconnaître l'industrie florissante de la pêche de la région; mangez un pain dur de la localité — un pain si dur qu'il faut le tremper dans l'eau; buvez du « screech », le rhum brun capiteux; et louangez Terre-Neuve.

« C'est à peu près cela, dit Noseworthy. Vous avez bu notre alcool, vous avez embrassé notre poisson, vous avez mangé notre pain. Maintenant, vous êtes un Terre-Neuvien honoraire. »

Les gens de la place estiment qu'environ 90 pour cent du village a donné un coup de main. Puis, sans crier gare, les visiteurs sont partis.

Les contrôles ont été levés et le vol 929 était prêt à rentrer chez lui.

Le vol de retour a été rapide et tous étaient inquiets. Le capitaine Ballard a pris Cercone à part et lui a dit : *ne laissez personne aller dans le poste de pilotage.*

Le vol 929 a atterri à l'aéroport international O'Hare de Chicago vers 13 h, le 15 septembre, le dernier des avions détournés à arriver à sa destination.

Les membres de l'équipe au sol de la United ont formé un corridor avec leurs camions; ils agitaient des drapeaux des États-Unis et applaudissaient.

« Cela vous touche droit au cœur », a dit Cercone, en se frappant l'estomac. « Tout le monde s'embrassait, tout le monde pleurait. »

Plus tard, il a mangé un steak chez Gibson, sur la rue Rush, et il a pris une bonne nuit de sommeil dans un hôtel avoisinant. Le lundi, Cercone était de retour à Seattle pour reprendre sa vie, pour reprendre sa routine.

Michael Ko

[NOTE DE L'ÉDITEUR : Les visiteurs ont remercié en offrant 51 000 $ au village de Gander, et les passagers d'un certain vol ont créé un fonds d'étude d'une valeur de 19 000 $ qui grossit encore.]

De petits gestes

Je m'attends à ne passer qu'une fois sur cette terre; en conséquence, toute bonne action que je peux faire, ou toute bonté que je peux démontrer à un de mes semblables, que je le fasse maintenant; ne me permettez-pas de reporter ou de négliger, car je ne reviendrai plus par ici.

Etienne DeGrellet

Il est 22 h 30, le 11 septembre, et je suis en train de gonfler un matelas double avec une pompe manuelle au parc des expositions de Halifax. En compagnie de plusieurs Haligoniens, je suis arrivée ici vers 20 h pour savoir si je pouvais aider à rendre la vie un peu plus facile aux passagers coincés ici. Je crois que c'est le quinzième matelas que je gonfle et je suis fatiguée, j'ai chaud et je transpire. Une femme plus âgée, couchée sur un matelas dans un sac de couchage, me regarde et dit quelque chose. Tout ce que j'entends est le mot « thé ». Je cesse de pomper et lui dit : « Certainement, je vais vous trouver une tasse de thé. » Elle me regarde en disant : « Non, pour vous, pas pour moi. »

Je la remercie de son offre mais tout va bien pour le moment. Elle a l'air plutôt sérieuse, étendue là, seule, parmi des centaines d'autres passagers de l'avion qui déambulent et essaient de trouver des lits. Elle est couchée sur le dos et fixe le plafond. Je lui dis que la journée doit avoir été bien longue pour elle.

Elle habite New York et elle rentre après avoir visité l'Angleterre. Elle était sur un avion de la British Airways qui a été détourné sur Halifax à la suite des terribles événements qui ont eu lieu à New York. Elle me parle de son mari et de ses deux filles qui vivent à New York, et elle s'imagine que l'une d'elles et son fiancé doivent être terriblement occupés, puisqu'ils sont médecins tous les deux.

Je lui pose ensuite la question inévitable : « Avez-vous communiqué avec votre famille? »

Son regard qui était sur moi se détourne vers le sol. Elle me dit qu'elle n'a pas pu communiquer encore, mais elle est confiante qu'ils sont sains et saufs, et qu'ils savent qu'elle est en sécurité. Pendant qu'elle parle, je perçois l'hésitation et l'inquiétude dans sa voix.

Je m'assois doucement près d'elle en lui disant que je travaille pour la compagnie de téléphones cellulaires locale et je lui offre mon téléphone pour appeler son mari. Un sourire éclaire son visage quand je lui demande le numéro. Après quatre essais pour avoir une ligne, nous entendons finalement la sonnerie à l'autre bout du téléphone. Je lui donne l'appareil, elle le prend, et je crois que je n'oublierai jamais la voix tremblante que j'ai entendue par la suite…

« Joseph? Je suis en sécurité. Je suis à Halifax. »

Elle parle pendant environ cinq minutes et apprend que sa famille est sauve. Pendant que Joseph lui décrit les événements de la journée, elle écoute en silence avec de grands yeux et la main sur la bouche. Elle lui demande de dire à ses filles qu'elle va bien et, avant de raccrocher, elle dit : « Les Canadiens sont merveilleux. Je suis si impressionnée par Halifax. » Je souris en reprenant le téléphone. Je serre une de ses mains, je lui dis au revoir et, alors que je m'éloigne, elle dit : « Merci beaucoup. Je pourrai dormir cette nuit. »

En reprenant ma pompe pour me diriger vers le prochain matelas pneumatique, je songe à quel point je suis, moi aussi, impressionnée par Halifax. Je suis fière de maman qui a aidé à trouver des matelas pour les personnes cantonnées au complexe sportif de Dartmouth; je suis fière de mon frère qui a attendu en file pendant plus de trois heures avec huit de ses collègues du Mountain Equipment

Co-Op pour donner du sang; je suis fière de mon petit ami qui a aidé à préparer l'université Mount Saint Vincent pour recevoir les passagers bloqués; et je suis fière de mes collègues à MTT Mobility, qui se sont bousculés dans le bureau tout l'après-midi pour recueillir des téléphones cellulaires à donner pour la cause.

Dans la foulée d'une tragédie comme celle que le monde a connue le 11 septembre, on se sent tous impuissants. Mon expérience au Exhibition Park m'a rappelé la vérité dans ce vieil adage : « Chaque petite chose compte ». Cela pourrait être un appel téléphonique de deux dollars, une pensée, une prière, un don ou une caresse — peu importe le geste, souvenez-vous qu'il compte.

Les plus petits gestes groupés et empilés les uns sur les autres peuvent faire une très grande différence.

Deanna Cogdon

Quatre petits mots

*Combien il est merveilleux de savoir que personne n'a
besoin d'attendre un seul instant pour améliorer le
monde.*

Anne Frank

Le lendemain des attaques terroristes à New York, à
Washington et en Pennsylvanie, un homme se tenait dans
la rue d'un pays étranger avec un drapeau américain et une
affiche. Je n'avais pas vraiment le temps de regarder; j'étais
occupé et dans un état de choc après les récents événements. Pourtant, quelque chose m'a forcé à m'arrêter. Que
voulait dire cet homme sur mon pays? Faudrait-il que, si
loin de chez moi, je défende maman, la tarte aux pommes et
le rock'n'roll? J'ai traversé la rue. Sur l'affiche, il y avait
quatre petits mots que je n'oublierai jamais : *Wir alle sind
Amerikaner.*

Nous étions en Suisse, ma deuxième patrie, qui s'entête
toujours à demeurer neutre et n'est même pas membre des
Nations Unies. À sa façon, Erwin Handschin est aussi neutre, cet homme avec le drapeau américain et l'affiche. Il
n'est membre d'aucun parti politique, syndicat ou club, n'est
jamais allé en Amérique et ne parle même pas l'anglais.
Règle générale, ce pays et cet homme ne prennent jamais
position. Pourtant, le 12 septembre 2001, Herr Handschin
s'est réveillé près de Zurich et s'est senti obligé de faire une
manifestation d'un seul homme. En parcourant les rues de
la plus grande ville de Suisse, il a porté un drapeau américain sur son épaule et une affiche qui proclamait : *Wir alle
sind Amerikaner.* Plusieurs personnes l'ont félicité ou ont
applaudi. Parce que je parle allemand, j'ai immédiatement
su ce que les mots voulaient dire, mais je n'ai saisi pleine-

ment leur sens plus profond que quelques minutes plus tard.

Je me suis présenté et nous avons engagé la conversation. L'homme de soixante ans s'était levé tôt ce matin-là et avait écrit ses sentiments sur un bout de papier. Il voulait démontrer que son cœur sympathisait avec les Américains, qu'il éprouvait de la compassion pour eux pendant cette période de chagrin et de confusion. Tout en parlant, le sens plus profond de l'affiche m'est apparu clairement : l'Amérique défend les mêmes choses que la plupart des gens dans le monde. L'esprit et les idéaux de notre pays sont ce qu'il y a de mieux dans l'être humain. Ils sont ce que les hommes et les femmes du monde entier envient et reconnaissent comme leurs valeurs : liberté, démocratie, courage, compassion. Oui, même le rock'n'roll.

Aujourd'hui, les rues de Zurich sont plus ou moins revenues à la normale. Les banquiers, les barons et les hommes d'affaires foulent ces nobles *strassen*. La neutralité est préservée. Mais pendant que je me promène dans la ville ces jours-ci, les mots non neutres de Erwin m'accompagnent : *Nous sommes tous Américains.* C'est une des raisons pour laquelle notre pays s'imposera.

Le soir après sa manifestation d'un seul homme, Erwin est retourné à son appartement, s'est préparé un repas et est allé se coucher vers minuit. Il n'a pas dormi tout de suite; plutôt, il s'est allongé sur le lit et a pensé : *Aujourd'hui, tu as fait une bonne chose, une chose qui incarne l'esprit des gens de partout.* En effet, c'est ce que tu as fait, Erwin.

Nous sommes tous Américains.

Arthur Bowler

L'espoir venu de l'étranger

Il est impossible de faire couler une goutte du sang américain sans faire couler le sang du monde entier... Nous ne sommes pas tant une nation qu'un monde.

Herman Melville

Omaha Beach, France. Nous avions passé la plus grande partie de la journée sur la route et nous venions de nous asseoir pour un repas tardif, 20 h 30 en France, 14 h 30 à New York — quand nous avons appris la nouvelle.

Le couple à la table voisine venait d'Irlande et quand ces gens ont reconnu notre accent — nous étions, je crois, les seuls Américains dans ce restaurant au bord de la mer — l'homme nous a demandé si nous connaissions la nouvelle.

Quelle nouvelle?

C'est ainsi que cela a commencé pour nous : deux Américains qui apprennent que plus de 5 000 personnes dans leur pays avaient été tuées par des terroristes.

Deux Américains perdus dans les atrocités du passé — nous faisions des recherches sur la Deuxième Guerre mondiale pour un livre que j'étais en train d'écrire — soudainement confrontés à une atrocité du présent.

Deux Américains qui, pour la semaine qui a suivi, seraient protégés — et frustrés — par l'océan qui les séparait de leur patrie en deuil.

Quelle étrange juxtaposition : écouter les vagues se briser sur le rivage en Normandie, où cinquante-sept ans plus tôt, les troupes alliées avaient débarqué pour libérer le nord de l'Europe de l'emprise de l'Allemagne — et regarder en même temps les images diffusées par CNN du World Trade Center qui s'écroulait après l'attaque des terroristes.

Cela m'a rappelé que le mal ne disparaît jamais. Il reste dans l'ombre pendant un temps, se transforme pour s'adapter aux dernières technologies et bondit sur une nouvelle génération. Hitler, ben Laden — les monstres changent, les méthodes changent, mais la folie qui les anime ne change pas.

Plus tôt dans la journée, nous avions traversé les ruines conservées d'un village français, Oradour-sur-Glane. À cet endroit, le 10 juin 1944, ses quelque centaines d'habitants — comme les millions de New-Yorkais le 11 septembre 2001 — se sont éveillés dans la paix et la prospérité. Pourtant, avec la même soudaineté que l'attaque terroriste du World Trade Center, les troupes allemandes ont envahi la ville et massacré pratiquement tous ses habitants : hommes, femmes et enfants.

À la fin de la journée, 642 cadavres gisaient sur le sol et le village avait été rasé.

« La cruauté de l'homme envers ses semblables », ai-je entendu quelqu'un murmurer en regardant les ruines effrayantes du village, où étrangement on trouvait de tout, des assiettes calcinées aux bicyclettes d'enfants.

Le jour suivant celui où nous avions appris la nouvelle en provenance de chez nous, nous avons marché parmi les 9 386 tombes du cimetière américain d'Omaha Beach.

Un carillon jouait « My Country, 'Tis of Thee ». Des drapeaux américain et français flottaient en berne dans le fort vent. Sur la plage en contrebas, deux chars à voile slalomaient sur le rivage qui, autrefois, avait été rougi par le sang.

Nous apprenions maintenant la nouvelle qu'encore plus de sang avait été versé par une attaque qui, contrairement à l'invasion de la Normandie, n'avait pas pour but de libérer les opprimés, mais d'opprimer les libérés.

Ce n'est qu'après un appel au pays que nous avons saisi toute l'ampleur de l'attaque des terroristes. Nous parcourions l'arrière-pays de la France, et nous n'avons pas vu de journaux ni de reportages télévisés en langue anglaise avant plusieurs jours.

Dans un sens, la barrière de la langue nous a protégés de la souffrance; nous n'étions pas bombardés sans arrêt de nouvelles, comme les autres le furent. La même barrière de la langue nous empêchait d'échanger avec les autres sur ce qui s'était produit.

Pourtant, à des milliers de kilomètres de nos amis, de notre famille et de notre communauté, nous nous sentions étrangement déconnectés et un peu coupables. Peu importe les routes perdues que nous empruntions, parfois elles n'étaient pas plus larges que notre Renault de location, les nouvelles de ce qui se passait au pays nous pourchassaient.

Cependant, nous sentions que la douleur de l'Amérique était aussi celle de l'Europe. Pendant que nous visitions un musée consacré au Jour-J, un maître d'école britannique incitait ses élèves à traiter avec beaucoup plus de respect les Américains à la suite des événements. Sur les routes de campagne du Luxembourg, on voyait les drapeaux nationaux pendus aux fenêtres, auxquels on avait attaché des bandes noires en signe de deuil. À un moment, non loin du lieu de la bataille des Ardennes entre les troupes alliées et allemandes, nous avons croisé un monument à la mémoire du 80e bataillon d'infanterie. Il surplombait une magnifique vallée et était entouré de deux drapeaux, tous deux en berne : un drapeau américain et un drapeau luxembourgeois.

Nous avons remarqué que le vent avait arraché le drapeau américain d'un de ses œillets. Il flottait hors de contrôle — pourtant, il faisait montre de ténacité, abîmé mais non battu, comme le pays lui-même.

Enfin, par un samedi pluvieux, près de Liège, en Belgique, et de la frontière allemande, nous regardions les monuments blancs dans un autre cimetière américain où reposaient plus de 7 000 soldats américains. En regardant la mer de croix et d'étoiles de David, je n'ai pu m'empêcher de faire le rapprochement avec le nombre de personnes qui avaient perdu la vie pendant les attaques terroristes.

La comparaison entre la douleur du passé et celle du présent m'a déprimé. L'homme ne cesserait-il jamais d'être cruel pour ses semblables? Le monde n'avait-il rien appris au cours du dernier demi-siècle?

Au moment où j'allais me résigner à me désoler du sort d'un monde où personne ne se soucie de ses semblables, un incident m'a apporté un rayon d'espoir.

Je parlais avec le gardien du cimetière — le personnage d'un livre que je suis en train d'écrire avait été enterré là — quand un homme portant un bouquet de marguerites est apparu à la porte.

Il avait à peu près l'âge que plusieurs soldats de la Deuxième Guerre mondiale auraient atteint s'ils avaient survécu. C'était un Allemand. Il ne parlait que très peu l'anglais. Selon ce que j'ai compris, il cherchait un vase.

« Pour qui sont ces fleurs? » a demandé le gardien.

« Pour New York et Washington », a-t-il répondu.

Bob Welch

Cher papa

Tant à la maison qu'au loin, nous persévérerons dans notre voie, contre vents et marées.

Sir Winston Churchill

Cher papa,

Nous sommes toujours en mer, ne sachant pas trop quelle sera notre prochaine priorité. La suite de notre tournée des ports pour la promotion de la liberté et les bonnes relations avec le Royaume-Uni a été annulée. Depuis les attaques, nous avons passé tous les jours à patrouiller à l'intérieur de carrés imaginaires tracés dans l'océan, en état d'alerte, et en essayant de passer le temps le mieux possible.

Ce ne fut pas très agréable, je le confesse. Et pour être tout à fait honnête, bien des gens sont frustrés parce qu'ils ne peuvent être à la maison et parce que nous n'avons plus d'instructions. Nous avons vu des articles et des photographies qui nous donnent la nausée. Isolés comme nous le sommes, je ne crois pas que nous puissions connaître la pleine étendue de ce qui est arrivé à la maison, mais nous en ressentons définitivement les effets. Il y a environ deux heures, les officiers subalternes ont été appelés au pont pour un exercice de manœuvres. Nous étions sur le point de faire un exercice d'homme à la mer quand nous avons reçu un appel du *Lutjens*, un bateau de guerre allemand amarré devant nous sur la jetée de Plymouth, en Angleterre. Pendant qu'ils étaient au port, le *Winston S. Churchill* et le *Lutjens* se sont rencontrés pour une journée de sport/ barbecue sur notre pont et nous nous sommes fait de bons amis. Ils sont maintenant en mer et ils nous ont appelés, de pont à pont, demandant de passer près de nous à bâbord pour nous dire au revoir.

Nous nous préparions à leur rendre les honneurs sur le pont et le capitaine a dit à l'équipage de monter pour leur dire adieu. Comme ils approchaient, l'officier du centre opérationnel, qui les observait à travers ses jumelles, a annoncé qu'ils arboraient un drapeau américain. Quand ils se sont rapprochés davantage, nous avons vu qu'il était en berne. Le pont était rempli de gens alors que le maître d'équipage a donné deux coups de sifflet — « attention à bâbord » — et le bateau a longé le nôtre. Nous avons pu voir que tout l'équipage du bateau allemand se tenait au bastingage en tenue. Les hommes avaient fabriqué une affiche accrochée au bastingage qui se lisait : « We Stand by You » [nous sommes avec vous].

Inutile de dire que nous avions tous les yeux humides sur le pont pendant qu'ils sont restés à nos côtés quelques minutes, et nous les avons salués. Ce fut probablement le geste le plus fort que j'ai vu de toute ma vie, et plus d'un parmi nous a lutté pour garder son calme. La marine allemande a fait une chose incroyable pour cet équipage, et ce fut vraiment le jour le plus émouvant depuis les attaques. Il est étonnant de penser qu'il y a seulement un demi-siècle, les choses étaient totalement différentes. De voir aujourd'hui l'unité démontrée partout en Europe et dans le monde nous rend tous fiers d'être ici à faire notre travail.

Après que le navire allemand se fut éloigné et pendant que nous nous préparions à faire notre exercice d'un homme à la mer, l'officier chef de quart s'est tourné vers moi et a dit : « Je reste dans la Marine. »

Papa, je t'écrirai de nouveau quand je saurai la date de mon retour; mais pour l'instant, c'est probablement la meilleure nouvelle que je peux t'envoyer. Je vous aime tous.

Megan M. Hallinin, ENS
Soumis par Thomas Phillips

Nous sommes avec vous.

Photo : PH2 Shane McCoy U.S. Navy.

M'avez-vous vu?

Dieu est connu sous plusieurs noms et différentes tra-
ditions, mais il est toujours identifié à une seule
émotion : l'amour, l'amour pour l'humanité, particu-
lièrement pour nos enfants. L'amour finit par vaincre
la haine, mais il a besoin de notre aide.

Rudolph Giuliani

M'avez-vous vu?

Je me suis joint à des centaines de mes concitoyens canadiens aujourd'hui, à l'ombre de la ligne des toits de Détroit, pour rendre hommage à mes frères et sœurs américains. J'ai vu les travailleurs des services publics installés dans les nacelles des camions, montant au-dessus de la foule pour faire flotter le drapeau américain et celui du Canada. J'ai frissonné quand le vent, au bon moment, a fait se dresser les drapeaux, leurs couleurs fières, comme à l'attention.

M'avez-vous vu?

J'étais cet ancien combattant canadien en uniforme de gala, avec mes décorations astiquées, dont la voix tremblait quand nous chantions le « Ô Canada ». Je pensais aux batailles que nous avons livrées côte à côte il y a soixante ans, unis dans notre cause commune. Je me suis souvenu de mes camarades, Américains et Canadiens, tombés au combat, au-delà de l'océan.

M'avez-vous vu?

J'étais cette jeune femme portant une *hejab* et une *bur-qua* qui tenait la main de son enfant. Je craignais que l'into-lérance que j'avais fuie dans mon pays d'origine ne refasse surface ici, dans mon pays d'adoption. Je me suis demandé si mes voisins me persécuteraient à cause de la couleur de ma peau et de ma foi. J'ai prié que mes enfants ne connaissent pas la haine que mes ancêtres avaient connue.

M'avez-vous vu ?

J'étais cette étudiante de sixième année qui s'étonnait que la foule connaisse les paroles du « Star-Spangled Banner » aussi bien que celles de son propre hymne national. J'ai regardé de l'autre côté de la rivière vers le Centre Renaissance qui brillait et j'ai pensé aux Guides des États-Unis que j'ai rencontrées un jour. Je me suis demandé si elles avaient plus peur que moi, ou si tous les enfants, partout, se sentaient vulnérables. J'ai regardé une douzaine de ballons bleus, blancs et rouges, s'envoler dans le ciel, flotter dans le vent pour peut-être finir par apporter du réconfort aux enfants de l'Ohio, de l'Indiana et de l'Illinois.

M'avez-vous vu ?

J'étais cet homme d'affaires, le visage sombre, en pleine réflexion. Je me suis demandé si la fine bande bleue de la rivière qui sépare nos pays deviendrait une barrière. J'ai regardé la circulation au ralenti qui attendait pour traverser la frontière et je me suis demandé si je pourrais retourner travailler sans que le service des douanes des États-Unis ne fouille ma voiture en entier. Je me suis demandé si les gens, avec qui j'avais travaillé, avaient perdu un être cher et j'ai pleuré leur perte comme si elle était mienne.

M'avez-vous vu ?

J'étais cette jeune femme en pleurs qui regardait vers le ciel dans un moment de prière. Un avion solitaire volait très haut, le premier vol commercial que je voyais depuis trois jours. J'ai pensé aux Américaines que je connaissais, des femmes qui me ressemblaient. Jusqu'à mardi, nous étions préoccupées par des questions qui semblent maintenant banales. Aujourd'hui, nous nous armons de courage pour sourire en envoyant nos enfants à l'école, en les rappelant pour leur faire une autre caresse et regarder une autre fois leurs visages innocents.

M'avez-vous vu?

J'étais ce rabbin qui affirmait à la foule que Dieu ne nous avait pas oubliés. J'ai dit que Dieu était parmi les héros, parmi ceux qui s'unissaient pour sauver les autres, parmi les milliers de personnes qui attendaient pour donner du sang partout au monde, parmi les centaines de pompiers qui sont entrés dans le World Trade Center pendant que des milliers de gens en sortaient. J'étais ce chef musulman qui demandait à Allah de nous guider dans le droit chemin, et de nous faire apprécier la beauté de nos différences. J'ai rappelé à tous que nous étions humains et que Allah nous unit dans cette humanité. J'étais ce prédicateur baptiste qui a suggéré aux gens de se comporter comme les enfants de Dieu, comme un seul peuple.

M'avez-vous vu?

Mon cœur s'est gonflé de fierté quand mes amis et voisins se sont penchés au-dessus de la balustrade pour lancer des fleurs bleues, blanches et rouges dans l'eau. J'ai vu une mer de fleurs, symboles d'espoir, de paix et de pardon, descendre le courant. J'ai écouté notre maire répéter les paroles que John F. Kennedy avait dites à propos de nos deux pays, dix ans avant ma naissance : « La géographie a fait de nous des voisins. L'économie a fait de nous des partenaires et la nécessité a fait de nous des alliés. »

J'ai pensé à vous, mes voisins, mes amis, mes partenaires et mes alliés en brandissant mon drapeau pendant que nous chantions ensemble « God Bless America ». J'ai prié pour qu'ensemble nous trouvions une façon de reprendre espoir, de guérir et de nous unir en ces temps incertains. En compagnie de centaines de mes compatriotes, je vous ai offert, à vous et aux vôtres, une vague de soutien.

M'avez-vous vu?

Shelley Divnich Haggert

Le drapeau américain

Un mercredi de septembre, je me dirigeais vers le sud pour assister aux funérailles de mon grand-père. C'était un jour triste, mais aussi un jour de réjouissance pour le magnifique être humain que j'avais eu la chance de connaître. C'était quelques jours à peine après les attaques terroristes du 11 septembre.

Sur une route des prairies du Canada, j'ai vu une longue caravane de camions et d'autres véhicules et, en m'approchant, des gens à dos de cheval. Des cow-boys et des cowgirls à cheval, venus de nulle part! Le groupe se dirigeait vers le sud, vers la frontière, et il portait deux drapeaux : un drapeau canadien et un drapeau américain. Ils se rendaient rencontrer un groupe de cavaliers américains à la frontière des deux pays. En route, les cowboys canadiens recueillaient de l'argent qu'ils allaient remettre à leurs collègues américains. Ils n'étaient qu'un des nombreux groupes de Canadiens qui avaient trouvé un moyen d'aider et de montrer leur sympathie après les attaques contre les États-Unis.

Plus tard dans la journée, en rentrant à la maison après les funérailles de mon grand-père, les cieux se sont ouverts pour laisser tomber une forte pluie. La visibilité était tellement mauvaise que j'ai dû presque m'arrêter. C'est alors que je l'ai vu. Énorme et glorieux, flottant au vent, perché sur un système d'irrigation qui crachait toujours son eau, un drapeau flottait! C'était un drapeau américain, hissé en l'honneur des milliers de personnes qui avaient perdu la vie le 11 septembre.

J'ai éclaté en sanglots en pensant à toutes ces vies fauchées si brusquement. J'ai aussi pleuré parce que j'ai été touchée par ce chaleureux geste d'amour d'un simple fermier canadien. En hissant le drapeau américain, il lançait un message d'amour et de respect à ses voisins américains. Ses actions parlaient plus fort que toutes les paroles : « Nous sommes avec vous, chers amis. Nous sommes avec vous en esprit. Nous avons mal pour vous. Nous pleurons pour vous. Nous prions pour vous. Nous n'oublierons jamais. »

L'orage s'est arrêté aussi subitement qu'il avait commencé et, de nouveau, je roulais sous un soleil glorieux. J'ai senti que Dieu nous faisait la promesse de jours meilleurs à venir.

Ellie Braun-Haley

Ode à l'Amérique

[NOTE DE L'ÉDITEUR : Cet article a été écrit par M. Cornel Nistorescu et publié sous le titre « Cîntarea Americii » le 24 septembre 2001, dans le journal roumain Evenimentul Zilei *(L'Événement quotidien).]*

Pourquoi les Américains sont-ils si unis? On les peindrait tous de la même couleur qu'ils ne se ressembleraient pas! Ils parlent toutes les langues de la terre et forment un étonnant mélange de civilisations. Quelques-unes sont presque disparues, d'autres sont incompatibles entre elles, et, en matière de croyances religieuses, même Dieu n'arrive pas à en faire le décompte.

Pourtant, la tragédie américaine a transformé trois cents millions de personnes en une grande main sur le cœur. Personne ne s'est empressé de blâmer la Maison-Blanche, l'Armée, les Services secrets, et de dire qu'ils n'étaient qu'une bande de perdants. Personne n'a couru vider son compte bancaire. Personne ne s'est précipité bouche bée dans les rues voisines.

Les Américains se sont portés volontaires pour donner du sang et pour aider. Après les premiers instants de panique, ils ont hissé le drapeau sur les ruines fumantes, ils ont endossé des t-shirts, des casquettes et des cravates aux couleurs de leur drapeau. Ils ont mis des drapeaux sur les édifices, sur les voitures, comme si partout ou dans chaque voiture le président ou un de ses ministres se déplaçait. Chaque fois qu'ils en avaient l'occasion, ils entonnaient leur chant traditionnel : « God Bless America! »

Silencieux comme une pierre, j'ai regardé le concert-bénéfice « Tribute to Heroes » — une fois, deux fois, trois fois, sur différentes chaînes de télévision. Il y avait Clint Eastwood, Willie Nelson, Robert De Niro, Julia Roberts, Muhammad Ali, Jack Nicholson, Bruce Springsteen,

Sylvester Stallone, James Woods et plusieurs autres qu'aucun producteur de film n'aurait réussi à réunir. La solidarité de l'âme américaine les avait transformés en chorale. En fait, chorale n'est pas le bon mot. Il faudrait plutôt parler de l'artillerie lourde de l'âme de l'Amérique.

Au cours de ce concert-bénéfice, on pouvait entendre des mots dits de façon magistrale et unique, que ni George W. Bush, ni Bill Clinton, ni Colin Powell n'auraient pu dire sans risquer de trébucher sur les mots ou les sons.

Je ne sais pas comment ce chant si obsédant en hommage à l'Amérique n'a pas semblé rauque, nationaliste ou ostentatoire! Cela vous rendait jaloux parce que vous ne pouviez chanter votre propre pays sans risquer de vous faire qualifier de chauvin, de ridicule, ou qu'on vous accuse de défendre un quelconque intérêt mesquin.

J'ai regardé la télédiffusion en direct et la reprise de la reprise pendant des heures. J'ai écouté l'histoire du gars qui a descendu 100 étages avec une femme dans un fauteuil roulant sans même savoir son nom, et celle des passagers qui se sont battus contre les terroristes et ont évité que l'avion ne s'écrase sur une autre cible en risquant de tuer plusieurs autres personnes.

Chaque mot, chaque note a transformé les souvenirs de quelques-uns en un mythe moderne de héros de tragédie. Avec chaque appel, des millions de dollars s'accumulaient dans une cagnotte non pas pour récompenser un homme ou une famille, mais un courage qui n'a pas de prix. Qu'est-ce qui unit ainsi les Américains? Leur pays? Leur histoire galopante? Leur forte économie? L'argent? J'ai cherché la réponse pendant des heures, en fredonnant des chansons et en murmurant des phrases qui risquaient de sembler banales. J'y ai bien pensé et j'en suis arrivé à la seule conclusion possible : seule la liberté peut faire de tels miracles!

Cornel Nistorescu
Soumis par Willanne Ackerman

Hommage aux États-Unis

[NOTE DE L'ÉDITEUR : Cet éditorial, toujours d'actualité, a été écrit il y a presque trente ans par Gordon Sinclair, un commentateur canadien de Toronto.]

Ce Canadien croit qu'il est temps de parler en faveur des Américains — le peuple le plus généreux et possiblement le moins apprécié de la Terre.

L'Allemagne, le Japon et, dans une moindre mesure, la Grande-Bretagne et l'Italie ont été tirés des ruines de la guerre par les Américains qui y ont investi des milliards de dollars et effacé d'autres milliards de dettes. Aujourd'hui, aucun de ces pays ne paie même les intérêts sur le solde de leur dette envers les États-Unis. Quand la France menaçait de s'écrouler en 1956, ce sont les Américains qui l'ont soutenue. Et pour toute récompense, on les a insultés et escroqués dans les rue de Paris. J'y étais et je l'ai vu.

Quand il y a un tremblement de terre dans un pays lointain, les États-Unis accourent pour apporter leur aide. Ce printemps, cinquante-neuf municipalités américaines ont été détruites par des ouragans.

Personne n'a offert son aide.

Le plan Marshall et la politique de Truman ont contribué la part du lion en dollars dans les pays en détresse. Aujourd'hui, les journaux de ces mêmes pays parlent des Américains, belliqueux et décadents.

J'aimerais voir un seul de ces pays qui se gaussent de l'érosion du dollar américain construire ses propres avions. Existe-t-il un seul pays au monde qui possède un avion capable de rivaliser avec le Jumbo Jet de Boeing, le Tri-Star de Lockheed ou le DC10 de Douglas ? Si c'est le cas, pourquoi ne les font-ils pas voler ? Comment se fait-il que les flottes de toutes les lignes aériennes, sauf celles de Russie, sont composées d'avions américains?

Pourquoi aucun autre pays sur Terre n'a même envisagé d'envoyer un homme ou une femme sur la lune? Quand on parle de technologie japonaise, on parle de radios. Quand on parle de technologie allemande, on parle d'automobiles. Quand on parle de technologie américaine, on parle d'humains sur la lune, pas seulement une fois, mais plusieurs, et de leurs retours sains et saufs sur la terre.

Quand on parle de scandales, on voit les Américains étaler les leurs au grand jour. Même ceux qui ont refusé de faire leur service militaire n'ont pas été poursuivis et harcelés. Ils sont ici dans nos rues, et la plupart d'entre eux, à moins de violer une loi canadienne, reçoivent de l'argent américain de leur famille qu'ils dépensent ici.

Quand les chemins de fer de France, d'Allemagne et de l'Inde croulaient de vieillesse, ce sont les Américains qui les ont reconstruits. Quand la Pennsylvania Railroad et le New York Central ont fait faillite, personne ne leur a offert même un vieux wagon de queue. Les deux sociétés sont toujours en faillite.

Je peux vous citer cinq mille exemples de l'Amérique volant au secours des peuples en difficulté. Pouvez-vous m'en nommer un seul où ce sont les autres qui sont accourus aider les Américains? Je ne crois pas qu'il y ait eu de l'aide de l'extérieur même pendant le tremblement de terre de San Francisco. Nos voisins ont fait face seuls à toutes leurs difficultés, et je suis un Canadien bien las de les voir traînés dans la boue. Ils s'en sortiront tenant leur drapeau bien haut. Et quand ce sera fait, ils auront mérité le droit de faire des pieds de nez à ceux qui se réjouissent de leurs malheurs actuels.

J'espère que le Canada ne fera pas partie de ces pays.

Gordon Sinclair

4

PATRIOTISME RENOUVELÉ

Le monde commence à comprendre
pourquoi nous chérissons tant l'Amérique
— nos valeurs, notre liberté
et la force du caractère américain.

George W. Bush

Je suis le drapeau
des États-Unis d'Amérique

Je suis le drapeau des États-Unis d'Amérique.
On m'appelle *Old Glory*.
Je flotte sur les plus hauts édifices du monde.
Je monte la garde dans les palais de justice de l'Amérique.
Je flotte fièrement sur les instituts de haut savoir.
Je représente la puissance dans le monde.
Levez les yeux et regardez-moi.
Je défends la paix, l'honneur, la vérité et la justice.
Je défends la liberté.
Je suis confiant.
Je suis arrogant.
Je suis fier.
Quand je flotte avec les autres drapeaux,
Ma tête est un peu plus haute qu'eux,
Mes couleurs, un peu plus vives.
Je ne m'incline devant personne!
Je suis connu dans le monde entier.
Je suis adoré — je suis salué.
Je suis aimé — je suis vénéré.
Je suis respecté — et je suis craint.
J'ai combattu dans toutes les batailles de toutes les guerres
    depuis plus de deux cents ans.
Je flottais à Valley Forge, Gettysburg,
    Shiloh et Appomattox.
J'étais là à San Juan Hill,
    et dans les tranchées en France,
    dans la forêt d'Argonne, à Anzio et à Rome,
    et sur les plages de Normandie, de Guam et d'Okinawa.

Les habitants de la Corée, du Vietnam et du Koweït
    savent que je suis une bannière de la liberté.
J'étais là.
Je menais mes troupes.
J'étais sale, épuisé et las, malgré cela
    mes soldats m'acclamaient et j'étais fier.
J'ai été brûlé, déchiré et foulé aux pieds
    dans les rues des pays que j'ai aidés à se libérer.
Cela ne me fait pas mal, car je suis invincible.
J'ai échappé aux frontières de la Terre et
    je surveille les frontières inconnues de l'espace
    de ma position avantageuse sur la lune.
J'ai été le témoin des plus grandes heures de l'Amérique.
Pourtant, le meilleur reste encore à venir :
Quand on me découpe pour servir de bandages
Pour mes camarades blessés au combat ;
Quand je flotte en berne pour honorer mes concitoyens ;
Quand je suis dans les mains de parents en deuil près de
    la tombe de leur fils ou de leur fille tombée au combat ;
Quand je suis dans les mains d'un enfant ou d'une épouse
    qui devra se passer de celui qui a donné sa vie pour
    sauver celle d'un autre,
Comme tant d'autres l'ont fait au Pentagone et
    au World Trade Center le 11 septembre 2001.
Mon nom est *Old Glory*. Je souhaite flotter longtemps.

Howard Schnauber

Le drapeau de Mike

[NOTE DE L'ÉDITEUR : Cette histoire se déroule dans une prison du Vietnam du Nord.]

Mike était un navigateur-bombardier dans la marine, qui avait été abattu en 1967, six mois avant mon arrivée. Il avait grandi à Selma, en Alabama. Sa famille était pauvre. Il avait porté ses premiers souliers à l'âge de treize ans. Leur richesse résidait dans leur caractère. C'étaient des gens bons, droits, et ils avaient élevé Mike en lui donnant le sens du travail et de la loyauté. Il avait dix-sept ans quand il s'est enrôlé dans la marine. Jeune matelot, il avait l'étoffe d'un leader et il s'était fait suffisamment remarquer de ses supérieurs pour qu'ils le nomment officier.

Les paquets qu'on nous permettait de recevoir de nos familles contenaient souvent des mouchoirs, des foulards et autres articles de vêtements. Pendant quelque temps, Mike avait réuni des bouts de tissu rouge et blanc et, avec une aiguille qu'il avait taillée dans le bambou, il avait laborieusement cousu un drapeau américain à l'intérieur de sa chemise bleue de prisonnier. Chaque après-midi, avant de manger notre soupe, nous accrochions le drapeau de Mike au mur de notre cellule et, ensemble, nous récitions le serment d'allégeance. C'était l'événement le plus important de la journée.

Un après-midi, pendant une inspection de routine, les gardes ont découvert le drapeau de Mike et l'ont confisqué. Dans la soirée, ils sont revenus et ont amené Mike dehors. Pour nous impressionner autant que Mike, ils l'ont sérieusement battu, devant notre cellule, lui perforant un tympan et brisant plusieurs de ses côtes. Quand ils eurent terminé, ils l'ont traîné ensanglanté et presque sans connaissance dans notre cellule. Nous l'avons aidé à grimper à sa place sur la plate-forme qui nous servait de lit. Le calme revenu, nous nous sommes couchés. Avant de m'endormir, j'ai regardé par hasard dans un coin de la pièce où, à la lumière d'une des quatre ampoules qui brillaient jour et nuit dans notre cellule, j'ai vu Mike Christian. Il avait rampé là en silence quand il a cru que nous étions endormis. Les yeux à moitié fermés à la suite des coups reçus, il a doucement pris son aiguille et son fil, et il a commencé à coudre un nouveau drapeau.

John McCain
Extrait de Faith of My Fathers

Dans les heures qui ont suivi

Il y avait des drapeaux partout dans ma rue quand j'ai compris que mon mari et moi, qui venions d'acheter notre première maison, n'avions pas notre drapeau. Il me semblait que donner du sang ou de l'argent ne suffisait plus.

Je me suis immédiatement mise en quête d'un drapeau américain pour montrer mon esprit patriotique. Après avoir démarré ma vieille voiture, je me suis dirigée vers le Kmart, le Wal-Mart, le Home Depot, le Lowes, le Ace Hardware de ma ville et j'ai même fait la tournée de quelques magasins d'artisanat. Partout, on m'a dit la même chose : « Nous avions des drapeaux ce matin, mais nous les avons tous vendus. Revenez la semaine prochaine, et nous aurons d'autres drapeaux. »

La semaine prochaine? Cela ne satisfaisait pas mon esprit patriotique.

Je suis retournée à la hâte à ma voiture et je suis passée au plan B — acheter un drapeau sur Internet. En circulant sur la route, j'ai remarqué que presque tous les auvents portaient l'inscription « God Bless America » ou « United We Stand ». Les voitures qui passaient avaient des drapeaux sous forme d'autocollants sur leurs pare-chocs ou de petits drapeaux fixés aux antennes. Certains avaient même déployé des drapeaux sur des porte-bagages.

Ce trajet se distinguait de tous les autres que j'avais déjà faits. Je savais que les Américains étaient fiers mais, aujourd'hui, la vue de tant de drapeaux, déployés de toutes les façons imaginables, me touchait différemment que lors de l'anniversaire du Jour de l'Indépendance ou de la Journée du Président. Cet étalage varié des couleurs du pays symbolisait l'unité, le courage et la détermination.

Arrêtée à un feu rouge, j'ai entendu un air familier qui venait d'un restaurant de petits-déjeuners qui avait ouvert ses portes pour accueillir les clients. Un haut-parleur faisait entendre le « Star-Spangled Banner ».

« ... O say does that star-spangled banner
Yet wave!
O'er the land of the free
And the home of the brave! »

J'en ai eu un frisson dans le dos. Même après avoir entendu ces paroles des milliers de fois, aujourd'hui je comprenais exactement ce que Francis Scott Key a dû ressentir en les écrivant. Quel spectacle que cette bannière bleu, blanc et rouge flottant au vent! Le feu était passé au vert, et pourtant les voitures ne démarraient pas. La femme dans la voiture à côté de moi a essuyé une larme avant de me faire un signe et de démarrer. Aujourd'hui, les Américains étaient différents, ils avaient changé. Cette horreur, qui visait à nous diviser, n'a pas réussi à le faire. Au lieu de cela, cette tragédie nous unissait, fiers de notre héritage.

Une fois rentrée, j'ai fouillé sur Internet pour trouver un drapeau américain en ligne. Je suis allée voir dans les autres pays : en Chine, en Europe et en Australie. Partout où j'ai cherché, on affichait : « Nos couturières travaillent en temps supplémentaire », « Désolés pour le retard », « En rupture de stock ». Dans le monde entier, il semblait qu'on manquait de drapeaux américains.

Plus décidée que jamais, j'ai appelé les membres de ma famille et je leur ai demandé où je pourrais trouver un drapeau. Ils avaient tous déployé le leur et ne savaient pas où s'en procurer d'autres. Ma mission semblait désespérée.

Les heures ont passé.

Soudain, on a frappé à la porte. Mon grand-père, Jim Pauline, qui avait servi dans les blindés de l'armée américaine sous les ordres du général Patton en Normandie au cours de la Deuxième Guerre mondiale, a tendu les bras. Il tenait un drapeau américain.

« J'ai cru que tu aimerais avoir ceci », a dit grand-papa en souriant. « Désolé qu'il soit si petit. »

J'ai pris grand-père dans mes bras. Ce n'était pas important que le drapeau fasse à peine 30 centimètres. La taille du drapeau ne pourrait exprimer l'amour que j'éprouve pour mon pays, et pour la famille et les amis qui vivent à l'intérieur de ses frontières.

Je suis sortie dehors et, sur la pelouse, parmi les douzaines d'autres qui flottaient, j'ai ajouté ma propre précieuse bannière. C'était un geste simple, mais sa signification était si profonde que j'en ai eu les larmes aux yeux. J'ai toujours pensé que le drapeau était le symbole de notre pays, mais je sais maintenant que ce que le Congrès a décidé le 14 juin 1777 résonne de façon aussi vraie aujourd'hui qu'il y a 224 ans.

Les étoiles représentent chacun des États unis.

Le fond bleu derrière les étoiles représente la vigilance, la persévérance et la justice.

Les bandes blanches reflètent la pureté et l'innocence.

Les bandes rouges symbolisent la bravoure et le courage.

Les attentats terroristes ont peut-être tué cinq mille Américains innocents le 11 septembre 2001, mais ils n'ont pu détruire notre âme américaine.

Il s'est vendu autour de quatre-vingt-huit mille drapeaux dans les jours qui ont suivi les attaques des terroristes — plus qu'à tout autre moment de l'histoire. Ma quête pour trouver un drapeau n'a pas été facile. Je n'étais pas la seule à vouloir montrer ma fierté pour mon pays bien-aimé. Pour cela, je serai éternellement reconnaissante.

Que Dieu bénisse l'Amérique !

Michele Wallace Campanelli

Demandez d'abord la permission

*Le drapeau est l'incarnation non pas d'un sentiment,
mais d'une histoire.*

Woodrow Wilson

Le premier amendement nous donne-t-il le droit de profaner le drapeau américain? Ou le drapeau est-il un symbole sacré de notre nation qui mérite qu'une loi le protège? Difficile à décider?

J'ai la solution.

À ceux qui veulent mettre le feu à *Old Glory,* le fouler aux pieds ou cracher dessus pour « affirmer » quelque chose, je dis qu'on les laisse faire. Mais à une condition : ils doivent d'abord demander la permission.

Vous devrez d'abord demander la permission d'un vétéran. Peut-être d'un marine qui a combattu à Iwo Jima?

Le drapeau américain a été dressé sur le mont Surabachi au-dessus des corps de milliers de camarades morts. Chaque nuit sur Iwo signifiait que la moitié des gens que vous connaissiez seraient morts le lendemain, tirés à pile ou face dans un bled perdu que votre mère ne pourrait trouver sur une carte.

Vous devriez peut-être demander l'autorisation d'un vétéran du Vietnam qui a passé des années de torture dans une petite cellule infecte, indigne d'un chien. Ou celle d'un soldat de la guerre de Corée qui a sauvé la moitié d'un pays du communisme, ou d'un combattant de la Tempête du Désert qui a empêché un dictateur sanguinaire de violer et de piller un pays innocent.

Ce drapeau a représenté votre mère et votre père, votre sœur et votre frère, vos amis, vos voisins et tous vos citoyens. Je me demande ce qu'ils diraient si quelqu'un leur demandait la permission de brûler le drapeau américain.

Ensuite, demandez à un immigrant. Leurs frères et leurs sœurs croupissent peut-être encore dans leur pays d'origine, souvent dans la tyrannie, la pauvreté et la misère. Ils sont peut-être morts en route vers notre pays dont ils n'ont jamais atteint le rivage. Certains ont vu leurs amis et leur famille torturés et assassinés par leur propre gouvernement parce qu'ils ont osé faire des choses que nous tenons pour acquis.

Quant à ceux qui ont tout risqué pour la simple chance de devenir Américains… qu'éprouvent-ils face au drapeau quand ils prêtent le serment d'allégeance pour la première fois? Assistez à une cérémonie de naturalisation et voyez par vous-même les larmes de fierté, la gratitude, l'amour et le respect pour cette nation quand ils embrassent enfin le drapeau américain comme étant le leur. Demandez à l'une de ces personnes si elle serait d'accord pour déchirer le drapeau.

Enfin, vous devriez demander à une mère. Pas n'importe quelle mère, mais une mère qui a donné un fils ou une fille à l'Amérique. Il n'est pas nécessaire que ce soit à la guerre. Ce pourrait être un policier, un pompier, ou encore un agent des services secrets. Ce pourrait aussi être un simple fantassin. Quand ce fils ou cette fille est portée en terre, le peuple américain donne un cadeau à la famille : un drapeau américain. Allez-y. Je vous mets au défi. Demandez à cette mère de cracher sur son drapeau.

Je me demande ce que nos pères fondateurs pensaient du drapeau américain quand ils ont écrit la Déclaration d'Indépendance? Ils savaient que ce geste entraînerait la jeune Amérique dans une guerre contre l'Angleterre, la plus grande puissance du monde. Ils savaient aussi que l'échec serait plus qu'une déception. L'échec signifiait une corde bien ajustée autour de leur cou. Pourtant, il leur fallait un symbole, quelque chose pour inspirer la nouvelle nation. Quelque chose qui représenterait le sérieux et la conviction que nous avions dans notre nouvelle idée de liberté individuelle. Quelque chose qui donnait une raison de vivre. Une raison de donner sa vie. Je me demande quelle serait leur réaction si quelqu'un leur demandait la permission de jeter leur drapeau dans une mare de boue?

Loin de la famille, loin des précieux rivages de la patrie, malgré des obstacles quasi insurmontables et souvent face à la mort, le drapeau américain inspire ceux et celles qui croient au rêve américain, à la promesse américaine, à la vision américaine...

Les Américains qui n'aiment pas leur drapeau n'aiment pas leur nation. Et ceux qui aiment cette nation aiment le drapeau américain. Ceux qui ont combattu l'ont fait pour ce drapeau. Ceux qui sont morts ont péri pour lui. Et ceux qui aiment l'Amérique l'aiment et le défendent.

Alors, si vous souhaitez profaner le drapeau américain, avant de cracher dessus ou avant d'y mettre le feu... j'ai une simple requête à vous faire. Demandez seulement la permission. Non pas à la Constitution. Non pas à une loi obscure. Non pas aux politiciens ou aux experts. Demandez simplement à ceux qui ont défendu notre nation pour que nous puissions être libres. Demandez à ceux qui ont tout fait pour atteindre nos rivages afin de se joindre à nous dans la poursuite du rêve américain. Demandez à ceux qui étreignent un drapeau au lieu de tenir leurs fils ou leurs filles sacrifiés à cette nation pour que d'autres puissent être libres. Car nous ne pouvons pas demander la permission à ceux qui sont déjà morts en souhaitant qu'ils puissent de nouveau, juste une fois... ou encore une fois... voir, toucher ou embrasser le drapeau qui symbolise notre pays, les États-Unis d'Amérique... le plus grand pays sur Terre.

Tom Adkins

Un vieux drapeau
en lambeaux

Je traversais le square devant l'édifice d'un tribunal de
    comté.
Sur un banc du parc, il y avait un vieil homme assis là.
Je lui ai dit : « Votre vieux tribunal tombe en ruines. »
Il a répondu : « Ouais, mais c'est suffisant pour notre petite
    ville. »
J'ai dit : « Votre vieux mât penche un peu,
Et c'est un *vieux drapeau en lambeaux* que vous avez là. »

Il a répondu : « Assoyez-vous. » Et je me suis assis.
« C'est votre première visite dans notre petite ville? »
J'ai dit : « Je crois. » Il a dit : « Je ne suis pas vantard,
Mais nous sommes fiers de notre *vieux drapeau en
    lambeaux.* »

« Voyez-vous, notre drapeau a reçu un premier petit trou
Quand Washington lui a fait traverser le Delaware.
Et il a été brûlé par la poudre le soir où Francis Scott Key
Le regardait en écrivant *Say Can You See.*
Et il a été déchiré à la Nouvelle-Orléans
Quand Packingham et Jackson se le sont disputé.

« Il est presque tombé à Alamo
Près du drapeau du Texas, mais il a tenu bon, malgré tout.
Il a reçu un coup de sabre à Chancellorsville
Et encore un autre à Shiloh Hill.
Il y avait là Robert E. Lee, Beauregard et Bragg,
Et le vent du sud soufflait fort sur ce *vieux drapeau en
    lambeaux.*

« Dans les Flandres, pendant la Première Guerre mondiale,
Il a été percé par un obus de mortier.
Il était rouge de sang pendant la Seconde Guerre mondiale.
Il flottait faiblement quand tout cela s'est terminé.
Il a été en Corée et au Vietnam.
Il a été envoyé là où il était par son Oncle Sam.

« Il a flotté au-dessus de nos navires sur la grande bleue,
Et aujourd'hui, on ne le brandit presque plus chez nous.
On a abusé de lui dans son propre pays —
Il a été brûlé, déshonoré, renié et refusé.

« Le gouvernement qu'il représente
Est objet de scandale partout au pays.
Et il devient élimé et très mince,
Mais il est en bonne forme malgré son état.
Il a déjà connu le feu de l'action
Et je crois qu'il est encore capable d'en faire plus.

« Ainsi, nous le déployons chaque matin,
Nous le descendons chaque soir.
Nous ne le laissons pas toucher le sol
Et nous le plions soigneusement.
À bien y penser, j'aime bien me vanter,
Car je suis très fier de ce *vieux drapeau en lambeaux.* »

Johnny Cash

Apportez-nous un drapeau

Je participais à un concours organisé par un poste de radio. Nous étions douze concurrents installés sur les terrains de la foire pendant deux semaines, dans des conditions semblables à *Survivor* : pas d'électronique, peu de sommeil et des compétitions chaque jour. Le concours avait lieu entre le 7 et le 21 septembre. Chaque jour, un participant était éliminé. Le dernier concurrent recevrait 10 000 $ comme prix.

J'étais enfermé dans une cage de dix mètres sur dix en train de jouer à un jeu idiot qui avait soudain perdu toute signification. Les seules informations que nous avions provenaient des bulletins de nouvelles de la station populaire qui commanditait le concours. Les seules photos que nous pouvions voir étaient celles que ma charmante femme nous montrait sur le journal de l'autre côté de la clôture. Nous étions six dans ce petit camp, mais nous nous sentions très seuls. Mes compagnons et moi voulions partir et annuler le concours. Nous ne pensions qu'à prendre nos êtres chers dans nos bras.

Chaque jour, nous étions interviewés par les journalistes de la radio et nous partagions nos pensées et nos émotions. Un de mes collègues, Jim Severn, exprimant bien ce que nous ressentions tous, a imploré les auditeurs de nous apporter un drapeau. Nous avions besoin de voir un drapeau américain — rien d'autre ne semblait vrai.

Plus tard, ce matin-là, nous avons entendu une femme dire à la radio qu'elle avait dépêché son mari à notre camp avec un drapeau bien spécial. Elle a parlé de son grand-père qui était à Pearl Harbor. Pendant l'attaque, il avait sauvé plusieurs vies. Son commandant avait été tellement inspiré par ses actions qu'il lui avait donné un des drapeaux des ruines de Pearl Harbor. Aujourd'hui, sa petite-fille voulait nous offrir ce drapeau parce que notre simple demande l'avait touchée.

Une heure plus tard, nous avons vu un homme s'avancer vers nous. Dans une main, il tenait le drapeau; de l'autre, il tenait la main de son fils qui semblait n'avoir que cinq ou six ans. La fierté qu'il éprouvait en attachant le drapeau à notre clôture pouvait se sentir. Une chose étonnante s'est produite dès qu'il a eu fini d'accrocher le drapeau. Alors qu'il n'y avait aucun vent l'instant d'avant, le drapeau s'est mis à flotter, comme un drapeau se doit de le faire. Au même moment, à la radio, on a entendu la chanson *I Will Remember You* de Sarah McLachlan. Les paroles nous ont tous profondément touchés.

Il y a eu un autre phénomène qui relevait de la magie. Pendant que le drapeau flottait fièrement, les feuilles des arbres étaient immobiles. C'était comme si un esprit animait le drapeau, le faisait bouger. Silencieux pendant toute la chanson, nous pensions tous la même chose et nous avions tous les larmes aux yeux.

Quand nous avons appris la nouvelle des attaques des terroristes, notre première réaction a été de sortir de là. Quand nous avons ressenti la force de ce seul drapeau, nous avons voulu rester et montrer notre courage. À la fin du concours, on pouvait à peine voir au travers notre clôture : elle était entièrement recouverte de drapeaux, de banderoles et de décorations qu'avaient installés pour nous jeunes et vieux. Les gens ont fait des voyages spéciaux pour nous rendre visite et voir notre drapeau. Chaque personne exprimait les mêmes sentiments que nous en le regardant.

Dans bien des années, les gens me demanderont où j'étais pendant la tragédie. Je leur dirai que j'étais entouré non pas d'une clôture métallique, mais par l'amour et le patriotisme de visages inconnus qui sont devenus une famille dont je ferai toujours partie.

Jon Sternoff

Je jure allégeance au drapeau...
du fond du cœur

Les enfants de notre école publique locale se sont joints à plus de 52 millions d'étudiants à l'échelle du pays pour saluer notre drapeau et réciter le Serment d'allégeance le 12 octobre 2001. J'ai demandé à ces étudiants s'ils connaissaient la signification des paroles qu'ils disaient, et ils m'ont assurée que oui! J'ai demandé à chacun d'eux de partager avec la classe ce que les mots signifiaient pour eux. Aussitôt après, je me suis émerveillée des précieux dons créateurs que nos enfants possèdent, surtout quand l'un d'entre eux a ajouté les mots « du fond du cœur » alors qu'il récitait son serment.

Les enfants ont une facilité étonnante pour nous remonter le moral quand nous nous y attendons le moins. Je suis convaincue qu'ils sont les parfaits messagers pour le véritable esprit de paix et de patriotisme en Amérique.

Je jure allégeance au drapeau... du fond du cœur...

Je...

Le premier mot du Serment d'allégeance est « Je », et il veut dire moi, en tant qu'individu. Je suis une personne. Je suis un enfant américain de six ans et je suis heureux de réciter le serment au drapeau de l'Amérique à l'école avec mon bon professeur. J'en éprouve un sentiment de sécurité. Quand j'ai entendu le triste événement qui était arrivé à notre pays, j'étais au bon endroit : j'étais assis sur les genoux de mon papa.

Jure allégeance...

« Jurer » veut dire promettre. « Allégeance » veut dire de le faire avec amour. Quand on dit ces mots, il faut mettre sa main droite sur son cœur pour montrer qu'on promet d'aimer l'Amérique. Certaines personnes ne comprennent pas ce que veut dire faire le serment. Elles ne font que le dire du bout des lèvres. Je n'oublierai jamais les héros courageux dans l'avion qui s'est écrasé à Philadelphie le 11 septembre. Un homme a compris exactement la signification du serment d'allégeance à notre drapeau. Il a fait cette promesse solennelle quand il s'est retourné vers les autres et a dit : « Allons-y! »

Au drapeau...

Le drapeau américain est fait comme une bannière avec des étoiles et des rayures. Aucun autre drapeau au monde ne ressemble au drapeau américain. Nous en avons un en papier dans notre fenêtre parce qu'ils ont tout vendu les vrais au Wal-Mart. Certains ont essayé de reproduire le drapeau américain, mais ils ne peuvent pas trouver les couleurs exactes. Certaines personnes ont essayé de le brûler mais, ce faisant, elles ont fini par se blesser elles-mêmes.

Des États-Unis...

Les États-Unis, c'est le nom qui a été trouvé quand nous avons décidé d'unir les États et de nous séparer de la Grande-Bretagne. Nous n'avions rien contre eux, nous voulions seulement être indépendants parce que nous n'étions pas d'accord avec certaines de leurs croyances. Par exemple, ils croyaient à la monarchie, et nous cherchions à être un pays plus moderne. Nous voulions que George Washington soit le président. Pour cela, nous avons dû aller en guerre parce qu'ils n'avaient jamais entendu une telle chose! Nous avons gagné la guerre et les Britanniques sont ensuite devenus nos bons amis, et certains d'entre eux sont même déménagés ici.

D'Amérique...

L'Amérique est un pays rempli d'histoire. Plusieurs livres ont été écrits sur le sujet. J'en ai lu neuf ou dix déjà. Plusieurs personnes sont mortes pour notre pays parce qu'elles voulaient la liberté de la presse. On peut devenir ce qu'on veut quand on grandit en Amérique. Quand je serai grand, je veux être pompier et jouer un peu au golf dans mes temps *libres*.

Et à la république...

Les républicains sont un groupe de personnes qui travaillent à la Maison-Blanche. Ils transportent des porte-documents et ont beaucoup de réunions importantes. Ils jurent de dire la vérité, seulement la vérité. Les républicains ne sont pas démocrates. Grand-papa en est un mais pas papa. Quant à grand-maman ou maman, je ne sais pas. Elles ne me l'ont jamais dit.

Qu'il représente...

Quand on récite cette partie, il faut se lever. Il ne faut pas s'asseoir quand on récite le Serment d'allégeance. Ce n'est pas bien. Levez-vous et pensez à ceux qui sont morts pour notre pays. Moi et ma famille sommes allés à Washington, D.C., pendant nos vacances. Un jour, nous avons visité le Memorial du Vietnam pour chercher le nom de mon oncle. Quand nous l'avons trouvé, papa a pleuré. Il a dit que mon oncle était l'un des braves qui ont défendu le pays.

Une nation...

Cela veut dire un pays rempli de gens qui prient. Nous savons que c'est la vérité, parce que le président Bush dit toujours « God bless America » [Que Dieu bénisse l'Amérique] quand il parle à la nation. Maman et papa disent que le président Bush fait du bon travail. Si vous voulez voter sur la question, vous pouvez aller sur le site *CNN.com* et en parler à Larry King ou à Dan Rather.

Sous la protection de Dieu...

Cette partie signifie que nous sommes sous le regard de Dieu. Dieu est là-haut dans le ciel et Il nous regarde. Nous sommes juste ici — sous Lui. Nous pouvons avoir confiance que Dieu prendra soin des Américains. Si vous dites « Nous avons confiance en Dieu » au lieu de « sous la protection de Dieu », cela veut dire à peu près la même chose.

Indivisible...

Indivisible signifie que nous ne pouvons pas voir. On appelle cela aussi la vérité cachée. Seul Dieu peut voir ce qui se passe quand les choses sont indivisibles, mais Il nous aidera à voir la vérité cachée seulement si nous avons confiance et si nous obéissons. Il n'y a pas d'autre façon, juste avoir confiance et obéir.

Garantissant liberté...

La liberté est une chose impressionnante. Elle signifie indépendance. Nous avons même nommé une cloche en son honneur. On l'appelle la Cloche de la liberté. Elle s'est fendue un jour que quelqu'un la faisait sonner, mais cela n'a pas empêché notre pays de célébrer le Quatre juillet. Les Américains ne laisseront jamais une cloche fendue limiter la liberté. Que l'indépendance sonne!

Et justice...

La justice signifie savoir la différence entre faire ce qui est bien et faire ce qui est mal. La justice, c'est le mot pour désigner faire ce qui est bien. Je ne connais pas le mot pour faire ce qui est mal, mais ceux qui le font paieront pour cela un jour. Le président Bush les a prévenus que le temps pressait et que le FBI s'en mêlait.

Pour tous...

Pour tous signifie que chacun est inclus. Peu importe où votre famille a vécu avant de venir en Amérique. Moi, par exemple, j'ai vécu au Kentucky avant de déménager au Missouri. Je suis à moitié Mexicain, à moitié du Kentucky, à moitié baptiste et à moitié démocrate. Rien de cela ne fait une différence, parce que je suis un Américain et je jure allégeance au drapeau du fond du cœur.

Jeannie S. Williams

Je suis une Américaine

J'ai vingt et un ans et je suis étudiante universitaire à Rockaway, New Jersey. Je n'ai pas connu personnellement quelqu'un victime de la catastrophe qui a frappé notre nation. Pourtant, je me suis sentie liée à certains égards avec chacune des victimes, avec leur famille et leurs amis, et avec les braves qui ont aidé à la recherche et au sauvetage. Comme tous les Américains, j'ai été envahie par les émotions. J'étais triste, confuse, frustrée et en colère — pour plusieurs raisons. Je voulais dire tant de choses, mais les mots ne sortaient pas. J'ai écrit l'extrait suivant pour exprimer mes sentiments et pour faire une déclaration. Mes pensées et mes prières sont toujours avec vous. Puisse Dieu bénir l'Amérique.

Je suis une Américaine. Je suis libre.

Je suis une Américaine. Je suis forte. Comme les bases de notre nation, bâtie par nos pères fondateurs il y a plus de deux cents ans, je ne céderai pas. Je ne serai pas vaincue. Je supporterai sans faiblir.

Je suis une Américaine. J'ai la foi. J'ai regardé dans les yeux de la peur, mais je ne crains pas. Je pleure parce que je suis humaine, non parce que je suis faible. On ne m'enlèvera pas mes croyances. Je ne perdrai jamais espoir.

Je suis une Américaine. J'ai une voix. Je parle librement de mes sentiments parce que je suis libre de le faire. J'exprimerai ma colère parce que je suis en colère. Je crierai ma frustration parce que je suis confuse. Je dirai ce que je pense. On ne peut me faire taire.

Je suis une Américaine. Je suis fière. Les couleurs bleu, blanc et rouge coulent dans mes veines. Comme la torche qui a accueilli mes ancêtres, mon âme irradie l'indépendance et la liberté. Le drapeau est mon phare. La fraternité et l'amour sont les valeurs auxquelles je crois. La vérité et la justice sont ce que je défends.

Je suis une Américaine. Je suis chacun de nous — jamais seulement un. Je suis tout. Je suis unie. Je suis l'homme d'affaires de Wall Street, le fermier du Nebraska, l'étoile de cinéma de Los Angeles. Je suis les vagues déferlantes de Miami Beach, le vent tourbillonnant de Chicago, les montagnes enneigées de Boulder et le soleil du désert de Phoenix. Je ne suis pas affaiblie par des actes lâches de méchanceté; je suis plus forte. Je ne peux être divisée. Je ne serai pas conquise.

Je suis une Américaine. Je survivrai. Je resterai debout et je combattrai et je défendrai. Je ne resterai pas assise à ne rien faire quand je peux faire quelque chose. Je ne reculerai pas. Je vaincrai. Je gagnerai.

Je suis une Américaine. Je suis libre.

Danielle M. Giordano

Nous chantons ta gloire

« Hé, Jennifer!, a sifflé quelqu'un. Lève-toi! »

J'ai laissé ma poupée et j'ai vu que les autres enfants du terrain de jeu avaient cessé toutes leurs occupations et se tenaient à l'attention. Je me suis rapidement relevée, j'ai mis ma main droite sur mon cœur et je me suis immobilisée comme les autres, en m'efforçant d'écouter la trompette marquer la fin de cette journée. Quelque part sur notre base, le drapeau américain était abaissé, plié avec une précision solennelle, puis transporté dans une marche saccadée.

Quand la dernière note s'est tue, j'ai cherché à enlever la chair de poule de mes bras en me frottant. Le faible son mélancolique de la trompette avait produit son effet sur moi.

Ceci n'était qu'une petite partie de la vie d'une enfant de militaire.

Pendant les séances de cinéma du samedi après-midi, je savourais une friandise et un soda en attendant le lever du rideau. Dès que l'écran apparaissait, tous les enfants de militaires que nous étions se levaient, la paume de la main sur le cœur, et nous regardions les scènes patriotiques à l'écran sur le rythme de l'hymne national. J'ai toujours eu à l'esprit la dernière image de notre drapeau qui flottait au ralenti pendant que l'hymne national se terminait dans un *crescendo* stimulant.

À seize ans, pour la première fois de ma vie, j'étais dans un cinéma qui n'était pas situé sur une base militaire. Quand on a baissé les lumières, j'ai regardé avec anticipation le rideau qui s'ouvrait et je me suis levée, la main sur le cœur.

« Que fais-tu, Jenn? » a demandé mon petit ami en me tirant par la manche.

J'ai regardé dans l'ombre et j'ai vu que j'étais la seule personne debout et que je bloquais la vue de quelqu'un. J'ai alors découvert que les cinémas publics ne présentaient pas l'hymne national.

« Euh… je dois aller au petit coin », ai-je balbutié avant de me rendre dans le foyer pour soigner mon chagrin.

Plusieurs années plus tard, j'ai épousé un patriote, un scout haut gradé, dont les soins attentifs qu'il met à manipuler notre drapeau le jour de l'Indépendance m'ont toujours mis les larmes aux yeux. Il n'a jamais été dans les forces armées, encore moins a-t-il été élevé dans une famille de militaires. Mais le scoutisme lui a inculqué l'amour de notre pays. Et chaque matin, dans la salle de classe de son école, il prête le serment d'allégeance au drapeau.

Comme nous vivions en dehors des limites de la ville, nous avions le droit de faire des feux d'artifice le 4 juillet. Il y a deux ans, nous avons ajouté une nouvelle tradition familiale pour valoriser nos célébrations. Après le tir de la dernière pièce, mon mari et moi avons commencé à chanter : « O, say can you see by the dawn's early light… » Nous avons chanté pour nos enfants qui étaient assis bouche bée dans des chaises de jardin. Nous avons chanté pour le ciel étoilé, pour la vie sauvage, pour les voisins qui pouvaient peut-être nous entendre. Nous avons chanté « The Star-Spangled Banner » sans oublier même les hautes notes. Nous avons pensé que, lorsque nos enfants seraient assez vieux pour apprécier les paroles, nous aurions six fois plus de joie à chanter ces merveilleux mots au bout de notre rue.

Cet été, notre aîné saura compter les cinquante étoiles de notre drapeau. Avant même qu'il n'endosse son uniforme de scout, il connaît bien le rituel de manipulation de notre drapeau national — par exemple, il ne faut jamais que le drapeau touche le sol et il ne doit pas flotter après le coucher du soleil.

Il n'y a pas longtemps, j'étais à mon poste, tard, quand j'ai aperçu des soldats qui se tenaient à l'attention, leur regard fixé sur l'horizon. Réflexe né de la fierté, je me suis levée, la main sur le cœur, pendant que les faibles notes me ramenaient à mes racines.

Voilà qu'elle était revenue.

La chair de poule.

J'ai frissonné, sachant que c'était plus que le chant qui emplissait mon cœur.

C'était mon pays. Douce terre de liberté. Nous chantons ta gloire.

Jennifer Oliver

5

NOUS SOMMES UNIS

Ce n'est pas dans le nombre mais dans l'unité
que repose notre grande force.

Thomas Paine

Un

Alors que la suie et la saleté et les cendres ont plu sur nous,
Nous sommes devenus d'une seule couleur.
Alors que nous nous portions les uns les autres
    en descendant l'escalier de l'édifice en feu,
Nous sommes devenus une seule classe.
Alors que nous allumions des cierges d'espoir
    et de souvenir,
Nous sommes devenus une seule génération.
Alors que les pompiers et les policiers cherchaient
    à entrer dans l'enfer,
Nous sommes devenus un seul être humain.
Alors que nous tombions à genoux pour prier
    et demander force,
Nous sommes devenus une seule foi.
Alors que nous murmurions ou criions des mots
    d'encouragement,
Nous avons parlé une seule langue.
Alors que nous attendions dans des files d'un kilomètre
    pour donner notre sang,
Nous sommes devenus un seul corps.
Alors que nous pleurions ensemble la grande perte,
Nous sommes devenus une seule famille.
Alors que nous pleurions des larmes de rage et de douleur,
Nous sommes devenus une seule âme.
Alors que nous partagions avec fierté le sacrifice des héros,
Nous sommes devenus une seule personne.

Nous sommes
Une couleur,
Une classe,
Une génération,
Un être humain,
Une foi,
Une langue,
Un corps,
Une famille,
Une âme,
Une personne.
Nous sommes la Puissance de Un.
Nous sommes Unis.
Nous sommes l'Amérique.

Cheryl Sawyer, Ed.D.

Notre famille américaine

J'étais à New York depuis un mois quand les tours du World Trade Center se sont écroulées. Ma famille s'était réunie dans un cimetière de Staten Island pour le dévoilement de la pierre tombale de ma mère. Sur le granit, on avait gravé « Épouse, mère, grand-mère ». C'est ce qu'elle était en plus d'être aussi tante, belle-sœur et amie. À une époque, elle avait également été la fille de quelqu'un. Nous étions venus pour nous rappeler tout cela.

Nous avons cherché autour des petites pierres pour mettre sur la tombe, comme le veut une coutume de notre religion. J'ai réussi à déterrer un certain nombre de cailloux que je tenais fermement dans ma main. D'autres de mes parents étaient enterrés dans ce cimetière, et je voulais aussi me souvenir d'eux en déposant des cailloux commémoratifs sur leur tombe. Je suis passée d'un repère à l'autre sur le terrain de la famille, déposant un souvenir symbolique sur chacun.

Quand j'ai eu fini d'honorer mes parents, j'ai vu qu'il me restait une pierre dans la main. Plutôt que de la jeter par terre, j'ai cherché une tombe qui n'en avait aucune et qui pourrait profiter de l'offrande d'une étrangère. Mais chacune des tombes avait au moins un caillou. J'ai donc mis le caillou dans mon sac à main et je n'y ai plus repensé.

Le dimanche suivant les attaques terroristes, je me rendais à New York de nouveau pour conduire mon père chez sa sœur à Brooklyn. Je me suis souvenue de ma dernière visite au cimetière. Combien de tombes additionnelles il y aurait maintenant? Combien de cailloux seraient nécessaires?

En rentrant à la maison, j'ai retrouvé le caillou que j'avais déposé dans mon sac. Je suis sortie et je l'ai respectueusement placé dans un endroit protégé de mon jardin où je pourrais le voir quand je serais assise dans ma cour. Il me rappellerait toutes les épouses, les mères, les pères, les tantes, les oncles, les frères, les sœurs et les amis que je n'ai pas connus mais pour lesquels je pleurais tout de même.

Le caillou n'était plus l'offrande d'une étrangère. Il n'y a plus d'étrangers dans ce pays. Nous sommes une famille américaine unie par les liens du chagrin, du souvenir et de l'espoir.

Ferida Wolff

Rencontre du hasard

Ce pays voit la peine et la souffrance,
Mais l'amour nous a liés.
La haine essaie de détruire,
Mais l'amour est vainqueur.
La haine essaie de nous séparer,
Mais l'amour est plus fort.
La haine essaie de tuer,
Mais l'amour survit.

Annie Perryman, 12 ans, de l'Oregon rural

Comme les fêtes juives approchaient à la mi-septembre, je suis allée au centre commercial du quartier pour trouver des vêtements pour ma fille. Je n'avais pas le cœur à magasiner. Comme tout le monde, je crois bien, je ne pouvais pas me débarrasser de cette tristesse persistante et envahissante. Je voulais cependant que ma fille porte un vêtement neuf pour le Nouvel An juif. Je regardais les robes pour petites filles quand une jeune femme s'est arrêtée pour me dire : « Je vois que vous achetez des vêtements de fillettes. Il faut que j'achète quelque chose pour une petite fille et je ne connais rien aux tailles. J'ai deux garçons. Voudriez-vous m'aider ? » M'appuyant sur ma grande expérience en tant que mère de quatre filles, je l'ai aidée à choisir une jolie robe pour une fille de dix ans. Je n'ai pas pu m'empêcher de remarquer que la robe était vraiment sophistiquée — velours et dentelle — faite par une maison qui fabriquait des vêtements coûteux. Je lui ai fait remarquer avec désinvolture : « Ce doit être pour une occasion très spéciale. C'est une petite fille chanceuse. » La femme a répondu : « Eh bien, c'est pour une occasion spéciale, mais je ne sais pas à quel point elle est chanceuse. La famille donne une grande réception. Son papa est envoyé en Afghanistan. »

C'est alors que j'ai vraiment regardé la femme. Elle portait un fichu tout simple sur la tête et autour du cou. Mais ce qui m'a vraiment frappé, c'étaient ses yeux. Ils étaient d'un beau brun, grands et tristes.

« C'est un beau cadeau », ai-je dit. J'essayais de lui faire comprendre combien je compatissais à ses inquiétudes envers ceux qui étaient touchés de près par le terrorisme, combien je me sentais aussi partie prenante à cette épreuve, combien j'étais triste de toute cette perte. Elle m'a serré la main pendant un moment et un silence nous a unies toutes les deux, le genre de choses que seules les femmes et les mères comprennent.

Elle a continué ses achats, et je suis allée à la caisse pour payer les miens. Une femme devant moi me regardait étrangement. J'étais étonnée de son regard et je lui ai demandé si nous nous connaissions. Elle a répondu : « Non. J'ai entendu ce que vous avez dit à cette femme là-bas. Comment pouviez-vous même lui parler? N'avez-vous pas compris qu'elle est l'une d'entre eux? » Ma surprise a dû paraître sur mon visage parce qu'elle a ajouté : « Cette femme est Musulmane. Ce sont tous des terroristes, vous savez. »

Il y avait trois ou quatre personnes près de la caisse enregistreuse et aucune n'a dit un mot. Je sentais la colère monter. J'ai réussi à dire laconiquement : « Non, je ne sais pas. Je sais seulement qu'elle m'a demandé de l'aide concernant la taille des robes. Elle achetait un présent pour une petite fille dont le père est envoyé au front. » J'en aurais dit plus, mais la femme m'a tourné le dos et est partie.

Il restait les trois autres femmes au comptoir de la caisse. L'une d'elle m'a dit : « Ne vous sentez pas gênée. Elle est simplement ignorante. »

Mais malheureusement pas la seule, ai-je pensé. Je n'étais pas triste; j'étais en colère.

J'ai regardé vers le département des fillettes. J'ai vu la dame musulmane qui tenait une robe et qui me regardait. Elle a baissé les yeux, a replacé la robe et s'est retournée pour quitter. J'ai pensé qu'elle avait entendu notre conversation. J'ai eu une idée.

Je lui ai demandé de prendre un café avec moi. Je ne sais pas ce qui m'a fait croire qu'une parfaite étrangère viendrait prendre le café avec moi, mais elle a accepté. Puis, à ma grande surprise, deux des femmes à la caisse enregistreuse ont demandé de venir aussi. Nous étions là, quatre étrangères sur le point de devenir amies !

Nous n'avons passé qu'une heure ensemble, mais c'était suffisant pour rassurer cette jeune femme et lui dire qu'il y a plus de gens au cœur d'or qu'au cœur de pierre ; en tout cas, il y en avait ce matin-là au grand magasin Nordstrom. Nous avons parlé de l'horreur des attaques, à quel point chaque personne que nous connaissions était consternée et triste, et que nous savions que beaucoup de gens mourraient alors que notre nation allait en guerre.

En quittant, notre amie musulmane a dit : « Vous êtes toutes très bonnes. Vous n'aviez pas besoin d'agir ainsi. Ce n'est pas la première fois que je fais face à de telles réactions, et ce ne sera pas la dernière. Il n'y a probablement pas grand-chose à faire pour faire changer d'idée des personnes comme elles. »

Pendant un moment, je me suis demandé comment je pourrais expliquer à cette femme pourquoi j'ai agi de la sorte. Ce n'était pas vraiment pour elle. Je l'ai fait en réalité pour me sentir mieux moi-même. Je l'ai fait — nous l'avons toutes fait — parce qu'à nos yeux cela semblait la bonne chose à faire. Notre sens de la justice et de la décence a été interpellé.

Nous ne pourrons peut-être jamais influencer des personnes comme la femme dont la remarque m'a troublée. À tout le moins, j'ai fait en sorte de me sentir mieux. Si rien d'autre n'est arrivé, je m'étais fait trois nouvelles amies.

Nous étions donc quatre de notre groupe — quatre contre une — qui cherchions ce qui nous unit, nous rend humains, au lieu de ce qui nous divise et nous diminue.

Je n'ai pas été assez rapide pour penser à répliquer vertement aux propos acérés de cette femme. Même si je l'avais fait, il n'y aurait probablement pas eu de différence. Ma réaction n'aurait pas suffi, de toute façon. Nous devons aussi agir, et agir positivement, humainement, montrer le meilleur de nous-mêmes.

Aller faire des courses, aider quelqu'un à trouver la bonne taille, aller prendre un café — voilà des actes qui pouvaient montrer à au moins une gentille dame portant un foulard sur la tête que ceux qui tuent peuvent détruire des êtres humains, mais ils ne peuvent pas toucher l'âme humaine.

Ce n'était pas beaucoup, seulement une tasse de café. Mais c'était un début.

Marsha Arons

Je constate que le patriotisme ne suffit pas. Je ne dois éprouver ni haine ni amertume envers qui que ce soit.

Edith Cavell

RÉPUBLICAIN
DÉMOCRATE
BLANC
NOIR
LATINO
ASIATIQUE
HOMME
FEMME
JEUNE
VIEUX
CHRÉTIEN
JUIF
MUSULMAN

Nous, le peuple

Reproduit avec la permission de Jimmy Margulies.

Interurbain

Le pouvoir d'unir est plus fort
que le pouvoir de diviser.

Tiré d'un message publicitaire de AT&T
après le 11 septembre 2001

Dire que les événements du 11 septembre ont changé le monde à tout jamais est bien le moins qu'on puisse dire. Pour plusieurs d'entre nous, adultes, qui n'avons jamais connu la guerre sur notre propre terrain, nous avons ressenti notre propre vulnérabilité. Pour nos enfants, le 11 septembre a signifié la peur et l'assurance que, de toute évidence, il y a sur terre un mal des plus odieux. J'ai été attristée d'apprendre cette nouvelle, et en colère que mes enfants aient perdu leur innocence.

De chez moi, à Chicago, je regardais des images du World Trade Center qui s'écroulait. Comme tout le monde, j'étais consternée et horrifiée. Mon amie Sharon et moi avions pourtant une autre raison d'avoir peur. Nous avons toutes les deux des enfants qui étudient à New York. Quand nous avons finalement pu les rejoindre, et nous assurer qu'ils étaient sains et saufs, nous nous sommes étreintes et nous avons pleuré. Malgré cela, nous avons toutes deux perçu la peur dans la voix de nos enfants. En tant que mères éloignées de nos enfants, nous cherchions à tout prix à les rassurer. Nous ne le pouvions pas. Un soir, alors que j'étais assise dans la cuisine de Sharon, nous avons appris toutes les deux que le réconfort dont nos enfants ont besoin peut venir parfois d'autres personnes.

Sharon préparait du thé glacé. La température était plus chaude que la normale à Chicago. Il faisait très chaud aussi à New York, comme je l'ai appris par une conversation

avec ma fille, Rachael, plus tôt dans la journée. Le téléphone de Sharon a sonné. C'était son fils, Jake. Pensant que
j'aimerais entendre la conversation, Sharon a mis le téléphone sur le mains libres.

La voix de Jake tremblait alors qu'il disait : « Maman,
nous avons des problèmes. » Je me suis levée pour prendre
la main de Sharon.

« Qu'est-ce qu'il y a? » a-t-elle demandé.

« Nous sommes à Harlem. Notre autobus est en panne.
Nous sommes au coin de la 135e Rue et Amsterdam. »

Jake étudie à l'université Yeshiva, un collège pour garçons juifs orthodoxes, situé tout au nord à Washington
Heights. Le collège Stern, l'université-sœur de Yeshiva, se
trouve au centre-ville de Manhattan. Les écoles offrent des
navettes afin que les enfants puissent se rencontrer. Habituellement, les garçons se rendent à l'école des filles parce
qu'il y a beaucoup plus de choses à faire pour eux au centre-
ville.

La plupart du temps, les garçons de Yeshiva n'ont
jamais eu de problèmes avec des groupes ethniques et
raciaux différents, et ils étaient habitués à voyager librement dans toute la ville. Après le 11 septembre, nous voulions que nos enfants, comme l'a dit le maire Giuliani,
retournent vivre leur vie normalement. Donc, ils ne devaient pas avoir peur de prendre l'autobus pour le centre-ville
par une chaude soirée pour visiter leurs amis.

Mais Jake disait maintenant à sa mère que l'autobus
était en panne en plein Harlem. Pour empirer les choses, il
n'y avait qu'un éclairage d'urgence, et peu de magasins sur
Amsterdam étaient ouverts. Bien que nous ayons tant
répété à nos enfants de ne pas avoir de préjugés, quand
Jake a dit qu'un groupe d'une vingtaine de jeunes noirs
avaient commencé à encercler l'autobus, nous avons eu
peur.

Le chauffeur avait déjà demandé un autre autobus et il avait averti la police. Mais les policiers de New York avaient les mains pleines avec la ville en désarroi. De plus, aucun crime n'avait été commis.

Nous nous sommes regardées, Sharon et moi, en imaginant la scène. Elle a dit à Jake de garder les portes et les fenêtres verrouillées et d'attendre. Elle n'a pas voulu qu'il raccroche le téléphone. Nous pouvions entendre les bruits de fond. Les garçons de Harlem criaient aux garçons de Yeshiva d'ouvrir les portes et de sortir.

« Il fait tellement chaud ici, maman, disait Jake. Je ne sais pas combien de temps nous pourrons encore rester enfermés. »

À près de treize cents kilomètres de là et avec comme seul moyen de communication un téléphone cellulaire, nous ne pouvions pas beaucoup aider son fils.

Alors, Jake a dit : « Maman, un des garçons est parti chercher une femme dans un des édifices. Elle vient vers nous. Attends… Elle nous crie de sortir. » Jack a dû tourner l'écouteur pour que Sharon et moi puissions entendre. Le visage de Sharon s'est éclairé d'un large sourire.

« Hé, les garçons, sortez de là tout de suite. Avez-vous perdu votre bon sens? Il fait 35 degrés ici. Vous sortez immédiatement et vous venez dans cette pharmacie pour prendre un rafraîchissement! »

Nous reconnaissions ce ton! Nous l'avons utilisé nous-mêmes à plusieurs reprises. C'était un ordre que n'importe quelle mère donnerait à un enfant têtu!

« Jacob! Tu fais comme elle dit. Et laisse-moi lui parler », a dit Sharon d'une voix décidée.

Ensuite, la voix de la mère a dit : « Ici Bessie. Je suis la maman de Duane. Duane et ses amis essayaient de faire sortir vos garçons de cet autobus surchauffé. Il faut qu'ils aillent à l'intérieur où c'est frais et prendre un soda. Qu'est-ce qu'ils ont donc? N'ont-ils pas de cervelle? »

Sharon riait doucement : « Apparemment non, Bessie. » Elle s'est tue un moment. Puis, elle a ajouté : « Je m'excuse, Bessie. Les garçons ont eu peur. Ils pensaient que votre fils et ses amis leur feraient du mal. »

Bessie n'a pas répondu tout de suite. J'ai pu par contre l'entendre soupirer. Alors, sa voix a craqué un peu en disant : « Nous ne pouvons pas avoir des idées comme ça. Il y a beaucoup de monde qui le voudrait; il y a des gens fous dans ce monde. Tiens, voici ton fils. Ils ont des sodas... Maman? Tu veilles bien sur toi maintenant, tu entends? »

Nous avons entendu. Nous avons entendu que New York était devenu un petit village où les mères veillaient sur les enfants des autres, en les grondant quand il le fallait; un endroit où un groupe de garçons Juifs blancs et un groupe de garçons noirs de Harlem sont devenus tout simplement des garçons qui prenaient un rafraîchissement ensemble sur un coin de rue par une chaude soirée d'été.

Le 11 septembre a changé le monde à jamais. New York et tous les Américains ont connu le pire traumatisme, la pire horreur inimaginable. Nous en avons tous été malades.

Cette nuit-là, au coin de la 135e et Amsterdam, quelques-uns d'entre nous ont commencé à se rétablir.

Marsha Arons

6

RÉFLEXIONS

Quand je suis au désespoir,
je me rappelle que tout au long de l'histoire
les voies de la vérité et de l'amour ont toujours triomphé.
Il y a eu des tyrans et des meurtriers
et, pendant quelque temps,
ils peuvent sembler invincibles,
mais ils finissent toujours par tomber.
Pensez à cela. Toujours.

Mahatma Gandhi

Voix d'antan

Les fauteuils roulants et les déambulateurs étaient alignés le long du mur. Déformés et marqués par les batailles de la vie, des aînés aux cheveux argentés emplissaient la salle à manger d'un centre local pour personnes retraitées. Le programme des activités de l'après-midi avait été annulé pour faire place à ce qui occupait tous les esprits : les attaques terroristes du 11 septembre.

Voici leurs pensées, leurs commentaires, leurs opinions — la sagesse éternelle de ces visages presque oubliés dans le rétroviseur.

La peur

- Si nous nourrissons l'espoir, la peur mourra de faim.
  – Selma, 74 ans

- J'ai toujours pensé que la Grande Dépression avait été l'époque la plus difficile. Mais s'inquiéter de l'avenir de ses petits-enfants est encore plus difficile.
  – Elsie, 82 ans

- J'ai d'abord pensé me cacher sous les couvertures. Ensuite, j'ai décidé de baisser la tête.
  – Bernice, 75 ans

- J'ai consacré toutes mes années de vie active à tenter d'améliorer le sort de mes enfants et de mes petits-enfants. Je n'ai jamais souhaité le terrorisme et la guerre.
  – Henry, 85 ans

- Dans des moments comme ceux-ci, nous avons besoin d'une main à tenir.
  – Lena, 101 ans

- L'inquiétude est comme une chaise berçante : elle vous tient occupé, mais ne vous mène nulle part.
  −Ava, 71 ans

- Pourquoi s'inquiéter quand on peut prier?
  − Trudy, 89 ans

- Quand la peur se présente sans prévenir, ne lui offrez pas un siège pour s'asseoir.
  − Conrad, 84 ans

Le courage

- La tragédie est pénible, mais nous sommes plus forts.
  − Rosa, 94 ans

- Un jour, j'ai servi avec les meilleurs, pour le meilleur. Rien n'a changé.
  − Gordie, vétéran de la Deuxième Guerre mondiale, 79 ans

- Même dans les pires moments, nous devons être reconnaissants pour tout ce que nous avons.
  − Inez, 90 ans

- Nous avons survécu aux difficultés et aux pertes. Notre génération est forte. Le même Dieu qui nous a permis de nous en sortir à cette époque nous viendra une nouvelle fois en aide.
  − Walter, vétéran de la Deuxième Guerre mondiale, 81 ans

- Tout ira mieux quand la douleur s'estompera.
  − Ernst, 78 ans

- Les Américains savent qu'un « appel aux armes » veut vraiment dire mon bras autour du tien… avec le bras de Dieu autour de nous tous.
  − Herman, 83 ans

La peine

- Certaines personnes en voudront à Dieu.
  — *Eugène*, 82 ans

- J'ai perdu un frère lors de la Première Guerre mondiale. J'ai perdu un fils lors de la Deuxième. J'ai vu mes petits-neveux servir en Corée, une petite-fille soigner les blessés au Vietnam et un arrière-petit-fils s'embarquer pour le Golfe persique. Je ne peux que secouer la tête de désappointement... tout comme Dieu doit le faire. L'humanité n'apprendra-t-elle jamais?
  — *Lucy*, 100 ans

- Plus je vois à quel point les humains peuvent haïr, plus j'aime les chiens.
  — *Bill*, 97 ans

- J'ai appris que c'est l'amour, et non le temps, qui guérit toutes les blessures.
  — *Selma*, 80 ans

- La guerre et le péché... à mon avis, c'est la même chose. Et les deux détruisent l'âme.
  — *Vera*, 88 ans

- J'ai de vieux souvenirs, mais de jeunes espoirs.
  — *Elverne*, 77 ans

L'espoir

- L'espoir, c'est s'accrocher même quand tous les autres ont lâché.
  — *Fern*, 75 ans

- J'espère que notre gouvernement se tiendra debout.
  — *Wilber*, 80 ans

- Nous ne pouvons qu'espérer le meilleur, nous préparer au pire... et faire de notre mieux avec ce qui arrive.
  — *Lillian*, 74 ans

- Les cerfs-volants s'élèvent dans le vent. Nous le ferons aussi.
  – Herman, 83 ans

- Mon passage préféré de la Bible est : « Et cela vint à passer. » Ceci passera également.
  – Marie, 93 ans

- Ces terroristes se sont attaqués à la mauvaise cible. Les États-Unis d'Amérique sont plus solides qu'ils ne l'imaginent.
  – Wilber, 80 ans

Dieu

- Quand nous croyons ne pas pouvoir aider d'une autre façon, il nous reste la prière.
  – Marta, 96 ans

- Je crois que Dieu nous envoie des temps sombres pour que nous cherchions sa lumière.
  – Howard, vétéran de la Deuxième Guerre mondiale, 81 ans

- Maman disait toujours : « Le mal se tient sur une jambe; le bien, sur deux. »
  – Hazel, 92 ans

- Je ne cesse de me demander : *Où est Dieu dans tout ceci ?* Et je ne cesse de penser : *Il attend que tu lui parles.*
  – Edna, 103 ans

- Dieu est plus résistant qu'un nœud de pin.
  – Mary Margaret, 77 ans

- Nous devons nous tourner vers Dieu dans la prière. Mes genoux ne fonctionnent peut-être plus, mais je m'agenouille aussi bien dans mon cœur.
  – Marie, 93 ans

Carol McAdoo Rehme

Mettre les choses
en perspective

Rien ne vaut un acte de terrorisme contre des milliers d'innocents pour mettre votre vie en perspective. Il y a une semaine, je m'inquiétais de beaucoup de choses; aujourd'hui, je n'arrive plus à me rappeler lesquelles. Il était question d'argent; de ne pas en avoir assez, je crois. Le solde d'une de nos cartes de crédit est un peu élevé. C'est probablement ce qui m'inquiétait. J'ai vu des millions de morceaux de papier soufflés des bureaux du World Trade Center, ce qui représentait la vie financière de milliers de gens. On aurait dit que le diable avait organisé son propre défilé sous une pluie de serpentins dans les rues de Manhattan. La seule différence était que des commandes de titres, des listes d'inventaires, des carnets de chèques personnels, des comptes d'épargne et, qui sait, des listes de blanchisserie avaient remplacé les serpentins. Aussi importants qu'ils aient semblé quelques jours auparavant, ces petits morceaux de papier étaient très loin de l'esprit des familles, des amis, des victimes et des sauveteurs.

Je dois donc faire erreur. Je ne pouvais pas m'être inquiété d'un petit relevé de carte de crédit. Un morceau de papier. Ce serait absurde.

Je m'inquiétais peut-être de la chaleur. Il avait fait très chaud à Hawaï au cours des dernières semaines. Mais en regardant les pompiers, revêtus de leurs gros et lourds manteaux de protection, monter et descendre sur des tonnes de débris de béton et d'acier, en cuisant littéralement dans la chaleur de Ground Zero, je savais que je devais faire erreur. C'était impossible que je me sois inquiété de notre chaleur. Je m'inquiétais peut-être parce qu'il n'avait pas plu depuis longtemps. Nous avions grand besoin de pluie. C'est alors que j'ai pensé aux gens qui étaient pris dans les décombres de New York et de leur inquiétude qu'il se mette à pleuvoir. La pluie nuirait aux activités de sauvetage et rendrait peut-être la situation encore plus dangereuse. Soudain, le manque de pluie m'a semblé une bonne chose.

Je m'inquiétais peut-être de ma santé. J'ai déjà été un très bon hypocondriaque. Avec l'âge, j'ai de plus en plus de difficulté à me concentrer, du moins pas le genre de concentration nécessaire pour me convaincre que j'ai une tumeur grandissante quelque part dans mon corps ou que j'en suis aux premiers stades de la maladie de la vache folle. Ce jeu est pour les jeunes hypocondriaques. Mais comment aurais-je pu m'inquiéter de ma santé quand, contrairement aux milliers de victimes du World Trade Center, j'étais encore en vie?

Être vivant, c'est bien. Être vivant est quelque chose dont il faut être reconnaissant. On ne devrait pas gâcher le fait d'être en vie en s'inquiétant d'avoir quelques kilos en trop ou en se sentant coupable de prendre un autre morceau de pizza.

Je m'inquiétais peut-être d'une quelconque dispute avec ma femme. Mais est-ce possible? Quand deux personnes vivent ensemble depuis plus de 20 ans, il est clair que l'une d'elles finira par énerver l'autre, particulièrement si cette première personne est moi. Cependant, une longue relation d'amour se doit d'être célébrée, et il faudrait un idiot pour s'inquiéter de quelques accrochages en cours de route.

Il y a une semaine, la vie n'était qu'un tas de soucis. Étrangement, aujourd'hui je la considère comme une bénédiction.

Charles Memminger

Ce que j'ai appris

Les événements malheureux, bien qu'ils puissent être une source possible de colère et de désespoir, peuvent aussi bien être une occasion de croissance spirituelle. Qu'il en soit ainsi ou non, le résultat dépend de votre réponse.

Le Dalai Lama

Le monde a changé à la suite de la tragédie du 11 septembre. Le 12 septembre, nous nous sommes éveillés dans un monde différent — sans aucun doute. Malgré nos pertes, notre souffrance et nos peurs, des effets positifs ont résulté de ces événements, des conséquences que les terroristes qui voulaient nous détruire ne pouvaient ni imaginer ni comprendre. Aujourd'hui, il y a un renouveau de patriotisme en Amérique. Notre drapeau flotte avec fierté aux églises, aux places d'affaires, aux résidences, aux voitures et aux écoles. Les voisins prennent un instant de plus pour se saluer. Les gens pressés ont ralenti, passent un peu plus de temps avec leur famille et leurs amis, et ils sont un peu plus aimables.

Dans les temps de douleur, nous comprenons ce qui est vraiment important. Voici ce que j'ai appris sur les choses importantes de la vie pendant les jours tristes qui ont suivi le 11 septembre :

- La vie est trop courte pour rester emprisonné dans un mariage malheureux, un travail dont on a horreur ou une ville qu'on hait. Si quelque chose vous rend malheureux aujourd'hui, allez de l'avant et trouvez ce qui vous rendra heureux. Vous n'aurez peut-être jamais plus la chance de le faire. Vivez votre vie aujourd'hui ! Soyez heureux aujourd'hui.

- Appréciez votre famille et vos amis le plus possible. Parfois, la vie nous occupe tellement que nous croyons « ne pas avoir de temps » à consacrer à notre famille et à nos amis. Mais il n'y a rien de plus important que nos relations avec les êtres que nous aimons. Fermez le téléviseur et l'ordinateur, fermez votre livre et parlez à ceux que vous aimez. Ils pourraient ne pas être là demain.

- Nous sommes entourés de héros. Un héros est celui qui est prêt à faire s'écraser un avion dans un champ, sachant qu'il perdra la vie, pour sauver la vie d'autres personnes — des étrangers qu'il ne connaît même pas. Un héros est celui qui rentre en courant dans un édifice en flammes pour sauver des étrangers effrayés et qui paie ce geste de sa propre vie.

- Les gens se soucient réellement les uns des autres, et ils s'intéressent vraiment à ce qui se passe dans le monde. Les gens peuvent mettre de côté leurs différences et travailler ensemble pour le bien de l'humanité.

- Les vrais héros et les vrais leaders se manifestent en temps de crise.

- C'est dans l'adversité qu'on reconnaît ses vrais amis. Une de mes amies d'enfance m'a écrit pour me dire combien elle appréciait notre amitié depuis vingt ans. Elle voulait me le dire maintenant, au cas où elle n'en aurait plus la chance. Ça, c'est une véritable amie!

- Partout dans le monde, nous devons regarder au-delà de nos différences et travailler ensemble si nous voulons vraiment vivre un jour dans un monde de paix.

- Renouer notre relation avec Dieu ne peut attendre à demain. Demain, il sera peut-être trop tard!

Enfin, j'ai appris que nous n'avons qu'à tendre la main pour aider nos voisins, même s'ils ne demandent pas notre aide. Imaginez quel monde merveilleux serait le nôtre si chaque personne posait, au hasard, un geste de bonté par jour.

Victoria Walker

Le temps de prier

*La prière forge plus de choses que notre monde ne
l'imagine.*

Abraham Lincoln

Le matin du 11 septembre 2001, ma famille a été
réveillée par des bruits de métal qui s'écrase et les cris d'une
personne. J'ai couru faire le 911 pendant que mon fils se
précipitait vers l'intersection. En revenant, il m'a dit qu'un
motocycliste avait frappé une voiture qui tournait vers la
gauche et qu'il avait été projeté six mètres plus loin sur la
chaussée. Les véhicules d'urgence sont arrivés rapidement
et il semblait ne pas y avoir de blessés. Pourtant, l'événement m'avait secouée. Il me rappelait que notre vie peut
être changée de façon dramatique en un seul instant.

Un peu plus tard, mon mari m'a appelée du bureau et
m'a dit d'ouvrir la télé.

Quoi? ai-je pensé. *Cet accident de quartier a fait les
manchettes?*

« Quelle chaîne? » lui ai-je demandé.

« Celle que tu veux », a-t-il répondu impassiblement.

J'ai couru au salon et j'ai appuyé sur le bouton. J'ai
immédiatement vu une scène étrange et terrible. Un gratte-
ciel en flammes et de la fumée qui s'échappait des étages
supérieurs. Une vague description se déroulait au bas de
l'écran pendant que des présentateurs énervés parlaient
d'une voix déconcertée du World Trade Center. Un avion
commercial avait directement et délibérément percuté la
Tour Nord, tuant sur le coup tous les passagers et plusieurs
autres personnes dans l'édifice. Un autre avion avait percuté la Tour Sud. Une des tours s'était écroulée. L'autre est
tombée sous mes yeux.

Pendant des heures, en état de choc, j'ai regardé les rapports, les mises à jour et les correctifs. Le Pentagone avait aussi été touché. Un autre avion s'était écrasé dans un champ en Pennsylvanie. À ce moment, personne ne savait s'il y avait un lien entre cet avion « qui s'était écrasé en pleine nature » et les autres. Plus tard, on a pu établir que cet avion avait lui aussi été détourné et qu'il se destinait apparemment vers la Maison-Blanche ou Air Force One.

Dans quel monde vivons-nous? ai-je pensé. Ignorant mes plans de la journée, j'ai passé des heures rivée à la télé. Sur toutes les chaînes, les bulletins de nouvelles montraient à répétition les vidéos des avions qui s'écrasaient sur les tours. Parfois, on nous montrait de nouvelles images qui nous présentaient ce scénario horrible sous des angles différents.

Nous revenions de New York. Onze jours auparavant, le 31 août, mon mari et moi avions atterri à l'aéroport de Newark pour visiter de la famille en Pennsylvanie et au Kentucky pendant une semaine et demie. Le dimanche 9 septembre, nous sommes revenus en automobile à l'aéroport de Newark. Comme nous étions bien en avance, nous avons roulé, avons pris des photos dont certaines de la silhouette de New York! Nous avons fini par rater notre vol de retour, de même que notre correspondance, et nous ne sommes rentrés que vers dix-sept heures le lundi soir. Le lendemain, en regardant les actualités, j'ai remercié Dieu que nous soyons rentrés sains et saufs, et j'ai prié pour ceux et celles, nombreux, qui n'avaient pu le faire.

Toute la journée du mardi, la plus grande partie du mercredi et une bonne partie des jours qui ont suivi, j'ai regardé les actualités à la télévision, j'ai écouté les stations d'information à la radio et j'ai même visité les nouvelles pages sur Internet pour me tenir au courant. J'ai regardé les visages des gens qui avaient été directement affectés par cette tragédie innommable — ceux dont les êtres chers étaient morts ou avaient été sérieusement blessés.

Au milieu de la tragédie, on a entendu des histoires de bravoure et d'héroïsme. Une d'elles parlait d'un homme à bord de l'avion de Pennsylvanie qui a essayé d'appeler chez lui, mais a rejoint une téléphoniste. Après lui avoir fait promettre d'appeler sa femme et ses enfants pour leur dire qu'il les aimait, il lui a demandé de réciter le Notre Père avec lui. Elle a accepté. Puis, avec l'aide de quelques autres passagers, il a réussi à contrer les intentions des pirates de l'air et a sauvé d'innombrables personnes qui étaient ciblées pour une attaque au sol.

Avec le temps, je me suis efforcée de reprendre ma routine habituelle — en particulier mon travail, comme le président nous avait vivement conseillé de le faire. Mais la vie ne semblait plus « normale ». Comme la plupart de mes compatriotes, mes émotions étaient à fleur de peau. Je ne quittais la maison que pour faire l'épicerie ou d'autres achats nécessaires. De plus, je ne prévoyais plus voyager à travers le pays pour des vacances de sitôt.

Par contre, le changement le plus remarquable dans ma vie était cette envie obsessive de regarder les actualités. Je n'avais pas l'habitude de le faire, ni même de lire les journaux (sauf pour la section des arts et spectacles, et pour les coupons-rabais). Cependant, après le 11 septembre, j'ai commencé à écouter les nouvelles plusieurs fois par jour pour ne rien manquer des derniers développements. Nous écoutions les nouvelles chaque soir juste avant de nous mettre au lit, et même avant le petit-déjeuner pour voir ce qui s'était passé pendant notre sommeil. Pendant la journée, j'allais sur Internet voir les sites des actualités et je passais furieusement d'une chaîne à l'autre, de CNN à MSNBC, pour ensuite recommencer. Je ne voulais rien manquer et j'étais prête à prendre le téléphone pour appeler mes amis et mes proches si quelque chose se produisait qu'ils pourraient ne pas savoir.

Un jour, rivée à la télé, j'ai eu une idée. Ne serait-il pas merveilleux d'avoir la même compulsion obsessive à propos du temps que nous passons avec le Seigneur — prier avec lui, écouter sa voix, lire et étudier sa parole? Ce n'est pas que les nouvelles de CNN ne soient pas importantes. Cependant, ne serait-il pas encore plus important de m'assurer que je n'ai rien manqué de ce que Dieu pourrait avoir à me dire? Combien ma vie serait différente sans parler de la vie de mes amis et de mes proches, si je pouvais les appeler chaque fois que je reçois une nouvelle leçon de sagesse du Seigneur?

Je me suis alors promis que, chaque fois que j'aurais envie de prendre la télécommande pour écouter les actualités, je ferais une prière. Je prierais pour mon pays. Je prierais pour le président Bush et ses conseillers. Je prierais pour ceux qui ont perdu des êtres chers lors des attaques. Je prierais pour les secouristes sur les lieux du désastre. Je prierais pour les Américains de descendance arabe qui subissent le contrecoup des préjugés. Je prierais pour les civils innocents d'Afghanistan. Je prierais pour les réservistes qui ont été appelés sous les drapeaux. Je prierais pour ceux qui pourraient être en train de planifier d'autres attaques contre les États-Unis et autres pays pacifiques. Je prierais pour les Talibans et pour Ousama ben Laden lui-même. Je prierais pour toutes les personnes qui ont été tellement dupées par le mal qu'elles croient rendre service à Dieu et au reste du monde en éliminant de la face de la terre le peuple « spirituellement en faillite » d'Amérique.

Aujourd'hui, après avoir passé du temps à prier, je m'accorde la permission de regarder les actualités, mais juste assez longtemps pour voir si quelque chose d'important s'est produit. Ensuite, je ferme l'appareil et je prie encore avant de reprendre mes activités. Ce régime que je m'impose m'a apporté la paix en ces temps de terreur. Je ne me concentre plus sur la tragédie, mais sur le Dieu de l'univers, le Seigneur de ma vie.

Mon horaire chargé me laisse-t-il le temps de prier aussi souvent pendant la journée? Pendant des jours et des jours, j'ai eu le temps de regarder les actualités de façon compulsive.

Jamais n'a-t-il été aussi important de prier que maintenant.

Kathy Ide

« *Papa dit que vous êtes très occupé
depuis le 11 septembre, mais…* »

The Family Circus *par Bil Keane. Reproduit avec l'autorisation de Bil Keane.*

Des étrangers familiers

Le mardi 11 septembre, je suis monté à bord d'un avion à 8 h pour un vol de New York vers Los Angeles. Peu après, nous avons roulé sur la piste, avons été projetés vers l'arrière et avons filé sur la piste avant de prendre notre envol. Il devait être près de 8 h 30 quand j'ai regardé par-dessus mon épaule pour voir la silhouette de New York où on voyait clairement de l'université Columbia, mon *alma mater*, jusqu'au World Trade Center. *Quelle belle journée,* me suis-je dit. *Je suis désolé de partir.* J'ai fermé les yeux et je me suis endormi.

Un peu plus de quatre-vingt-dix minutes plus tard, la voix du pilote m'a réveillé. « Mesdames et messieurs, disait-il d'une voix calme, nous devons atterrir d'urgence à Cincinnati à cause, semble-t-il, d'une attaque terroriste dans la région de New York. S'il vous plaît, restez calmes. »

Un murmure nerveux a parcouru la cabine. Le journaliste en moi désirait plus d'informations sur-le-champ et j'ai saisi le téléphone. J'y ai rapidement passé ma carte de crédit, j'ai attendu la tonalité et j'ai fait le numéro de notre pupitre à Los Angeles. Le téléphone grésillait. Et quand on a répondu, j'ai clairement saisi par le ton de ma collègue qu'elle était en état de panique.

« Tu vas bien? » a-t-elle demandé.

« Oui. » Et j'ai demandé qu'on me donne plus d'informations.

« Deux avions ont percuté le World Trade Center. Les tours se sont écroulées. Elles se sont écroulées. »

La communication a été coupée. J'ai recomposé désespérément. Pas de chance. J'ai essayé de rejoindre ma sœur à Los Angeles. Pas possible. Je me suis lentement appuyé dans mon fauteuil, et la panique m'a envahi. Je savais que mon père avait pris un avion de New York, environ une heure avant moi. Je savais que ma mère avait pris un avion à Londres à destination de San Diego. J'ai tenté de méditer et de me dire que tous seraient en sécurité. Des larmes ont brûlé mes yeux.

Quand nous avons atterri vingt minutes plus tard, le pilote nous a dit de ne pas activer nos téléphones cellulaires. Il nous a donné l'ordre de quitter l'avion sans délai et de suivre les instructions du personnel de sécurité. Nous l'avons fait.

Enfin rendu dans l'aérogare, j'ai ouvert mon téléphone. Entassé avec des centaines d'autres passagers, nous regardions la télévision. Les images, encore récentes, de deux tas fumants — les restes des tours du World Trade Center — occupaient l'écran. Enfin, j'ai rejoint ma sœur, Mallika, qui pleurait à l'autre bout de la ligne.

« Je suis en sécurité. Où est papa? Où est maman? »

Mallika m'a donné toutes les réponses. Tout le monde était sain et sauf. Mon appel suivant a été de nouveau à mon bureau. Je savais que du travail m'attendait. Sûrement, on avait déjà réservé une voiture à mon nom et je devais retourner à New York. À l'agence de location, on manquait de voitures. Les gens en file d'attente criaient leur destination et le co-voiturage s'est organisé. Je me suis joint à deux autres hommes de New York et nous sommes partis. Pendant les douze heures qui ont suivi, nous avons écouté attentivement la radio qui donnait les détails de l'attaque terroriste à mesure qu'ils devenaient connus.

De cinq minutes en cinq minutes, je pensais à un autre membre de ma famille ou à un autre ami et je composais son numéro avec désespoir. La plupart des lignes de New York étaient encombrées ou hors service. Un ami avec qui j'ai pu communiquer m'a dit qu'il ne pouvait rejoindre un de nos amis communs. Il travaillait au 105e étage d'une des tours. Il devait assister à une réunion à 8 h 30.

Un des participants à la réunion avait appelé pour dire qu'ils avaient survécu à l'attaque initiale et qu'ils attendaient les équipes de secours. Depuis, personne n'avait entendu parler d'eux.

Enfin, peu après minuit, nous étions rendus à Fort Lee, New Jersey, aux abords de New York. Il était impossible de traverser vers l'île de Manhattan — tous les ponts et les tunnels avaient été fermés. J'ai passé la nuit au New Jersey, j'ai peu dormi et, dès 6 h, j'étais habillé et prêt à partir.

Les trains de banlieue étaient le seul moyen de traverser et leur fréquence avait été réduite. En entrant en gare à Hoboken, au New Jersey, le train s'est arrêté. De l'autre côté de la rivière, on pouvait voir les ruines des Tours jumelles, comme deux pierres tombales couvertes de suie et fumantes. C'était silencieux dans le train alors que les passagers, muets, regardaient par les fenêtres. Une jeune femme à mes côtés a commencé à gémir. Un homme a pris sa tête dans ses mains pour étouffer ses sanglots.

Dans la ville, les gens marchaient, abasourdis. Les rues désertées par les voitures étaient pleines de piétons qui erraient, marchaient en plein centre de Broadway et de la 5e Avenue. En nous rendant au centre-ville (j'avais déjà rejoint une équipe de télévision), nous avons remarqué les petits cafés qui étaient ouverts et les terrasses pleines de gens. La plupart gardaient le silence en regardant la colonne de fumée blanche qui s'étirait vers l'ouest. Sur la 4e Rue Ouest, un groupe de jeunes jouaient au basketball. Le ballon s'est échappé de l'aire de jeu. Un jeune homme, sans chemise, a couru après le ballon et s'est penché pour le ramasser. Quand il a relevé la tête, il a regardé la même traînée de fumée épaisse. Il a secoué la tête et essuyé ses yeux — de la sueur ou une larme — et il s'est retourné.

En rentrant chez moi à pied, je me suis arrêté pour parler à un policier. Après quelques minutes, il m'a demandé si je voulais voir Ground Zero. J'ai accepté de rester à distance, loin des travailleurs. Les images que la télévision présentait de la dévastation causée par les attaques du mardi ne rendaient pas justice au site du drame. Sur place, on aurait dit qu'un astéroïde s'était écrasé au sud de Manhattan. Partout, il y avait des plaques d'acier tordues et de béton carbonisé. C'est inimaginable, indicible, incompréhensible. La tragédie aujourd'hui est à ses débuts. Pour les milliers de personnes qui ont perdu la vie, il y en a des milliers d'autres — famille et amis — qui ne pourront plus dormir en paix. Il y a des parents, des enfants, des frères et des sœurs, des amis et des voisins qui sont sortis de leur résidence un matin pour ne plus y revenir. C'est une tragédie nationale, mais c'est aussi une tragédie très personnelle.

Le mercredi soir, en rentrant de mon travail en taxi, j'ai remarqué le nom musulman de mon chauffeur. Il a remarqué la couleur de ma peau dans son rétroviseur. Il m'a fait un signe de tête. À la radio, le commentateur avertissait tous les hommes originaires du Moyen-Orient ou de l'Asie du sud de faire attention aux représailles violentes injustifiées de la part de résidents agités de la ville.

Le chauffeur de taxi m'a de nouveau regardé dans son rétroviseur et, souriant ironiquement, il a dit : « Nous aimons l'Amérique. C'est notre patrie. »

Il y a environ un mois, je me suis rendu avec deux de mes collègues à la frontière nord-ouest du Pakistan, limitrophe de l'Afghanistan. Nous préparions un reportage sur les bases d'entraînement des militants islamistes dans les écoles religieuses du Pakistan.

En Occident, on a largement rapporté qu'il s'agissait de bases d'entraînement pour jeunes garçons musulmans dans le but d'en faire des terroristes anti-occidentaux. Au Pakistan, tant le gouvernement que les hommes dans ces écoles ont protesté énergiquement contre ces affirmations, blâmant l'Occident pour cette propagande raciste. J'ai tenté de rester neutre en me déplaçant dans cette région perdue, mais avec une peur certaine et indéniable au fond du cœur.

À l'école elle-même, le chancelier a été des plus aimables et accueillants. Il nous a fait visiter l'école, rencontrer des professeurs et quelques garçons — même si, au départ, nous n'avions pas le droit de leur parler. Par la suite, nous avons été escortés jusqu'à sa résidence. La première chose que j'ai remarquée en entrant a été le bol de grosses mangues sur la table et une photo. La photo représentait notre hôte, un mollah musulman plus âgé qui portait le traditionnel turban blanc et une barbe aux teintes orangées, et son ami, Ousama ben Laden, l'homme le plus recherché par le FBI. J'ai demandé à notre hôte si nous pouvions l'interviewer. Il a accepté mais pas avant, insista-t-il, de partager les mangues avec lui. J'ai accepté. Il a alors pris un long couteau et a découpé le fruit pour moi. Nous avons parlé pendant quelque temps en mangeant nos fruits et on nous a enfin permis de faire tourner la caméra.

J'ai demandé une foule de questions au mollah : Haïssait-il les États-Unis? Pourquoi y a-t-il tant d'anti-américanisme dans cette partie du monde? Les Américains devraient-ils avoir peur?

Il a répondu à chacune des questions de façon éloquente et sans hostilité. Il a parlé de l'histoire des États-Unis et de l'Afghanistan, comment ils étaient alliés pendant la guerre froide, unis dans leur lutte contre les Soviets.

« Vous nous avez donné des armes et avez entraîné nos hommes. Vous avez construit nos routes et nourri notre population. Vous rendez-vous compte, jeune homme, que votre gouvernement a aidé à créer et à financer les Talibans parce qu'il y allait de leur intérêt d'utiliser la guérilla et les tactiques terroristes contre les Russes? Nous étions vos amis.

« Puis, votre guerre froide a pris fin et vous nous avez désertés. » Il y avait maintenant un peu d'animosité dans sa voix. « Parce qu'il n'était plus dans votre intérêt égoïste de faire de nous vos alliés, vous nous avez abandonnés, laissant notre population affamée et pleine de haine. Vous avez transformé vos amis en ennemis parce que vous nous avez utilisés comme des putains. »

Il y a eu un silence entre nous.

Je lui ai finalement parlé de la photo, de la nature de ses relations avec M. ben Laden.

« C'est un vieil ami. Et un homme bon. »

J'ai secoué la tête. « Est-il un terroriste ? »

« Nous ne disons pas ça de lui ici. » Le mollah a clairement indiqué que notre conversation était terminée. Nous nous sommes serré la main et je l'ai remercié pour son hospitalité.

En sortant, j'ai réfléchi à cette hospitalité. Je savais que le mollah avait lui-même appuyé une *fatwa,* ou ordre religieux, émise par ben Laden des années auparavant, qui incitait les Musulmans à tuer des civils américains. Puis, voilà que le même homme découpait une mangue pour nous et se comportait avec civilité.

« Aujourd'hui, vous êtes notre invité. Nous aurions honte si notre hospitalité n'était pas à la hauteur. Par contre, en temps de guerre, vous seriez notre ennemi et nous pourrions vous tuer. Aujourd'hui un ami, demain, *inch Allah* [comme il plaît à Dieu], il n'y en aura pas un seul. »

Aujourd'hui, le vendredi 14 septembre 2001, quatre jours depuis l'attaque terroriste, il semblerait que nous soyons au bord de la guerre. Notre président a parlé de la première guerre mondiale du 21e siècle. Je ne sais pas trop contre qui nous nous battrons. J'aimerais aller à un de mes cafés favoris de la ville — un petit établissement égyptien dans le Lower East Side que je fréquente depuis mes années d'université. Les serveurs, pour la plupart des jeunes originaires du Moyen-Orient qui aiment parler de basketball et de soccer, viennent à votre table partager une bouffée du narguilé rempli de tabac sucré pendant qu'ils vous servent. Ce sont mes amis.

Cependant, j'ignore quand il rouvrira, si jamais il ouvre de nouveau. Il y a une mosquée tout près qui est fermée depuis l'attaque.

Les semaines et les mois et, qui sait, même les années à venir promettent d'être complexes et teintés de méfiance. Il est à souhaiter que nos chefs prendront des décisions judicieuses, précises et empreintes de compassion. Cependant, c'est à chacun de nous qu'il revient de se lever et d'être les vrais guerriers en ces temps difficiles. Cela voudrait-il dire que nous devrions prendre les armes et affronter la mort sur un champ de bataille?

Justement, non. Parce que le champ de bataille est invisible. L'ennemi est insaisissable.

La toile du mal est trop complexe. Aujourd'hui, il n'y a pas de réponses. Il est trop tôt pour les solutions, les remèdes. À l'heure actuelle, nous avons chacun notre histoire — à quel endroit nous étions le jour où les Tours jumelles se sont écroulées. Chacune est dramatique, chacune est tragique. Dorénavant, chaque jour, je me souviendrai en silence des victimes de cette calamité. Chacun de nous peut choisir la manière de se remémorer ce moment, mais je crois que nous avons tous l'obligation de réfléchir pendant un instant, de nous soucier de notre voisin, de méditer pour la paix et la tolérance, car, au bout du compte, les seules forces qui peuvent vaincre ce mal si profond sont la compassion et l'espoir.

Je demande à chacun de se joindre à moi dans une prière pour la guérison de notre civilisation blessée (si nous pouvons l'appeler ainsi). Prions chaque jour notre Dieu en nous souvenant, comme me l'a enseigné mon père, que le Christ n'était pas un chrétien, que Mohammed n'était pas mahométan, que Bouddha n'était pas bouddhiste et que Krishna n'était pas hindouiste.

Gautam Chopra

Et si on décrétait Fin de partie?

Au début, j'avais espoir. Colin Powell semblait vouloir créer une action policière contre les terroristes, peut-être une nouvelle façon de concevoir la défense. Il n'était plus question de bombes et de troupes sur le terrain, mais d'un travail de détective et d'une collaboration internationale visant directement les sources de la terreur. Je suis très découragée depuis que nous avons commencé à déployer nos troupes en Afghanistan. Je suis très démoralisée depuis que l'anthrax fait les manchettes quotidiennes. Je suis très démoralisée depuis que la sécurité est concentrée sur tous les déplacements — la sécurité des fouilles corporelles et des machines à rayons X et les M-16 aux portes d'embarquement.

Maintenant, à l'aéroport Logan, il y a des machines en cours d'installation qui sont assez raffinées pour scanner un visage et faire des identifications. De plus, avec les entraves aux libertés civiles, qui sait si je ne me retrouverai pas détenue pour interrogatoire au lieu de m'envoler au mariage de mon ami sur un vol sans escale vers Los Angeles?

Je me souviens de la première semaine où j'ai enseigné dans une maternelle publique à Brookline, au Massachusetts. Un garçon frêle au visage couvert de taches de rousseur et à la démarche timide avait peur parce qu'il avait été suivi par une petite brute jusqu'à l'école. Cela m'a secouée; je ne travaillais plus dans l'environnement protégé des écoles privées. Je n'enseignais plus dans un endroit où les parents venaient reconduire leurs enfants à la porte de la classe, revenaient les chercher à la fin de la journée et faisaient à peu près tout en leur possible pour rendre la vie scolaire plus facile entre les deux. Pourtant, je me trompais.

Les parents de Jason étaient aussi prêts à faire ce qu'il fallait. La question, bien sûr, était de décider quoi faire au juste. Sa mère m'a parlé, elle a parlé au directeur, elle a parlé avec le conseiller, elle a parlé au professeur de la brute présumée qui, à son tour, a parlé à la brute présumée. J'ai parlé à Jason, à mes élèves et aux élèves des autres classes. Entre-temps, son père avait pris une approche pragmatique en suivant Jason à l'aller et au retour de l'école, se cachant derrière les poteaux, dans les entrées, derrière les buissons, et le surveillant comme une présence toute-puissante prête à bondir et à lutter contre le mal dès qu'il se manifesterait. Évidemment, nous savions que nous ne pourrions poursuivre toute cette activité éternellement.

Lors de la deuxième semaine, Jason est arrivé transformé, bras dessus, bras dessous avec son tortionnaire. J'ai fait remarquer : *Quelque chose a changé, que s'est-il passé?* « Oh, dit Jason, je lui ai juste demandé "Veux-tu que nous soyons amis?" et il a répondu "Oui". Nous sommes donc amis. Rien de plus. »

Depuis ce jour, Jason fait partie de ma poignée de héros. Ce qu'il a fait était si direct, si approprié, si correct. Pourquoi les adultes avaient-ils compliqué les choses? Pourquoi avions-nous si peur? Bien sûr, je sais que certaines de nos actions ont peut-être préparé le terrain pour la résolution de la crise, mais j'ai toujours l'impression que le monde est entre bonnes mains quand j'écoute NPR et que j'entends la signature « Ici, Jason Beaubien, en reportage de.... » Mais NPR n'est pas le monde entier et la sphère d'influence de Jason est limitée.

Je m'inquiète que, si la méfiance s'installe parmi nous, nous serons en pire position, à long terme, que si nous faisons confiance. Je m'inquiète qu'apprendre la peur est plus nuisible que de simplement faire confiance. Je me suis engagée à informer les gens des risques, même statistiques, pour les préparer à faire des choix qu'eux seuls peuvent faire. Cependant, je ne suis pas là pour les contraindre à avoir peur, à être terrorisés, à ne plus croire qu'ils peuvent trouver du bon chez les autres. J'adopte la position politique qui consiste à ne pas céder à la peur. Je choisis d'ignorer le régime de terreur qu'on nous a imposé au nom du patriotisme, au nom de la justice. Je choisis de vivre d'amour, de travailler à recueillir de la bienveillance.

Au cours du dernier week-end, ma petite-fille de sept ans, Keely, m'a invitée pour la première fois à venir la voir jouer au soccer. J'étais enchantée de voir ces petites filles de six ou sept ans dans leurs uniformes noir et blanc et leurs chaussures à crampons pratiquer leurs mouvements. Il y avait six filles sur l'équipe : quatre joueraient pendant que les deux autres feraient des échauffements — les Galaxies contre les Milky Ways. Les entraîneurs encourageaient les passes, insistaient que tout était dans le travail d'équipe. Il n'était pas question *d'une personne* mais bien *de tout le monde*. Chaque fille a joué à chacune des positions pendant le même temps tout au long de la partie. Vers la fin, trois filles des Milky Ways sont tombées durement en une succession rapide. L'arbitre a dit : « Elles commencent à être fatiguées. » Il a donc crié : « Fin de partie. » Les Milky Ways se sont rassemblées et ont scandé : « Un, deux, trois, quatre, nous n'avons rien à faire du pointage. Cinq, six, sept, huit, qui aimons-nous — les Galaxies! » Ensuite, les Galaxies ont applaudi les Milky Ways. Deux lignes se sont formées et chacune des filles a tapé dans la main de chaque membre de l'équipe adverse en disant : « Bon match. » Quand j'ai félicité Keely pour avoir compté deux buts pour son équipe gagnante, elle a simplement répondu : « J'ai reçu deux belles passes; c'était un bon match. »

Je me demande ce qui arriverait si, dans notre guerre au terrorisme, nous disions : « Voulez-vous qu'on soit amis? » Si cela ne réussissait pas, pourquoi ne pas demander à un arbitre bienveillant d'intervenir en disant : « Les gens commencent à se faire mal; je dis "Fin de partie". » Ou peut-être qu'un parent du voisinage pourrait confisquer pour de bon tous les jouets de guerre.

Molly Lynn Watt

Réflexions d'un nouveau père

*Au lieu de craindre la mort, nous choisissons la vie —
la vie nous semble aujourd'hui plus précieuse, plus
significative qu'elle ne le semblait avant ce jour tragique d'automne.*

Laura Bush

Ma seconde fille est née le 11 septembre 2001 à 16 h 41.
J'ai écrit l'article qui suit pour le bulletin de notre paroisse.

Voilà neuf mois que j'anticipe d'écrire cet article et
j'espérais qu'il serait plein de mots joyeux consacrés entièrement à ma gratitude au Père qui me confère le même
titre... encore une fois. Effectivement, je suis reconnaissant
pour la naissance d'Anna Belle Skidmore, le 11 septembre
2001 (3,37 kilos, 50 cm, cheveux roux et yeux bleus comme
sa sœur), mais mon cœur est lourd en pensant que, au
moment où notre famille accueillait un nouveau membre,
tellement d'autres souffraient la perte de ceux qu'ils
avaient mis au monde. Même si le monde dans lequel a été
accueillie Anna Belle est différent de celui qui l'attendait la
veille, réfléchissons aux paroles du médecin qui tenait ma
fille au moment de sa première respiration pendant qu'un
téléviseur à proximité racontait la tragédie qui se déroulait.
En se tournant vers tous ceux qui étaient dans la pièce, le
médecin a dit : « Que cette enfant soit un rappel de qui contrôle vraiment notre monde. »

Le jour de la naissance de ma fille sera toujours associé
à des souvenirs et des rappels de la mort, mais à 16 h 41 ce
mardi, au moment où des images de mort envahissaient
nos esprits, Dieu a fait son entrée dans notre monde... chez
nous... parmi nous... comme il l'avait fait il y a si long-

temps... en prenant la forme d'un enfant. Mon ami a partagé avec moi une pensée émouvante en me rappelant que, malgré le fait que la date de la naissance d'Anna Belle serait pour toujours associée aux événements de cette journée, il serait réconfortant de savoir que ce pourrait aussi être la journée qui a marqué le début d'une renaissance de la conscience de Dieu dans notre pays, dans nos écoles et dans nos foyers.

En route vers l'église pour écrire ces mots, j'ai entendu à la radio « The Star-Spangled Banner ». Des drapeaux flottaient aux portes de plusieurs maisons des deux côtés de la rue — il y en avait même un qui avait été dessiné par un enfant. Je dois croire que non seulement nous avons renforcé notre allégeance à notre drapeau ce jour-là, mais nous avons aussi pris conscience que notre pays a vraiment besoin de se confier à Dieu. Si le 4 juillet est le jour de notre Indépendance, le 11 septembre deviendra peut-être notre « journée de la Dépendance » — une journée où, en tant que nation, nous avons pris conscience collectivement que notre espoir, notre avenir et notre vie seraient plus en sécurité entre Ses mains.

Tout comme ma fille Anna Belle a commencé une nouvelle vie, j'ai, moi aussi, entrepris une nouvelle vie ce mardi.

Et, tout comme Anna Belle, j'ai été sorti d'un endroit sûr, sécuritaire et paisible pour entrer dans un monde tragique, angoissant, imprévisible et hostile.

Même si Anna Belle est née dans l'incertitude, elle a immédiatement été confiée à un père dont le plus grand désir est de la protéger, de pourvoir à ses besoins et de lui promettre un brillant avenir. Son histoire est mon histoire... et la vôtre également. Nous sommes tous frêles, petits et vulnérables, et notre vie physique ne comporte aucune garantie. Pourtant, la partie de nous-mêmes créée à Son image est en sécurité entre les mains d'un Père protecteur, nourricier et prometteur. Le 11 septembre sera toujours, d'une manière bien spéciale, une célébration de la vie pour ce père-ci. Je prie pour que l'histoire regarde vers le passé pour un jour célébrer cette journée comme celle qui a marqué une vie renouvelée envers notre Père.

Un autre ami m'a envoyé ces mots, une note simple mais très puissante :

En un jour où tous se demandent *Pourquoi Dieu a-t-il permis que ceci se produise?*, nous devrions peut-être te regarder tenant ta fille et poser la même question.

David Skidmore

Le grain de moutarde

*Les semences de la foi sont toujours en nous; parfois,
il faut une crise pour nourrir et stimuler leur croissance.*

Susan Taylor

Dans les moments sombres, nous devons parfois aller puiser profondément en nous pour trouver la foi qui nous permettra de continuer. Ce n'est pas toujours facile, comme je l'ai constaté récemment.

Comme tous les Américains, je n'oublierai jamais le 11 septembre 2001. J'avais commencé ma journée en me promettant de nettoyer la maison avec mon cher mari. La longue maladie d'un être cher nous avait empêchés de vaquer à nos corvées les plus monotones. Il était temps de nous occuper de cette tâche trop longtemps négligée, au point où même le chat éternuait à cause de la poussière.

Ce mardi, nous nous étions levés tôt et nous avions travaillé avec diligence, sautant même notre déjeuner. Vers 13 h, le téléphone a sonné. Notre gendre travaillait au Roosevelt Field, un grand centre commercial de Long Island, et il téléphonait pour nous demander s'il pouvait coucher à la maison s'il ne réussissait pas à traverser le pont pour se rendre chez lui à Westchester.

C'est mon mari qui parlait avec lui, et je l'ai vu devenir blanc. « Que se passe-t-il? » ai-je demandé.

« Anne, vite, ouvre le téléviseur. La ville de New York a été attaquée! » a-t-il crié.

« Quoi? Qui? Où? » ai-je bafouillé.

« Ouvre la télé! » a-t-il répété.

J'ai couru vers le salon, j'ai ouvert la télé et j'ai été saisie d'horreur. En état de choc, j'ai regardé la reprise de l'écroulement des Tours jumelles, les nuages de fumée qui montaient vers le ciel, les gens qui couraient pour sauver leur vie, criant de terreur. L'Amérique était attaquée! Je me suis mise à pleurer. Mon corps tout entier tremblait. J'ai répété « Oh, mon Dieu! » jusqu'à ne plus croire que j'entendais ma propre voix. Mon mari m'a pris dans ses bras. Et pendant une heure, nous sommes restés assis en silence à regarder les rapports tragiques. C'était irréel, comme un film de science-fiction — impossible que cela ait pu se produire dans notre beau New York. J'ai crié : « Tous ces gens qui travaillaient dans les tours, les sauveteurs, les policiers, les pompiers, tous morts. »

Nous avons rapidement fait l'inventaire des membres de notre famille — qui était où, qui pourrait courir un danger. Après quelque temps, nous avons découvert qu'ils étaient tous sains et saufs. Au cours des jours qui ont suivi, nous avons pu retracer tous nos amis les plus chers et nous en étions très reconnaissants. Nous avons entendu des voisins, des amis et des membres de la famille nous raconter comment ils avaient été affectés par l'attaque.

Nous avons continué à regarder les reportages en espérant un miracle pour les disparus. Il ne s'est pas produit. Je suis tombée en dépression, profondément attristée par la perte de tant de personnes, enragée contre la destruction de la ville où j'étais née et où j'avais grandi. Le dimanche, mon mari s'est habillé pour aller à l'église et j'ai senti les larmes me monter aux yeux. « Je ne peux t'accompagner », ai-je dit en pleurant. Il est parti seul. Je suis restée seule avec la pure terreur qui m'habitait. *Dans quel monde vivons-nous?* ai-je pensé. *Nos pauvres petits-enfants. Est-ce leur héritage? Un monde devenu fou?*

Les quelques dimanches suivants, mon mari allait seul à l'église. J'ai essayé de prier, j'ai essayé d'avoir la foi; c'était tout simplement impossible. Je me forçais chaque matin à me lever. Je me sentais démunie, perdue et très confuse.

J'ignore pourquoi, mais le 7 octobre j'ai dit à mon mari que je voulais l'accompagner à l'église. Il a souri et m'a dit que cela lui faisait plaisir et que je serais heureuse de savoir que le père Jim dirait la messe ce jour-là. Il savait que j'aimais les sermons terre à terre de ce prêtre. Le thème de la journée était la nécessité de stimuler notre foi. Il parlait d'avoir la foi, ne serait-ce que de la grosseur d'un grain de moutarde. Un grain de moutarde est très petit, il est presque invisible à l'œil nu. J'ai pleuré pendant tout l'office. Pourtant, en quittant l'église, je ressentais une nouvelle détermination.

Le soir, j'ai dit à mon mari que je voulais lui montrer quelque chose. Dans une boîte jaunie par le temps, j'ai pris une boule de verre de la grosseur d'une bille. Je l'ai déposée dans sa main, et il a demandé : « Qu'est-ce que c'est ? »

Je lui ai répondu : « Ma mère me l'a donnée il y a trente-sept ans au moment de la mort du bébé. »

Notre fils naissant était mort d'une infection pulmonaire et j'étais entrée en profonde dépression. Je ne pouvais imaginer pourquoi Dieu avait permis qu'une telle horreur se produise. J'avais perdu la foi et je n'allais plus à l'église. Je ne vivais plus dans le monde réel à cette époque, et personne ne parvenait à m'atteindre pour m'aider. J'avais le cœur brisé et j'avais perdu le désir de vivre. Un soir, ma chère mère avait mis dans ma main l'objet que tenait maintenant mon mari dans la sienne. « Ma chère fille, avait-elle dit, tu viens de vivre une tragédie et il n'y a pas de réponse à la question du pourquoi, mais tu dois continuer. Je sais que c'est difficile, presque impossible. Mais si tu peux avoir la foi, ne serait-ce que la grosseur de ce grain de moutarde, tu vas commencer à guérir. »

J'ai fixé cette personne que j'aimais de tout mon cœur et je me suis demandé comment elle pouvait s'imaginer que je puisse croire ce qu'elle me disait. Elle a déposé le petit objet de verre dans ma main et m'a dit : « Anne, essaie. »

Au cours de la soirée, je n'ai cessé de rouler cette boule dans ma main. Je me suis attardée au petit grain brun en son centre. Je me suis sentie ragaillardie. J'ai ressenti le désir de croire que les choses reviendraient à la normale, que la vie m'apporterait de nouveau la joie. *Je peux avoir autant de foi que la grosseur de ce grain. Je peux le faire, je peux,* me suis-je répété sans arrêt.

Trente-sept ans plus tard, j'ai pris dans ma main cette sphère qui contenait le grain de moutarde. Ce soir-là, j'ai prié et j'ai senti la force me revenir. Nous devons tous nous accrocher à l'idée que nous pouvons, nous aussi, avoir la foi, la volonté et la détermination, ne serait-ce que de la grosseur de ce petit grain, pour traverser cette crise. Je sais que ce ne sera pas facile, cela ne l'a jamais été. Cependant, dans l'histoire de notre pays, nos heures les plus sombres se sont transformées en heures de gloire.

Anne Carter

Ground Zero

Trois mois après le 11 septembre 2001, je me suis retrouvée marchant dans le périmètre de Ground Zero à Lower Manhattan avec quatre autres femmes. Ma cousine Karen et moi avions pris l'avion du Wisconsin jusqu'à New York pour assister au vernissage des œuvres de ma fille Jeanne dans une galerie d'art au centre de Manhattan. Karen, une infirmière, voulait voir Ground Zero, car elle avait l'intention de revenir trois semaines comme bénévole de la Croix-Rouge pour aider à prendre soin des policiers et des pompiers qui devaient travailler sur le site vingt-quatre heures par jour pendant au moins une autre année.

Par ce beau jour frais de décembre, Jeanne, Karen et moi avons invité ma bonne amie, Mary Ann, la rédactrice en chef du magazine *Guideposts,* une New-Yorkaise par amour et par choix, à se joindre à nous. Mary Ann et moi sommes amies depuis 1982, chacune ayant habité chez l'autre, et nous comptons les années avant sa retraite où nous pourrons voyager ensemble et entretenir plus souvent notre amitié.

La cinquième femme en notre compagnie ce dimanche était Ellen, qui enseignait les arts avec ma fille à l'université Long Island. Ellen vivait dans un appartement à quelques rues du World Trade Center et elle a été témoin des deux avions qui se sont écrasés contre les tours et des édifices qui se sont effondrés. Comme des centaines d'autres, elle a signalé le 911 au moment du désastre.

Aucune des cinq n'était allée à Ground Zero avant ce jour et, pour une raison ou une autre, nous savions que nous devions le faire en groupe. Nous avons marché et marché autour du périmètre, nous avons ouvert grand les yeux, nous avons été étonnées, nous avons secoué la tête, versé des larmes et regardé les pompiers au travail qui éteignaient les feux profondément sous terre. Nous respirions l'air âcre qui filtrait de sous les rues et qui sentait le plastique brûlé. Nous avons vu des centaines de personnes défiler devant la chapelle St. Paul où de hautes clôtures avaient été érigées pour recueillir des milliers de fleurs, de notes, de lettres, d'affiches, et de débordements d'amour et de douleur de la part d'une nation qui ne peut pas comprendre ce qui est arrivé sur ces seize acres dans le plus vieux quartier de New York.

Nous avons marché dans la rue où une demi-douzaine d'énormes camions à ordures étaient alignés pour enlever tour à tour l'acier et les cendres des morts. Nous, les cinq femmes, savions que l'air était rempli de toxines et que chacune devrait peut-être porter un masque pour se protéger, mais nous ne l'avons pas fait. Il semblait que, si nous respirions physiquement cet air, nous comprendrions mieux. Ellen a mentionné qu'en respirant nous étions en communion avec les morts.

Ground Zero est un lieu saint. Les gens sont calmes, respectueux. Dans une rue étroite où il a fallu marcher sur des trottoirs brisés et des allées en bois improvisées, il y avait une douzaine d'écriteaux faits à la main sur lesquels on lisait : « S'il vous plaît, pas de photos ou vidéo. » Mais en tournant le coin, dans une autre rue, il y avait pourtant des gens qui prenaient des photos et qui filmaient le brouhaha à l'intérieur et autour du trou béant. L'esprit ne peut pas comprendre une telle dévastation ni se souvenir des détails, voilà pourquoi les photos sont nécessaires.

Je voulais me souvenir des cendres rugueuses, noires et mouillées devant l'église à deux coins de rues d'où étaient les tours. Je voulais me souvenir des grillages qui protégeaient les travailleurs et les gens qui affluaient dans le voisinage.

Surtout, il fallait que je me rappelle ce qu'on ressentait à marcher quelques rues au sud vers Battery Park jusqu'à la pointe de Manhattan d'où on peut voir la statue de la Liberté dans le port. Nous, les cinq femmes, nous sommes tenues sur le quai où les gens prennent le traversier qui les amène à la statue et ensuite au musée de l'immigration à Ellis Island. Nous sommes arrivées au parc au coucher du soleil. Les couleurs sur l'océan avaient une brillance rouge-orange, comme si tout était normal à New York.

Il y avait une immense murale qui couvrait un édifice sur le quai avec d'énormes photos de Gandhi et de Martin Luther King, rappelant aux visiteurs ces vies consacrées à la paix. Sur la gauche, il y avait le coucher du soleil, la statue, l'océan. Sur la droite, une vue des gratte-ciel de Lower Manhattan, de New Amsterdam, le plus vieux quartier de New York, où s'élevait jadis le centre du commerce mondial. Seulement, la ligne d'horizon était privée de ses deux éléments les plus spectaculaires. L'espace béant entre les édifices était obscène, inexpliqué, surtout si vous étiez allés à New York avant et que vous pouviez vous rappeler exactement où étaient les Tours. Seize acres, volatilisés.

En regardant ce coucher de soleil, encadré par la statue de la Liberté au sud, puis au nord par le lieu où étaient autrefois les tours géantes, cinq femmes ont eu des pensées confuses sur le monde et sur leur vie avant et après le 11 septembre. Voir de près autant de morts et de destruction, ou vivre et travailler près du lieu où l'Amérique a été attaquée, perturbe l'âme.

En nous dirigeant vers le métro, ma fille m'a prise par la taille. J'ai tendu la main à Mary Ann. Karen et Ellen marchaient l'une près de l'autre, en échangeant leurs impressions sur la vie après le 11 septembre.

Nous, cinq femmes dans la trentaine, la quarantaine, la cinquantaine et la soixantaine, ensemble pendant un après-midi, représentions un échantillonnage de relations diverses. Mais pendant trois heures ce jour-là, nous étions des sœurs qui ont connu la stupéfaction, la peur, la colère, la dépression, l'étonnement, la loyauté, le patriotisme, et l'amitié qui se noue quand des gens partagent leurs émotions. Nous avons vu une ligne d'horizon différente d'avant. Mais nous avons aussi vu la statue de la Liberté et le coucher du soleil. Nous avons vu des cendres mouillées et de l'acier tordu d'un côté de la rue, et de l'autre, un coucher de soleil éclatant et magnifique. C'était bien de voir les deux en même temps et de savoir que, même si la silhouette de New York ne sera jamais plus la même, le travail et l'espoir qui s'élèvent des cendres de Lower Manhattan constituent les éléments dont sont faits la liberté et les levers et couchers de soleil, si beaux qu'il est impossible de les décrire. Il faut aller là-bas pour comprendre.

Patricia Lorenz

7

ET ENSUITE ?

L'Amérique a subi une grande perte,
mais notre esprit et notre endurance
en tant que société
n'ont pas été perdus.

Colin L. Powell

« *Ne t'inquiète pas, PJ, nous rebâtirons!
C'est la façon américaine.* »

The Family Circus *par Bil Keane. Reproduit avec la permission de Bil Keane.*

Célébrer la vie

La vie offre autant d'occasions pour le bonheur que pour la tragédie.

Rudolph Giuliani

Hier soir, j'ai assisté à une *bar mitzvah* (fils du commandement) qui aurait été une inspiration à n'importe quel temps, mais pour les plus de trois cents personnes participantes qui ont connu les lendemains des événements du 11 septembre 2001, c'était une expérience étonnante de proclamation de vie. Je partage cette anecdote parce que je crois que plusieurs seront réconfortés par les histoires racontées dans notre communauté par un garçon de 13 ans.

Comme plusieurs citoyens du pays, mon mari et moi avons ressenti le besoin d'être entourés de gens immédiatement après le 11 septembre et nous avions projeté d'assister à la cérémonie du sabbat du vendredi soir au temple Birmingham de Farmington Hills, Michigan. En route, j'ai lu dans le bulletin du temple qu'on y célébrerait une *bar mitzvah*. J'en ai été surprise et j'espérais qu'elle soit retardée, préférant me concentrer pendant la soirée à tenter de comprendre les événements de la semaine. Tragiquement, le fils adulte d'un ami cher du temple se trouvait au 94e étage du World Trade Center, et je savais que la soirée serait triste pendant que nous lutterions tous pour prendre douloureusement conscience de cette tragédie personnelle et nationale.

Quand nous sommes arrivés, le stationnement était plein, de même que le temple. Plusieurs ont apparemment ressenti le besoin d'être avec d'autres. L'office a commencé par une belle musique mélancolique. Par la suite, le rabbin

Sherwin Wine a parlé longuement des horreurs des attaques terroristes. Il a dit que nous avions deux raisons d'être là ce soir. La première était pour pleurer les victimes, y compris le fils de Skip Rosenthal, Joshua Rosenthal, un homme de valeur qui avait grandi en fréquentant le temple et était connu de plusieurs dans l'assemblée. La deuxième raison était de contrecarrer les vœux des terroristes de nous démoraliser en continuant de célébrer les événements cycliques de la vie — en l'occurrence une *bar mitzvah,* « l'entrée dans la maturité » d'un garçon juif.

Ensuite, les membres de la famille du garçon qui fêtait sa *bar mitzvah* ont lu des extraits sur des événements qui ont marqué des étapes, sur la famille, sur la dignité, le pouvoir et la paix.

Puis, le rabbin Wine a repris la parole pour présenter Jackson, le garçon de la *bar mitzvah.* Dans notre temple judaïsme humaniste, il est coutume que les étudiants aux *bar* et *bat mitzvah* (fille du commandement) passent l'année précédant leur treizième anniversaire à faire des recherches sur la vie d'un héros ou d'une héroïne juive, et d'appliquer les actions de leur héros dans leur propre vie. Ce soir, a dit le rabbin, Jackson sera notre professeur.

Jackson est monté sur la boîte placée derrière le podium et, souriant, il a fait face à une salle bondée de monde. Il a annoncé fièrement qu'il avait choisi de partager l'histoire de la vie de Solly Gonor. Jackson avait lu son livre *Light One Candle : A Survivor's Tale from Lithuania to Jerusalem* [Allumez un cierge : L'histoire d'un survivant de la Lituanie à Jérusalem]. L'auteur y racontait que, en tant qu'enfant de douze ans en Allemagne, il avait connu des épreuves indescriptibles pour survivre, lui et son père, pendant le régime nazi. Jackson avait réussi à localiser Solly, qui avait maintenant soixante-quatorze ans et vivait en Israël, et avait entrepris une correspondance par courriel depuis un an.

Jackson nous a dit comment Solly, lui-même à l'âge de douze ans, aimait les sports et la compagnie d'amis, quand soudainement il n'était plus libre et sa vie était en danger parce qu'il était Juif. Les membres de la famille de Solly ont raté l'occasion de quitter le pays et après qu'ils ont été chassés de leur maison, ils se sont cachés pendant quelque temps avec cinq autres familles dans une grange. Au milieu de la nuit, le père de Solly les a réveillés et les a conduits à l'extérieur de la grange au moment où des soldats arrivaient. La famille a regardé avec horreur les gens cachés sortir de force, obligés de creuser leur propre tombe, avant d'être fusillés, l'un après l'autre.

Jackson a raconté une histoire sur la façon dont la famille Gonor a vécu pendant un certain temps dans le ghetto Kaunas, où Solly a enduré la faim et le froid. Solly a pu bravement prendre de la nourriture jetée par-dessus le mur du ghetto par un garçon avec qui il était ami avant la guerre, chacun risquant sa vie en prenant une course de minuit vers la clôture en fils barbelés quand les gardiens ne regardaient pas. L'ennui était une autre épreuve, car les Allemands avaient banni un des derniers plaisirs des Juifs en ordonnant le ramassage et la destruction de tous les livres. Sachant qu'ils risquaient leur vie, Solly et un ami ont caché des livres dans un endroit défendu du ghetto. Solly a pleuré quand son ancien professeur de mathématiques a été trouvé fusillé un livre à la main. Solly attribue sa capacité d'être resté en vie dans le ghetto à son amitié avec deux autres adolescents, qui sont tous deux morts par la suite dans des camps de concentration.

La famille de Solly a été renvoyée du ghetto pour aller dans un camp de travail et, par la suite, dans un camp de concentration. C'est là qu'il a été séparé de sa mère et qu'il a promis de garder son père en vie. Jackson nous a parlé des expériences douloureuses de Solly dans le camp, mais aussi comment Solly s'est servi de son intelligence pour se nourrir et se vêtir, lui et son père.

Les Allemands ont eu l'idée de se faire construire une forteresse par les prisonniers juifs et de les envoyer vers une marche de la mort sur des kilomètres de routes enneigées. Solly, dans sa fatigue, a perdu la trace de son père. Finalement, Solly s'est effondré près d'un arbre, où il a vraiment cru qu'il mourrait. Il s'est endormi. Un soldat américain d'origine japonaise l'a réveillé, l'a aidé à se relever et lui a dit qu'il était libre. Solly a plus tard retrouvé son père, qui avait été amené à l'hôpital. Il y a seulement cinq ans, Solly a retrouvé le soldat qui l'avait retracé en Israël. Cette réunion a ravivé de nombreux souvenirs que Solly avait rayés de sa mémoire depuis longtemps, et c'est à ce moment-là qu'il a commencé à écrire son livre. Jackson a dit qu'il s'était engagé à raconter l'histoire de courage de Solly.

Quand Jackson a eu fini de parler, toute l'assemblée s'est levée et a applaudi chaleureusement son exposé émouvant. Quand les applaudissements ont finalement diminué, Jackson a annoncé qu'il y avait une autre partie à sa *bar mitzvah*. Il a dit : « En raison de la fermeture des aéroports cette semaine, aucune personne de l'extérieur de la ville n'a pu être avec nous ce soir, sauf une. Cette personne est… Solly Gonor! » Un murmure a parcouru l'assemblée. Jackson a poursuivi : « Puisque M. Gonor n'a pas pu célébrer sa *bar mitzvah* à ses treize ans, j'aimerais qu'il se joigne à moi maintenant. »

Un homme aux cheveux blancs dans la rangée avant s'est levé et s'est rendu lentement vers le podium près de Jackson. La foule, debout, a applaudi à tout rompre. Pendant plusieurs minutes, M. Gonor s'est tenu là, les mains devant les yeux, luttant pour retrouver son calme. Alors, Jackson et M. Gonor ont fait une lecture ensemble, tout d'abord en hébreu, puis en anglais.

Après la lecture, M. Gonor nous a parlé, disant qu'il ne s'était jamais attendu à ce que ses expériences inspirent un jour un garçon de treize ans. Il a ajouté qu'il était content d'avoir pu faire le voyage d'Israël et de rencontrer son correspondant.

L'histoire de M. Gonor nous a rappelé que le mal dans le monde n'a rien de nouveau, mais que l'esprit humain et la volonté de survivre sont forts. Au moment où plusieurs d'entre nous se demandaient comment supporter le poids de la tristesse des jours qui suivront le 11 septembre, on nous a rappelé les personnes qui ont souffert pendant des années de la cruauté des Nazis, et les autres personnes dans différents pays du monde où le terrorisme est monnaie courante. Ce garçon de treize ans, Jackson, nous a rappelé que nous devons en effet célébrer la vie.

La soirée s'est terminée alors que, tous ensemble, nous avons chanté *Ayfo Oree*. En voici les mots, traduits de l'hébreu :

Où est ma lumière? Ma lumière est en moi.
Où est mon espoir? Mon espoir est en moi.
Où est ma force? Ma force est en moi.
Et en vous.

Caroline Broida Trapp

Qu'est-ce que c'est?

*La pénombre ne peut pas chasser la pénombre; seule
la lumière peut le faire. La haine ne peut pas chasser
la haine; seul l'amour peut le faire. La haine multiplie la haine, la violence multiplie la violence; la
dureté multiplie la dureté dans une spirale descen-
dante de destruction... La réaction en chaîne du mal
— la haine engendrant la haine, les guerres générant
plus de guerres — doit être rompue ou nous serons
plongés dans la noirceur... de l'anéantissement.*

                                           Martin Luther King Jr.

La simple question résonne toujours dans ma tête des
heures après.

« Qu'est-ce que c'est, maman », a demandé ma fille de
neuf ans, Katherine. « Qu'est-ce qui fait que certaines personnes font une chose si terrible! Qu'est-ce que c'est? »

Le jour se levait quand elle m'a posé la question. Nous
étions dans la cour avant, le ciel virait du gris au bleu pendant que nous nous préparions à la conduire à l'école. Elle
m'a regardée, ses grands yeux bleus profonds, son visage
innocent qui attendait une réponse. Dans son expression, je
voyais : « Maman connaîtra la réponse. Ma maman connaît
toutes les réponses. »

Je me suis arrêtée et j'ai regardé vers le ciel. Ce même
ciel qui venait de transformer des avions civils en des armes
de destruction qui ont percuté des cibles américaines. Des
cibles que j'avais vues personnellement. Je me rappelais la
construction de ces cibles alors que j'étais enfant, au New
Jersey. Des cibles qui sont des icônes visuelles de New York
et de Washington, D.C.

« La peur. La haine. Le malentendu. Et le désir de maintenir les gens dans la peur, la haine et le malentendu. » J'ai regardé ma fille qui est très mûre pour ses neuf ans. Elle a acquiescé lentement. J'ai poursuivi : « Ces gens savent que, si vous avez peur, vous ne pouvez pas ressentir d'amour. Si vous ne pouvez pas ressentir d'amour, vous ne pouvez pas ressentir de paix. Ces gens ne veulent pas que nous ressentions la paix ni l'amour. Ils veulent nous contrôler. Nous ne les laisserons pas faire cependant, n'est-ce pas? »

Par cette très courte conversation, Katherine avait ravivé ma détermination. Elle m'a rappelé une leçon très importante qui reste au plus profond de moi.

Après avoir entendu la nouvelle de la dévastation qui se produisait si près de l'endroit où j'avais grandi, j'ai eu peur au point d'en devenir presque hystérique. Je marchais de long en large, extrêmement inquiète pour mes enfants, mes amis, ma sécurité, mon pays, mon monde. Mais Katherine m'a rappelé que je ne pouvais pas ressentir la peur et l'amour en même temps. En écoutant des reportages de survivants, j'ai vu la gratitude dans leurs paroles. J'ai entendu une paix inhabituelle. J'ai vu la lumière dans la tragédie.

Nous ne pouvons pas aimer tout en pleurant la perte insensée de tant de vies. Nous pouvons aimer en priant. Nous pouvons aimer en donnant du temps, du sang et de l'argent à la Croix-Rouge et autres organismes de charité. Nous pouvons aimer en parlant à de parfaits étrangers, tentant de comprendre nos propres émotions face à la tragédie. Nous pouvons aimer en serrant dans nos bras nos enfants, nos amis et nos voisins. Nous pouvons aimer en prenant du temps à simplement éprouver de la gratitude pour chaque battement de cœur. Pour chaque moment. Pour chaque personne dont nous touchons positivement la vie. Nous pouvons aimer en mettant un pied devant l'autre. Nous pouvons aimer en choisissant de faire confiance. Nous pouvons aimer en étant au service de nos frères citoyens du monde.

Plus tard dans la journée, j'étais au parc avec Emma, ma fille de quatre ans. Elle est venue vers moi et je lui ai fait une grosse caresse. Elle m'a regardée et a dit simplement : « Un avion a frappé un édifice. Plusieurs personnes sont mortes. Parlons-en. »

Nous en avons parlé. Simplement, avec le vocabulaire d'une enfant d'âge préscolaire, nous avons parlé de ce qui est arrivé à New York. Elle est retournée jouer.

Peu après, elle est revenue vers moi et a dit : « Maman, fais-moi une belle grosse caresse pour que les méchants ne me trouvent pas. »

Je l'ai fait. Caresse. Amour. Garder les méchants à distance. Et si les méchants viennent quand même, n'oubliez-pas de faire une caresse. D'aimer. De faire confiance. De ressentir la paix au plus profond de vous.

Caresse. Amour. Vie.

Julie Jordan Scott

Une chose spéciale

« J'aimerais faire quelque chose de spécial pour elle. Pas sortir les ordures sans qu'on me le rappelle. Quelque chose de spécial, quelque chose que je ne ferais pas d'habitude. » Les larmes ruisselant sur son visage, le monsieur venait juste de répondre à la question du journaliste : « Que feriez-vous différemment si vous aviez su que vous pourriez ne plus revoir votre femme? »

Aujourd'hui, je crois personnellement que c'est une question merdique à poser à quelqu'un, encore moins au mari d'une victime d'une attaque terroriste. Le journaliste ne semblait avoir aucune compassion pour cet homme alors que l'avion à bord duquel était sa femme avait percuté le World Trade Center.

« Je suis simplement content de l'avoir embrassée en lui disant au revoir et de lui avoir dit ce matin que je l'aimais », a-t-il réussi à répondre, la voix étranglée.

Bien sûr, nous agirions tous différemment si nous savions que le temps à passer avec notre conjoint tirait à sa fin. Ma colère devant ce journaliste insensible a diminué en même temps que l'incrédulité et la peur qui étaient deve-nues mon lot depuis que je regardais les conséquences de l'attaque sur l'Amérique. « Idiot », ai-je marmonné à moi-même en fermant la télévision. J'ai peut-être besoin d'un repos. Je peux me permettre ce luxe. Je peux éteindre les images des édifices dévastés, des familles découragées et des sauveteurs épuisés.

Mais est-ce que je peux éteindre mes sentiments? Mon mari, Alan, et moi opérons une ferme. Il coupait un champ de fèves soya cet après-midi-là. J'ai décidé de prendre des photos du drapeau américain qu'il avait placé à l'arrière de notre moissonneuse-batteuse. Avec des terroristes qui essayaient de détruire notre nation, nous voulions manifester notre soutien : le fermier américain était encore au travail.

De retour dans la maison pour commencer une brassée de lavage, je me suis retrouvée à penser à cet interview. *Je ferais quelque chose de spécial* résonnait sans cesse dans ma tête. Ce monsieur n'aurait jamais plus l'occasion de le faire maintenant, mais moi, je l'avais. J'espère que Alan et moi vivrons ensemble un autre quarante ans. Il n'y a aucune garantie. Les lendemains ne sont pas assurés.

Quelque chose que je ne ferais pas d'habitude. Bon, sa camionnette aurait bien besoin d'un bon nettoyage. Alors, je me suis mise au travail. Après avoir passé l'aspirateur et nettoyé l'intérieur pendant environ trente minutes, j'étais prête à laver l'extérieur. J'avais un petit problème : c'était un peu compliqué de démarrer la laveuse à pression. Il fallait ajuster précisément le démarreur, puis bien ajuster le moteur au ralenti. Il y avait de fortes possibilités que je noie le moteur. *Quelque chose de spécial...* En attrapant la corde pour tirer, je m'y suis attaquée de front. Soudain, il était devenu très important à mes yeux de faire cette surprise à Alan. Plusieurs essais plus tard, sans succès et le bras douloureux, j'ai pensé que je ne réussirais pas. *Mon Dieu,* ai-je prié tout bas, *je pourrais certainement profiter de ton aide. Je veux démarrer ce moteur pour terminer ce travail pour Alan. Je veux vraiment le faire pour lui.*

La culpabilité m'a envahie immédiatement. Comment pourrais-je déranger notre Seigneur en pareille circonstance? Des milliers priaient pour leurs êtres chers. Des prières beaucoup plus importantes requéraient son attention immédiate. « Je m'excuse, mon Dieu », ai-je murmuré. Comment puis-je être si égoïste? J'avais prié très longtemps ces derniers trois jours, pour demander du réconfort pour les familles des victimes, de la force pour les chefs de notre nation et la guérison pour nous tous. Ma demande d'aide était maintenant automatique. J'ai toujours demandé de l'aide quand j'étais confrontée à une tâche difficile. Mais il semblait qu'aujourd'hui ce n'était pas bien d'en demander.

La défaite ne semble pas non plus être une option, alors j'ai tiré la corde une fois de plus. Le moteur a toussoté.

Oui, Alan était surpris et reconnaissant quand il a vu sa camionnette. J'étais, moi aussi, surprise et reconnaissante pour les leçons importantes que j'avais apprises ce jour-là. Premièrement, malgré son approche peu diplomatique, le journaliste a soulevé un point très important. Dans sa douleur, l'homme qui avait perdu sa conjointe m'a enseigné à chérir le mien. Je rechercherai ces choses « spéciales » à faire pour Alan.

Deuxièmement, et peut-être plus important, Dieu se soucie de nous, de nous tous. Il entend les prières de ceux dont la souffrance semble insupportable. Il se soucie de nous. Il entend aussi ceux d'entre nous qui ont besoin d'une petite poussée quand nous décidons de faire quelque chose de spécial pour quelqu'un que nous aimons.

Pam Bumpus

Pourquoi attendez-vous?

Plus vous bénissez et célébrez votre vie, plus il y aura de raisons de célébrer.

Oprah Winfrey

Je reçois plusieurs courriels, et je trie chaque jour une foule de photos drôles, de farces grivoises et de chaînes de lettres que je lis, pour les détruire ensuite. De temps à autre, je reçois un courriel d'une grande signification — un recueil de mots assez important pour me pousser à le partager avec ma famille et les amis de mon répertoire électronique. C'est exactement ce qui est arrivé le mardi matin 11 septembre 2001.

Une amie écrivaine m'a envoyé un courriel qui donne à réfléchir. Elle l'a intitulé, assez ironiquement : « Quelques pensées pour un jour heureux ». Le thème de sa composition était le besoin de « saisir le moment et vivre la vie au maximum ».

Je l'ai lu, relu, et j'ai compris que cette transmission électronique allait parfaitement de pair avec ma philosophie personnelle. De plus, ce papier m'a fourni un rappel nécessaire que la vie est courte; donc, nous devons jouer et en profiter le plus possible. J'ai fait suivre à ma famille et à mes amis de mon long carnet d'adresses électroniques cette correspondance de valeur. Je l'ai ré-intitulée : « La vie comme elle devrait être vécue ».

Dans l'un de ces moments heureux de la vie, en cliquant sur envoi et en lançant ma correspondance de groupe sur son chemin heureux, le téléphone a sonné.

C'était mon mari qui me demandait avec insistance d'ouvrir la télévision. En l'espace d'un moment, j'ai été ébranlée en regardant, incrédule, les événements qui se déroulaient à New York et à Washington, D.C. Des émotions contradictoires de peur, de colère, de chagrin et de compassion parcouraient mon corps pendant que les incessantes questions journalistiques des *qui, quoi, quand, où* et *pourquoi* torturaient mon cerveau d'écrivaine.

La dernière fois que j'avais visité la Grosse Pomme (ville de New York), j'étais allée au World Trade Center. Je m'étais assise au bar du dernier étage, au restaurant Windows on the World, et j'avais vraiment eu l'impression d'être au sommet du monde. Ce fut une soirée mémorable immortalisée sur une photo de groupe que j'ai accrochée au mur de mon bureau. Voilà qu'en l'espace de quelques instants, la photo et les gens qui s'y trouvent sont tout ce qui reste de cette soirée magique. En portant mon regard de cette photo de fête vers la réalité dévastatrice qui se déroulait à l'écran de télévision, je me suis soudainement sentie isolée. Je voulais, et je devais, tendre la main et toucher un autre être humain, m'assurer que, peu importe le côté accablant de cet événement incompréhensible, ma famille et mes amis étaient encore bien en vie, et que mon sens de la normalité survivrait.

À peu près au même instant, j'ai commencé à recevoir des courriels — tous sur le même sujet — « La vie comme elle devrait être vécue. » J'ai regardé les noms des correspondants pour y retrouver ceux de nombreux membres de la famille et amis à qui j'avais écrit plus tôt.

En ouvrant leurs lettres, un déversement de douleur et de peur ont rempli mon écran, ainsi que des phrases qui exprimaient la valeur de la famille et de l'amitié.

Au même moment, le téléphone s'est mis à sonner. Mon mari, ma fille, ma belle-sœur, mes amis, des collègues écrivains — des gens de New York jusqu'en Californie — ont téléphoné, les uns après les autres. Chacun répondait au même besoin de rejoindre quelqu'un et de s'assurer de la stabilité de leur vie. Quand, enfin, chacun de nos sens et notre susceptibilité furent apaisés, nous nous sommes dit au revoir avec tendresse, en promettant de nous parler plus souvent et de nous rencontrer bientôt.

J'ai repensé aux événements terribles de la journée alors qu'ils se déroulaient encore. Je suis aussi allée relire le courriel qui avait démarré si innocemment ma matinée. Je l'ai relu avec une nouvelle perspective et une nouvelle compréhension, m'attardant sur la phrase finale qui disait : « Si vous deviez mourir bientôt et si vous n'aviez qu'un téléphone à faire, qui appelleriez-vous, que diriez-vous et pourquoi attendez-vous ? »

Pour les innombrables personnes dans ces quatre avions, ces trois édifices à bureaux et d'autres dans les rues de la ville, cette question est maintenant hors de propos. Pour le reste d'entre nous, peut-être plus important que la question est la façon dont nous déciderons d'y répondre.

Christina M. Abt

Demeurer solidaires

*Cultiver la tolérance envers d'autres croyances déve-
loppera une vraie compréhension de la nôtre. Pour
moi, les différentes religions sont comme de belles
fleurs cultivées dans le même jardin, ou elles sont les
branches du même arbre majestueux.*

Mahatma Gandhi

À huit kilomètres de notre maison à LaVerne, Californie, il y a deux écoles musulmanes dont j'ignorais l'exis-
tence jusqu'aux jours qui ont suivi les attaques terroristes
de septembre. Puis le 11 septembre 2001 est arrivé, et il a
changé la vie de tous les Américains, d'une façon ou d'une
autre. Il est remarquable que le numéro de téléphone
d'urgence, le 911, le même dans tout le pays, corresponde à
la date des événements. C'est un rappel pour comprendre
combien de personnes se sont senties impuissantes et
menacées pendant la tragédie.

Ce fut une période pour regarder des scènes incroyables
sur les écrans de télévision. Une question m'est venue à
l'esprit plus tard. Que pourrais-je faire pour contribuer à
calmer la douleur dans cette situation difficile? Une
réponse est venue, très inattendue.

Mon mari, Chuck, un pasteur de l'église des Brethren, a
été invité par une connaissance musulmane à une réunion
œcuménique le vendredi suivant les attaques. Quelqu'un
avait alors suggéré d'offrir du soutien aux écoles musulmanes, fermées dès la nouvelle des attaques terroristes.

Quelques jours plus tard, quelqu'un a téléphoné pour
nous demander de nous présenter devant ces écoles à la
réouverture. Nous n'avions qu'à être « présents », pour
manifester notre soutien aux Musulmans en tant qu'êtres

humains et concitoyens américains, et non en tant que terroristes. La demande était, somme toute, assez simple.

Peu sûre de moi, je suis arrivée aux portes de l'école le matin de la réouverture, le 19 septembre. Plusieurs autres membres de la congrégation des Brethren, ainsi que des gens d'autres confessions, sont venus. Les parents et les professeurs nous ont rendu immédiatement nos saluts, nos sourires et notre accueil alors qu'ils se dirigeaient vers la porte d'entrée. Nombreux sont ceux qui ont manifesté leur gratitude pour notre présence. Alors que les jours passaient, on nous a offert des beignets, des fleurs, des lettres de remerciement des étudiants, un petit-déjeuner et un déjeuner en témoignage de leur reconnaissance où on a remis des plaques aux églises de LaVerne et de Pomona. Sur ces plaques, il est écrit que nous sommes unis sous le même Dieu.

Nous avons mieux fait connaissance avec ces chers Musulmans, qui nous ressemblent plus que je ne l'aurais cru. Ils n'ont jamais essayé de nous convertir ou de nous terrifier. Ils ont très bien accepté qui nous sommes. En fait, il y a eu un moment étonnant quand une Musulmane a dit que certains d'entre eux aimeraient venir à notre service religieux à LaVerne. Sa foi l'encourageait à en savoir plus sur d'autres croyances, a-t-elle dit. La date du 14 octobre a été fixée pour leur visite, et trente de ces nouveaux amis musulmans ont été chaleureusement accueillis par notre congrégation.

Le lundi suivant, nous avons su que leur présence à notre église leur avait beaucoup apporté. Ils ont envoyé un mot de remerciement à la congrégation de LaVerne.

Pour nous, notre relation avec une communauté musulmane ne fait que commencer. Nous avons été invités à assister à leur service religieux. Nous avons projeté une séance de planification pour déterminer comment nous pouvons travailler ensemble. De cette tragédie, il est ressorti une

relation chrétienne-musulmane très stimulante et enrichis-
sante. Je n'avais jamais pensé à la somme des bienfaits que
nous récolterions pour n'avoir été qu'une « présence » à
l'école Muslim City of Knowledge, et j'ignorais combien
notre présence avait de l'importance pour les professeurs et
les étudiants. Un mot de remerciement de la part d'un étu-
diant de cinquième année résume tout :

Chers gens,

*Vous me faites sentir en sécurité. Sans vous, je me
sentirais en danger. J'aime votre politesse. Avec vous,
je ne me sens pas soupçonné. Ce merci est de la part
de mes meilleurs amis et de moi.*

Avec amour,
Hassan

Shirley Boyer

Des voisins qui connaissent leurs voisins

La vigilance continuelle est le prix de la liberté.

Lendil Phillips

Nous attendions. Tous. Depuis le 11 septembre 2001, nous attendions une autre attaque. Notre président nous avait prévenus. Et maintenant, nous nous demandions quand et où elle se produirait. Même si on nous disait de vaquer à nos occupations quotidiennes comme d'habitude, il semblait impossible d'oublier que, quelque part dans le pays, un terroriste ou un groupe de terroristes était sur le point d'attaquer à nouveau. Ils nous détestaient assez pour mourir sans hésitation afin de nous éliminer.

Nous nous sommes donc rencontrés, en groupe, chez un voisin. Nous avons parlé. Nous avons exprimé nos sentiments sur les événements passés et sur ce qui pourrait arriver. Au début, nous n'avons fait que discuter des événements et nous avons exprimé notre horreur et notre colère. Nous nous sommes posé des questions les uns aux autres. Pourquoi est-ce arrivé? Pourquoi ne l'avons-nous pas su? Pourquoi nous déteste-t-on à ce point? La peur envahissait la pièce pendant que nous discutions de notre impuissance. La plupart d'entre nous s'étaient réunis avant, mais cette rencontre était différente. Nous nous demandions mutuellement de l'aide. Nous étions des voisins qui apprenaient à se connaître.

Puis, quelqu'un a demandé : « Que pouvons-nous faire? » Elle ne parlait pas du pays ou de l'État. Elle parlait de notre communauté. Elle parlait d'elle-même. Que pouvait-elle faire pour reprendre le contrôle et lutter contre l'impuissance? Que pouvions-nous tous faire, nous ici présents, a-t-elle demandé, qui enlèverait le contrôle aux terroristes et nous le remettrait dans nos propres mains?

C'est alors que le groupe a décidé d'agir. Nous formerions un programme de surveillance du quartier, mais ce programme ne comprendrait pas seulement le crime dans la communauté. Nous nous préoccuperions aussi du terrorisme et de la vigilance nécessaire pour l'abolir. Nous pourrions nous rencontrer dans une église ou une synagogue, où nous garderions une trousse de survie avec des couvertures, de l'eau, une trousse de premiers secours, des radios à piles, tout ce qui pourrait s'avérer nécessaire dans une situation d'urgence. Nous pourrions rencontrer les policiers, les pompiers et les équipes d'urgence, et leur dire que nous sommes là pour les aider. Nous pourrions travailler ensemble et nous joindre à la communauté en prenant soin les uns des autres. Nous pourrions lutter contre la peur et l'impuissance en apprenant à connaître nos voisins. D'anciens voisins ont déménagé. De nouveaux emménagent chaque jour. Nous apprendrions à les connaître aussi. Nous nous présenterions, leur offririons une plante, leur souhaiterions la bienvenue dans la communauté.

Des personnes âgées habitent notre ville. Par ce programme, nous veillerions sur elles. Nos responsables de quartier pourraient avoir leur numéro de téléphone et communiquer avec ces personnes en cas d'évacuation. Elles sauraient qu'elles ne sont pas seules. Il y a des mères qui travaillent à l'extérieur de la communauté. Nous pourrions prendre leur numéro de téléphone au travail et, s'il y avait urgence, nous pourrions communiquer avec elles afin qu'elles ne s'inquiètent pas de leurs enfants. Nous pourrions avoir des « maisons sûres » identifiées, afin que les enfants puissent savoir dans quelle maison aller s'il y avait un problème en revenant de l'école. Nous pourrions nous rencontrer une fois par semaine ou par mois pour discuter des nouvelles et améliorer notre propre programme. Nous pourrions apprendre à nous connaître les uns les autres, et ainsi connaître nos besoins. Personne ne serait étranger dans notre ville.

Les terroristes se sont installés dans des communautés où les voisins ne se connaissaient pas; ou s'ils se connaissaient, ils ne se souciaient pas de leur bien-être. Les terroristes connaissaient nos habitudes, mais nous ne connaissions pas les leurs. Nous avons travaillé, joué, nous avons profité de la vie. Nous ne savions pas que nous étions épiés. Ils nous ont surveillés, mais nous ne les avons pas surveillés. Ils pensaient nous connaître. Ils pensaient que nous ne changerions pas. Cette nuit-là, nous avons découvert notre arme la plus importante contre eux : des voisins qui connaissent leurs voisins. Des voisins qui se soucient les uns des autres. Des voisins qui s'entraident.

Si les terroristes cherchent un endroit où s'installer, il leur faudra trouver une autre ville.

Celle-ci n'est pas disponible.

Harriet May Savitz

Est-ce normal?

J'ai appris qu'il est possible de créer la lumière, le murmure et l'ordre en nous, peu importe la calamité qui nous vient de l'extérieur.

Helen Keller

11 septembre 2001. Quatre mille personnes se sont rassemblées pour la prière du midi dans une cathédrale du centre-ville. Une église de New York s'est emplie et vidée six fois ce mardi.

Le propriétaire d'un magasin de chaussures de tennis a ouvert ses portes et a donné des chaussures de tennis à ceux qui avaient réussi à fuir les tours. Des gens se tenaient en ligne pour donner du sang, dans les hôpitaux pour soigner les malades, dans les sanctuaires pour prier pour les blessés.

L'Amérique a été différente cette semaine-là.

Nous avons pleuré pour des gens que nous ne connaissions pas. Nous avons envoyé de l'argent à des familles que nous n'avions jamais vues. Les animateurs de *talk-shows* lisaient des passages des Écritures, des journalistes publiaient des prières. Notre attention, au lieu de porter sur la longueur des jupes et sur les résultats des matches sportifs, est allée vers les orphelins, les veuves et l'avenir du monde.

Nous avons été différents cette semaine-là.

Des Républicains côtoyaient des Démocrates, des catholiques priaient avec des juifs. La couleur de la peau était couverte par les cendres des tours qui brûlaient.

C'est un pays différent de celui de la semaine dernière. Nous ne sommes pas aussi centrés sur nous-mêmes que nous l'étions. Nous ne sommes pas aussi indépendants qu'avant. Les mains sont tendues. Les genoux sont fléchis. Ce n'est pas normal.

Et il me faut poser la question : *Voulons-nous revenir à la normale?* Est-ce que nous n'avons pas entrevu une nouvelle manière de vivre? Est-ce qu'on nous rappelle, comme nation, que l'ennemi n'est pas chacun de nous et que le pouvoir n'est pas en nous et que l'avenir n'est pas dans notre compte bancaire? La prière désintéressée est la façon dont Dieu veut que nous vivions toujours.

C'est peut-être, à ses yeux, le moyen qu'Il nous donne pour vivre notre vie entière. Et peut-être que la meilleure réponse à cette tragédie est de refuser de revenir à la normale. La meilleure réponse est peut-être de suivre l'exemple de Tom Burnett. Il était un passager du vol 93. Quelques minutes avant l'écrasement de l'avion dans les champs de Pennsylvanie, il a rejoint sa femme par téléphone cellulaire : « Nous mourrons tous, lui a-t-il dit, mais trois d'entre nous vont faire quelque chose à ce sujet. »

Nous pouvons nous aussi faire quelque chose à ce sujet. Nous pouvons décider de nous soucier des autres. Nous pouvons décider de prier davantage. Nous pouvons aussi décider, avec l'aide de Dieu, que nous ne reviendrons jamais plus à la normale.

Max Lucado

Reproduit avec la permission de Bruce Beattie. © 2001 Copley News Service.

Deuxième acte

Nous sommes le 24 juin 1859. Du haut de la colline sur-plombant la plaine de Solferino, Jean-Henri Dunant est installé comme dans une loge pour regarder les troupes de Napoléon qui se préparent pour la bataille avec les Autri-chiens plus bas. Les trompettes résonnent, les mousquets claquent et les canons tonnent.

Les deux armées se jettent l'une contre l'autre pendant que Dunant regarde, stupéfait. Il voit la poussière se lever. Il entend les cris des blessés. Il regarde le sang couler des hommes estropiés qui respirent pour la dernière fois, alors qu'il observe toute l'horreur. Dunant ne veut pas être là. Il est seulement en voyage d'affaires — pour parler à Napo-léon d'une transaction financière entre les Suisses et les Français. Mais il est arrivé en retard, et il se retrouve dans la position de témoin de première main des atrocités de la guerre.

Ce que Dunant voit de sa colline est, cependant, très peu à comparer avec ce qui l'attend bientôt. En entrant dans un petit village peu après la rencontre violente, Dunant observe maintenant les réfugiés de la bataille. Chaque édi-fice est rempli d'estropiés, de blessés, de morts. Dunant, rempli de pitié, décide de rester au village trois jours de plus pour réconforter les jeunes soldats.

Il constate que sa vie ne sera jamais plus la même. Mu par une puissante passion d'abolir la guerre, Jean-Henri Dunant perdra finalement sa prospère carrière de banquier et toutes ses possessions pour mourir quasi inconnu dans un asile de pauvres.

Nous nous souvenons de Dunant encore aujourd'hui parce qu'il a été le premier récipiendaire, en 1901, du prix Nobel de la paix. Nous nous souvenons aussi de lui à cause du mouvement qu'il a fondé — la Croix-Rouge.

Le premier acte de la vie de Jean-Henri Dunant s'est terminé le 24 juin 1859. Le deuxième acte a débuté immédiatement pour se jouer pendant le reste de ses quatre-vingt-un ans.

La vie de beaucoup de personnes peut être divisée en deux actes. Le premier acte se termine quand un individu décide de suivre une nouvelle direction ou une nouvelle passion. L'ancienne vie de Dunant, axée sur le succès financier, le prestige et le pouvoir, ne lui donnait plus satisfaction. Un nouveau Jean-Henri Dunant a émergé dans le deuxième acte de sa vie, un homme qui était dorénavant motivé par l'amour, la compassion et un engagement primordial à abolir les horreurs de la guerre.

Le deuxième acte dans la vie de certaines personnes peut commencer par une conversion ou un point tournant majeur. D'autres parlent d'un moment décisif. L'ancien moi est mis au repos et un nouveau moi naît — qui est gouverné par des principes, du courage et de la passion. Vous pourriez être prêts pour le deuxième acte. C'est la scène finale d'une vie qui compte.

Steve Goodier

Nous avancerons ensemble. Le chemin vers le sommet est solide. Il y a, pendant notre voyage, des vallées sombres et hasardeuses à travers lesquelles nous devrons lutter pour avancer. Il est cependant sûr et certain que, si nous persévérons, et nous persévérerons, nous traverserons les vallées sombres et hasardeuses pour aller vers la lumière du soleil, la plus vaste, la plus réconfortante et la plus durable que l'humanité a jamais connue.

Winston Churchill

L'esprit du don

Depuis 1995, Health Communications, Inc., les auteurs Jack Canfield et Mark Victor Hansen et leurs coauteurs ont pris l'habitude d'aider les moins fortunés en faisant don d'une partie du produit de la vente de chaque livre à différentes œuvres caritatives. Parmi celles-ci, il faut compter : The American Red Cross, The Wellness Community, Habitat for Humanity, Covenant House, Save the Children, Children's Miracle Network, Boys & Girls Clubs of America, The American Society for the Prevention of Cruelty to Animals, YMCA of the USA, Special Olympics, et plus de quarante-cinq autres organismes méritoires. Au total, ces groupes ont reçu plus de 3,4 millions $US.

Dans l'esprit de *Bouillon de poulet pour l'âme*, nous avons toujours cru qu'il était important de redonner à la société et d'inspirer les autres à changer leur vie. Nous poursuivrons cette longue tradition avec chaque nouveau livre de la série. Sachez qu'en tant que lecteur vous faites votre part pour améliorer et illuminer le monde par l'achat des livres de la série *Bouillon de poulet pour l'âme*. Nous vous remercions pour votre soutien continu.

À propos des auteurs

Jack Canfield

Jack Canfield est l'un des plus grands spécialistes américains du développement du potentiel humain et de l'efficacité personnelle. Il est un conférencier dynamique et divertissant, et un formateur très en demande. Jack possède un talent extraordinaire pour informer et inspirer son auditoire vers des degrés plus élevés d'estime de soi et de rendement maximal.

Il est l'auteur et le narrateur de nombreuses cassettes et vidéocassettes à grand succès, dont *Self-Esteem and Peak Performance, How to Build High Self-Esteem, Self-Esteem in the Classroom* et *Bouillon de poulet pour l'âme* — enregistrées devant public. On le voit régulièrement à la télévision dans des émissions telles *Good Morning America, 20/20* et *NBC Nightly News*. Jack est coauteur de nombreux livres, dont la série *Bouillon de poulet pour l'âme, Dare to Win* et *The Aladdin Factor* (tous avec par Mark Victor Hansen), *100 Ways to Build Self-Concept in the Classroom* (avec Harold C. Wells) et *Heart at Work* (avec Jacqueline Miller) et *La Force du Focus* (avec Les Hewitt et Mark Victor Hansen).

Jack est très souvent le conférencier invité auprès d'associations de professionnels, d'écoles, d'agences gouvernementales, d'églises, d'hôpitaux, d'équipes de vente et de sociétés commerciales. Parmi ses clients, on compte American Dental Association, American Management Association, AT&T, Campbell's Soup, Clairol, Domino's Pizza, GE, Hartford Insurance, ITT, Johnson & Johnson, Million Dollar Roundtable, NCR, New England Telephone, Re/Max, Scott Paper, TRW et Virgin Records. Il fait aussi partie du corps enseignant de Income Builders International, une école pour entrepreneurs.

Jack organise chaque année un séminaire de huit jours, un programme appelé Formation des Formateurs, dans le domaine de l'estime de soi et du rendement maximal. Ce séminaire attire des éducateurs, des conseillers, des formateurs dans l'art d'être parent, des formateurs en entreprises, des conférenciers professionnels, des membres du clergé et autres personnes intéressées à améliorer leurs compétences de conférenciers et d'animateurs de séminaires.

Mark Victor Hansen

Mark Victor Hansen est un conférencier professionnel qui, au cours des vingt dernières années, a donné plus de 4 000 conférences à plus de deux millions de personnes dans trente-deux pays. Dans ses exposés, il parle d'excellence dans la vente et de stratégie; de croissance personnelle et de l'art de se prendre en main; et comment tripler vos revenus et doubler vos temps libres.

Toute sa vie, Mark s'est donné pour mission de changer profondément et positivement la vie des gens. Pendant toute sa carrière, il a inspiré des centaines de milliers de personnes à se bâtir un avenir plus solide et plus significatif pour eux-mêmes, tout en stimulant la vente de produits et services pour des milliards de dollars.

Mark est un auteur prolifique. Il a signé les livres *Future Diary, How to Achieve Total Prosperity* et *The Miracle of Tithing*. Il a cosigné la série *Bouillon de poulet pour l'âme, Dare to Win* et *The Aladdin Factor* (avec Jack Canfield) et *The Master Motivator* (avec Joe Batten).

Mark a également produit une bibliothèque complète de programmes sur audio et vidéocassettes sur l'art de se prendre en main, qui ont permis à ses auditeurs de reconnaître et d'utiliser leurs aptitudes innées dans leur vie professionnelle et personnelle. Son message a fait de lui une personnalité populaire de la télévision et de la radio. Il a participé à des émissions sur ABC, NBC, CBS, HBO, PBS et CNN. Il a aussi été photographié en page couverture de nombreux magazines, dont *Success, Entrepreneur* et *Changes*.

Mark est un grand homme avec un cœur et un esprit à sa mesure. Il est un exemple pour tous ceux qui cherchent à s'améliorer.

Matthew E. Adams

Matthew E. Adams a une longue expérience des médias et du journalisme. Il est aussi un conférencier aguerri. Il a commencé sa carrière en travaillant à la radio pendant ses études secondaires. Après sa graduation à l'université, il a travaillé au service de la production de ESPN où il s'occupait de SportsCenter, de la LNH et de la NFL. En plus de ses activités médiatiques, il a œuvré au cours des douze dernières années comme dirigeant dans l'industrie du golf et des articles de sport. Il collabore régulièrement au Golf Channel.

Matthew a écrit plusieurs histoires pour la série des livres *Bouillon de poulet pour l'âme*. *Bouillon de poulet pour l'âme de l'Amérique* est sa première expérience en tant que coauteur d'un *Bouillon de poulet*. Au cours de sa recherche en préparation du livre, il a visité Ground Zero et a interviewé plusieurs personnes directement touchées par les événements du 11 septembre 2001. Matthew affirme que sa visite au World Trade Center quelques semaines après les attaques terroristes « a été une expérience de grande émotion. L'ampleur de la destruction et des pertes m'a simplement terrassé. Pourtant, à la même occasion, les gens de New York ont été tellement forts et déterminés. Je les ai trouvés inspirants. Ce sont de véritables héros. »

Matthew dit que son expérience en tant que coauteur d'un livre de la série *Bouillon de poulet pour l'âme* lui a été très profitable. « Je me suis senti très humble en constatant le dévouement de tous les gens qui ont travaillé sans relâche pour terminer ce livre. Je suis particulièrement reconnaissant envers ma femme, Donna, et ma famille pour leur patience et leur soutien. »

Autorisations

Nous aimerions remercier les nombreux éditeurs et les nombreuses personnes pour l'autorisation d'utiliser leur matériel. (Les histoires anonymes, celles qui sont du domaine public ou qui ont été écrites par Jack Canfield, Mark Victor Hansen ou Matthew E. Adams ne sont pas incluses dans la liste qui suit.)

Ils ont voté. Reproduit avec l'autorisation de Bill Holicky. © 2001 Bill Holicky.

Soyons unis. Reproduit avec l'autorisation de Kimberly Beaven. © 2001 Kimberly Beaven.

Donner aux autres et *Un héros de notre temps.* Reproduit avec l'autorisation de Judith Simon Prager. © 2001 Judith Simon Prager.

Le World Trade Center raconté par un pompier. © 2001 par *The New York Times, Co.* Reproduit avec autorisation. Originalement publié dans *The New York Times,* le 14 septembre 2001.

Deux héros pour le prix d'un, Les chauffeurs de taxi de New York, Sans paroles, Rencontre du hasard et *Interurbain.* Reproduit avec l'autorisation de Marsha Arons. © 2001 Marsha Arons.

Pour votre information. © 2001 par *The New York Times Co.* Reproduit avec autorisation. Originalement publié dans *The New York Times,* le 6 novembre 2001.

Que dire? Reproduit avec l'autorisation de Mike Daisey © 2001 Mike Daisey.

Sauvetages jumeaux aux Tours jumelles. © 2002 *The Star-Ledger.* Tous droits réservés. Reproduit avec autorisation. Publié dans *The Star-Ledger,* le 27 septembre 2001.

Plus que du chocolat. Reproduit avec l'autorisation de Terri Crisp et Carol Kline. © 2001 Terri Crisp et Carol Kline.

Courriels de Manhattan. Reproduit avec l'autorisation de Meredith Englander. © 2001 Meredith Englander.

Des drapeaux de prières. Reproduit avec l'autorisation de Mark Farre. © 2001 Marc Farre.

L'attente insoutenable. Reproduit avec l'autorisation de Rosemarie Kwolek. © 2001 Rosemarie Kwolek.

Une journée à D.C. Reproduit avec l'autorisation de Maria Miller Gordon. © 2001 Maria Miller Gordon.

Dernier message. Reproduit avec l'autorisation de David A. Timmons. © 2001 David A. Timmons.

Un. Reproduit avec l'autorisation de Cheryl Sawyer, Ed.D. © 2001 Cheryl Sawyer, Ed.D.

Extrait du poème *Love Lives.* Reproduit avec l'autorisation de Nancy L. Perryman. © 2001 Anne Marie Perryman. Affiché sur *www.spirituality.com.*

Notre famille américaine. Reproduit avec l'autorisation de Ferida Wolff. © 2001 Ferida Wolff.

Voix d'antan. Reproduit avec l'autorisation de Carol McAdoo Rehme. © 2001 Carol McAdoo Rehme.

Le temps de prier. Reproduit avec l'autorisation de Kathy Ide. © 2001 Kathy Ide.

Mettre les choses en perspective. Reproduit avec l'autorisation de Charles Memminger. © 2001 Charles Memminger.

Ce que j'ai appris. Reproduit avec l'autorisation de Victoria L. Walker. © 2001 Victoria L. Walker.

Des étrangers familiers. Extrait de FAMILIAR STRANGERS par Gautam Chopra. © 2002 Gautam Chopra à être publié chez *Doubleday,* une division de *Random House, Inc.* en avril 2002. Reproduit avec l'autorisation de l'éditeur.

Et si on décrétait Fin de partie? Reproduit avec l'autorisation de Molly Lynn Watt. © 2001 Molly Lynn Watt.

Réflexions d'un nouveau père. Reproduit avec l'autorisation de David Skidmore. © 2001 David Skidmore.

Le grain de moutarde. Reproduit avec l'autorisation de Anne E. Carter. © 2001 Anne E. Carter.

Ground Zero. Reproduit avec l'autorisation de Patricia Lorenz. © 2001 Patricia Lorenz.

Célébrer la vie. Reproduit avec l'autorisation de Caroline Broida Trapp. © 2001 Caroline Broida Trapp.

Qu'est-ce que c'est? Reproduit avec l'autorisation de Julie Jordan Smith. © 2001 Julie Jordan Smith.

Une chose spéciale. Reproduit avec l'autorisation de Pamela Lyn Bumpus. © 2001 Pamela Lyn Bumpus.

Pourquoi attendez-vous? Reproduit avec l'autorisation de Christina M. Abt. © 2001 Christina M. Abt.

Demeurer solidaires. Reproduit avec l'autorisation de Shirley Boyer. © 2001 Shirley Boyer.

Est-ce normal? Reproduit avec l'autorisation de Max Lucado. © 2001 Max Lucado.

Deuxième acte. Reproduit avec l'autorisation de Steve Goodier. © 2001 Steve Goodier.

Bouillon de poulet
pour l'âme

Ados

ISBN 2-89092-230-8
288 PAGES

Ados II

ISBN 2-89092-285-5
336 PAGES

Ados Journal

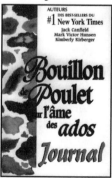

ISBN 2-89092-266-9
336 PAGES

Enfant

ISBN 2-89092-257-X
336 PAGES

Bouillon de poulet
pour l'âme

Couple

ISBN 2-89092-268-5
288 PAGES

Célibataires

ISBN 2-89092-292-8
336 PAGES

Survivant

ISBN 2-89092-277-4
304 PAGES

Chrétiens

ISBN 2-89092-235-9
288 PAGES

Bouillon de poulet
pour l'âme

Femme

ISBN 2-89092-218-9
288 PAGES

Mère

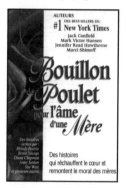

ISBN 2-89092-232-4
312 PAGES

Aînés

ISBN 2-89092-300-2
336 PAGES

Travail

ISBN 2-89092-248-0
288 PAGES

Bouillon de poulet pour l'âme

1er bol

ISBN 2-89092-212-X
288 PAGES

2e bol

ISBN 2-89092-208-1
304 PAGES

3e bol

ISBN 2-89092-217-0
304 PAGES

4e bol

ISBN 2-89092-250-2
304 PAGES

Bouillon de poulet
pour l'âme

5e bol

ISBN 2-89092-267-7

336 PAGES

Ami des bêtes

ISBN 2-89092-254-5

304 PAGES

Golfeur

ISBN 2-89092-256-1

336 PAGES

Bouillon de poulet pour l'âme

Format de poche

Concentré

ISBN 2-89092-251-0
216 PAGES

Tasse

ISBN 2-89092-245-6
192 PAGES